BASTEI
LÜBBE

Carrera Devonshire

Spiele der Macht

Erotischer Roman

Aus dem Englischen von
Sandra Green

BASTEI LÜBBE TASCHENBUCH
Band 15 608

1. Auflage: Dezember 2006

Vollständige Taschenbuchausgabe

Bastei Lübbe Taschenbücher in der Verlagsgruppe Lübbe

Deutsche Erstausgabe

Titel der Originalausgabe: The Power Game
Published by Arrangement with Virgin Books Ltd., London, UK
Für die deutschsprachige Ausgabe:

Dieses Werk wurde vermittelt durch die
Literarische Agentur Thomas Schlück GmbH, 30827 Garbsen
Titelillustration: age fotostock / Mauritius Images
Umschlaggestaltung: Tanja Østlyngen
Satz: SatzKonzept, Düsseldorf
Druck und Verarbeitung:
Maury Imprimeur, Frankreich
Printed in France
ISBN 13: 978-3-404-15608-5 (ab 1. 1. 2007)
ISBN 10: 3-404-15608-0

Bei der Wahl 2010 errang die New Spectrum Party einen spektakulären Sieg, ausgelöst von der erfrischenden radikalen Politik und den jungen charismatischen Vertretern der neuen Partei. Die Persönlichkeiten, die sich auf den Fluren der Macht tummelten, waren anders. Aber Neid und Ehrgeiz, die Leidenschaften und Perversionen menschlicher Natur blieben gleich.

Erstes Kapitel

Lukes Geschichte

»Fuck« ist ein Wort, das ich oft benutze, aber gewöhnlich benutze ich es nicht dem Präsidenten der Vereinigten Staaten von Amerika gegenüber. Doch an diesem Tag kam es in voller Absicht über meine Lippen.

Der Morgen begann gut. Der Präsident lieferte eine beeindruckende Rede ab. Die Zuhörer in der kleinen Stadt in New Jersey waren dankbar. Als Pressesprecher des Präsidenten freute ich mich, dass so viele Journalisten da waren. Sie waren reich mit Informationen versorgt worden, und sie hatten keine unbequemen Fragen gestellt. Ich war sicher, dass die Fernsehberichterstattung am Abend positiv sein würde. Der Präsident befand sich in einer ungewöhnlich guten Stimmung.

Der Ärger begann, als wir den Ort verlassen wollten. Ein paar Menschen, hundert vielleicht, hatten sich vor dem Gebäude versammelt, und als der Präsident die Straße überquerte, winkten und riefen sie. Der Präsident winkte zurück und lächelte freundlich. Ein Schwarm von Fotografen buhlte um seine Aufmerksamkeit.

»He, Paul«, riefen sie. »Hierhin schauen, Mister President.«

Paul hielt kurz inne und gab ihnen ein paar Sekunden Zeit, damit sie ihre Schnappschüsse einfangen konnten. Als er gerade ins Auto steigen wollte, entstand hinter uns ein Tumult. Ein Sicherheitsmann rief uns etwas zu, und ich drehte mich um und sah einen Mann, der sich aus der Menge löste.

Später konnte ich mich nicht erinnern, was er trug oder was er sagte. Ich erinnere mich auch nicht an den Revolver. Aber den Ausdruck seines Gesichts, den würde ich mein ganzes Leben lang nicht vergessen.

Was ich dann tat, wurde von einigen später als tapfer beschrieben. Aber mit Tapferkeit hatte es absolut nichts zu tun. Tapferkeit setzt das Erkennen von Gefahr voraus. Doch ich habe ehrlich (und – wie es sich erwies – dümmlich) nie daran gedacht, dass der Fremde mich gefährden könnte. Ich lief schnell auf den Präsidenten zu, und mein Körper schützte seinen.

Ich rief nur ein Wort: »Paul!« Es genügte.

Ich hörte nichts. Ich spürte nur den Schmerz. Er jagte durch mich hindurch und presste mir die Luft aus den Lungen. Ich fiel nach vorn und versuchte verzweifelt einzuatmen. »Fuck«, sagte ich. »Fuck, fuck.«

Um mich herum rannten Leute hin und her. Die Leibwächter, die dem Präsidenten am nächsten waren, verstauten ihn ins Auto, das dann sofort abrauschte. Die Polizeieskorte hetzte hinterher, und von der heißen Straße stieg der Staub hoch. Der Mann mit dem Revolver wurde von einer kleinen Armee von Sicherheitskräften umzingelt und abgedrängt.

Ein Polizist brüllte in sein Funkgerät: »Der Präsident ist wohlauf. Aber der Bastard hat den Engländer erwischt.«

Einer der persönlichen Berater des Präsidenten lief an mir vorbei. »Großartig gemacht, Luke«, rief er mir zu.

Jemand bot an, mir die Aktentasche abzunehmen, die ich noch in der linken Hand hielt, aber aus irgendeinem Grund konnte ich sie nicht loslassen.

Serena, die First Lady, blieb bei mir stehen. Sie sah besorgt aus, aber ich wusste nicht, warum.

»Luke! Sind Sie in Ordnung?«

»Mir geht es gut«, sagte ich und lächelte Serena an. Sie trug ein cremefarbenes Kostüm, und ihr Haar war wie immer elegant in einem schmalen Band zusammengefasst. Nicht zum ersten Mal dachte ich, dass sie großartig aussah. Sie nahm die Aktentasche behutsam aus meinem Griff und stellte sie vor ihre Füße.

Ein Sicherheitsmann wollte die First Lady aus der Gefahrenzone entfernen. Sie tat ihn mit einer kurzen Handbewegung ab. Niemand konnte Serena sagen, was sie zu tun und zu lassen hatte.

Ihr Gesicht sah verändert aus. Es schwebte, vom Körper losgelöst, über mir. Ich zwang mich, meinen Blick zu fokussieren, aber Schweiß rann in meine Augen. Ich konnte nichts sehen. Als ich den Arm hob, um mit der Hand über mein Gesicht zu streichen, sah ich, dass die Hand rot verschmiert war. Irgendwas blutete.

»Setzen Sie sich«, sagte Serena. »Der Notarzt ist unterwegs und wird sich um Ihre Schulter kümmern.«

Ich sah hinunter. Ein roter Fleck breitete sich auf meinem rechten Arm aus und tränkte den Stoff meines italienischen Anzugs. »Oh«, sagte ich.

Serena schob eine Hand auf meinen Rücken, und ich sank langsam auf den Boden, dankbar, dass ich nicht mehr stehen musste. In meinem Ärmel gab es ein großes Loch, und der zerrissene Stoff hing vom Ellenbogen hinunter.

»Den Anzug werden Sie nicht mehr tragen können«, sagte Serena und lächelte mich freundlich an. Ich runzelte die Stirn. Sie beugte sich über mich und schob mein Jackett von meinen Schultern. »Bevor Ihr Arm anschwillt«, erklärte sie. Ihre Hände waren sanft. Mein Arm war nicht das Einzige, was in dieser Sekunde anschwoll.

Als sie sich über mich beugte, fiel eine Locke ihrer blonden Haare in ihr Gesicht. Ich langte hoch und schob die Strähne zurück. Serena bedachte mich mit einem Blick, den ich nicht deuten konnte. Mein Gesicht befand sich auf einer Höhe mit ihrem Schenkeldreieck. Oh, ich wüsste gern, wie sich diese fabelhaften Beine anfühlten.

Hinter ihr sah ich den Krankenwagen, der langsam auf uns zufuhr. Aber es war Serena, der meine volle Aufmerksamkeit galt. Ich war sicher, dass sie seidene Unterwäsche trug. Sehr weich, sehr seidig. Pink vielleicht oder lila. Elfenbein würde einen phantastischen Kontrast zu ihrer goldenen Hautfarbe bilden. Egal, welche Farbe sie trug, sie würde exklusive Wäsche tragen.

»Verdammt teuer«, sagte ich.

Serena lächelte. Sie setzte sich neben mich, faltete mein Jackett und drückte es gegen meinen Arm.

»Keine Sorge«, sagte sie mit einem Blick auf den zerrissenen Stoff. »Nach dem, was Sie getan haben, wird Paul glücklich sein, Ihnen ein neues Jackett zu kaufen – einen ganzen Kleiderschrank voller Jacketts.«

Ich hatte keine Ahnung, wovon sie redete.

Ich sah zu, wie sich das hellgraue Kaschmir rot färbte, aber das war mir egal. Ich musste weiter an Serenas Wäsche denken. Weites französisches Höschen, dachte ich, mit Spitze verziert. Ich stellte mir vor, mit einem Finger unter das Höschen zu schlüpfen. Es war, als könnte ich ihre krausen blonden Härchen spüren. Ich stöhnte auf.

»Armer Luke. Tut es weh?«

»Ja.« Mir wurde plötzlich schwindlig, ich konnte nicht mehr aufrecht sitzen und kippte zur Seite. Über mir zogen dunkle Wolken über den niedrigen Himmel.

Serena sah mir ins Gesicht. Sie legte eine kühle Hand auf meine verschwitzte Stirn. Ich wollte mich aufrichten und sie küssen, aber ich war zu müde. Die Wolken senkten sich über mich.

»Serena«, sagte ich. »Ich schätze, du willst nicht mit mir schlafen?«

Dann wurde ich ohnmächtig.

Cassandras Story

Ich warte in der weitläufigen Halle eines der bekanntesten Hotels in London, als ich ihn das erste Mal bemerke. Er trägt die Uniform des Hotels, schwarze Hose und weißes Hemd, aber sein selbstsicherer Gang hebt ihn von allen anderen ab. Er stellt sich hinter einen großen, langen Tisch, bedeckt mit einem blütenweißen Leinentuch, und schenkt Champagner in eine ganze Batterie von glänzenden Gläsern.

Der Champagner sieht einladend aus. Und er auch.

Ich schaue auf meine Uhr. Ich habe noch ein paar Minuten, bevor meine Gäste eintreffen, und ich mag keine vergeudeten Minuten. Ich schlendere hinüber zum Champagnertisch.

»Hi«, sagt er, und an diesem einen Wort erkenne ich den australischen Dialekt. Das passt, er mit seiner gebräunten Surferhaut und den blonden Haaren; aus einer anderen Ecke der Welt konnte er gar nicht kommen.

»Kann ich Ihnen ein Glas Champagner anbieten?«

»Danke.« Ich warte darauf, dass er mir ein Glas reicht, und als ich mich über den Tisch lehne, um es anzunehmen, streiche ich mit einer Hand über seine Finger. Er sieht mich an, überrascht, staunend. Ich wende mich ab und nippe an meinem Drink, zufrieden mit mir, dass ich ihn auf mich aufmerksam gemacht habe.

Heute Abend war das Hotel der Schauplatz der Verleihung der Golden-Flame-Preise, eine der begehrtesten Auszeichnungen in der PR-Branche. Die Großen und Guten treffen sich, schmücken sich mit fremden Federn und versichern sich gegenseitig, wie großartig sie sind. Ich bin hier, um nachher am Zehnertisch meiner Agentur zu sitzen. Ich gehöre zu den unteren Chargen bei Renshaw Winterman, und mir ist klar, dass ich nur deshalb eingeladen worden bin, damit der letzte Platz am Zehnertisch nicht leer bleibt.

Mein Herzschlag sinkt, als ich mir die Sitzordnung ansehe. Ich bin neben Brian aus der Buchhaltung platziert und will gerade die Tischkarten austauschen und Brian durch den bestaussehenden Abteilungsleiter ersetzen, als Brian über mich hereinbricht.

»Hallo, meine Liebe«, schwelgt er. »Ich sehe, dass du den Champagnertisch gefunden hast.« Ich sehe ihn schwanken und weiß, dass er sich schon reichlich bedient hat.

Drei Stunden später bin ich starr vor Langeweile. PR-Leute brauchen keinen Grund, um sich zu feiern, aber dieses Essen ist der beste Anlass des Jahres. Ich bin umgeben von Menschen, die ihren Spaß haben, aber ich selbst habe keinen Spaß. Die meisten Gäste tragen Partyhüte und werfen Papierschlangen, und alle knipsen wie verrückt drauflos, denn auf jedem Tisch liegt eine Einmalkamera. Enthemmt vom Alkohol schütteln einige der jungen Hüpfer die Sektflaschen und lassen das überschäumende Getränk auf die Schöße von Kolleginnen sprühen.

Auf dem Flur habe ich eben die Besitzerin einer führenden Londoner Agentur gesehen, die sich von einem der Manager das blanke Hinterteil ablichten ließ. Morgen wird es ihr schrecklich peinlich sein – wenn sie sich noch daran erinnert.

Als politische Spezialisten fühlen wir uns bei Renshaw Winterman den meisten anderen Agenturen überlegen. Ich selbst sehe dafür zwar überhaupt keinen Grund; ich würde lieber PresseInformationen über spannende Waren schreiben als über trockene Parteiprogramme. Aber wenn mich auch die politische PR nicht wirklich antörnt, so muss ich doch dabei bleiben, denn lukrative Alternativen sind nicht in Sicht.

Nach drei Jahren Cambridge hatte ich es geschafft, das Partyleben gegen ein Jahr intensives Leben einzutauschen. Mein

Vater hat mir ein beträchtliches Vermögen hinterlassen, aber das Testament verlangt, dass ich aus meiner teuren Schul- und Uniausbildung etwas mache. Mit irgendeiner Arbeit muss ich meinen Schuhtick finanzieren. Nach einer Reihe von erfolglosen Beschäftigungen brachte mich mein Vater bei Marcus Renshaw unter. Ich überraschte alle, indem ich den Job durchhielt.

Heute Abend habe ich das Gefühl, jeden Penny meines geringen Gehalts verdient zu haben. Brian, der mich wie ein Hündchen verfolgt, ist kein guter Gesellschafter. Er ist ein großer Mann mit schütteren Haaren und hält sich für einen begnadeten Unterhalter. Er muss erst noch lernen, dass ihn niemand mag. Ich schaue ihm zu, wie er eine Zahlenkolonne auf seine Serviette schreibt, und unterdrücke ein Gähnen.

Renshaw Winterman hatte bisher eine beeindruckende Anzahl von Preisen eingeheimst. Die Auszeichnungen selbst, goldene Fackeln auf einem viereckigen Acrylsockel, hatten keinen finanziellen Wert, aber sie halten uns Marcus eine Weile vom Leib. Er bestellt gerade frischen Champagner, und dafür bin ich ihm dankbar. Ich hebe mein volles Glas und trinke. Das soll meine Langeweile bekämpfen, rede ich mir ein.

Als ich Brians große, feiste Hand auf meinem Knie spüre, versteife ich mich unwillkürlich. Es gelingt mir nur, seinem Griff zu entkommen, indem ich nach einem Partyhut greife und ihn über seinen hässlichen Kopf stülpe. Bevor er den Hut wieder absetzen kann, lange ich nach einer Kamera auf dem Tisch und knipse ihn.

»Oh, Mist«, schimpft er. »Du hast mich in einem Moment erwischt, in dem ich ziemlich doof ausgesehen haben muss.«

Du siehst nie anders aus, Brian, denke ich.

Es fällt mir schwer, mich zu zwingen, der spannenden Geschichte zuzuhören, wie er es geschafft hat, sein Handicap im Golf zu verbessern. Während ich mich anstrenge, seiner

Story zu folgen, fühle ich, wie meine Aufmerksamkeit schwindet.

Der australische Kellner ist auch für unseren Tisch zuständig. Ich sehe ihm zu, wie er von Tisch zu Tisch wandert. Als er gerade einen Teller serviert, fange ich seinen Blick auf. Er hat was Schelmisches in den Augen, was mir gefällt. Es gefällt mir sogar sehr. Als er sich unserem Tisch nähert, lehne ich mich ein wenig zurück, damit er einen besseren Blick auf meine Brüste hat. Ich wölbe den Rücken und sehe, wie sein Lächeln breiter wird. Der Mann lässt sich leicht ablenken.

»Und zweitausendvier war ich schon runter auf einhundertzehn Kilo«, sagt Brian. Der Kellner und ich tauschen Blicke. Dann geht er weiter; ich schaue ihm nach, aber er verschwindet in der Menge. Ich fülle mein Glas wieder, und Marcus wirft mir einen warnenden Blick zu, den ich ignoriere. »Und ich hoffe, es ist nicht übertrieben, wenn ich sage, dass ich im nächsten Jahr dauerhaft unter hundert bin.«

Der Kellner kommt zurück und räumt die Teller ab. Er lehnt sich über mich, und dabei fühle ich sein Bein an meinem. Es ist eine Berührung, die niemand bemerkt, aber für mich fühlt sie sich wie eine Einladung an. Ich sehe auf seine Hose und bin sehr erfreut über das, was ich da sehe. Die Hose ist nicht eng, aber die Schwellung ist trotzdem deutlich zu sehen. Es ist ein wunderbares Versprechen.

Es ist seltsam, wie Erregung vor sich geht. Vor ein paar Minuten war ich bestenfalls in einer milden Flirtlaune, aber der Blick auf seine gespannte Hose katapultiert mich in ein Stadium heftigen Verlangens.

Ich frage mich, was seine Erektion ausgelöst hat. Kann er sich zwischen den Gängen selbst befriedigen, nachdem er meine Brüste gesehen hat? Auf der anderen Seite des Tischs erzählt Marcus politisch korrekte Witze, und seine bewundernden Angestellten lachten pflichtschuldigst. Ich kann die Pointe nicht hören, deshalb kann ich auch nicht lachen.

Der Kellner steht dicht neben mir. Der fabelhafte Schaft ist nur eine Handbreit von mir entfernt. Ich könnte ihn wie zufällig berühren. Oh, es würde sich gut anfühlen, nur mal kurz zuzudrücken. Oder er könnte sich bücken, als wollte er eine Serviette aufheben und dabei unanständig unter mein Kleid fassen. Oder meine Brüste drücken. Ich stelle mir vor, wie er meine Brüste in die Hände nimmt. Ich erschauere und fühle, wie mein Gesicht brennt.

Brian tupft auf meine Schulter. Ich werde aus meinem Tagtraum gerissen und bemühe mich, meine schmutzigen Gedanken zu verbannen. Aber es ist schwer, meine Erregung zu verstecken. Brian spricht wieder, doch ich kann nicht länger zuhören.

Der Kellner schleppt auf den Armen den Nachtisch heran. Sein Gesicht verrät nichts. Seine Selbstbeherrschung verärgert und erregt mich zugleich. Mit einer Hand stellt er die Teller auf den Tisch, und als er sie serviert hat, schlüpft seine andere Hand in den Rücken meines Kleids. Genauso habe ich es mir vorgestellt. Ich erstarre, als er mich langsam streichelt. Seine warmen Finger wandern von einer Schulter zur anderen.

Ich starre auf meine Beine und schlage sie übereinander. Brian redet immer noch. Wenn er nur wüsste. Ich stelle mir vor, dass ich mich erhebe und mein Kleid lüpfe. Ich zeige mich Brian und den anderen am Tisch. Ihre Augen sind auf mich gerichtet, sie starren auf meine geschwollenen Labien und auf den dicken Kopf der Klitoris.

Im nächsten Moment ist der Kellner verschwunden, aber vor mir liegt ein gefaltetes Papierstück. Ich nehme es in die Hand und lese: »Tu was dagegen. Scott.«

Ich schaue Scott nach und sehe, wie er sich von mir entfernt. Ich weiß genau, was ich will. Ich will ihn benutzen, damit ich mich abreagieren kann. Ich stelle mir vor, wie er in mir drin ist, wie er mich ausfüllt, wie er mich dehnt und streckt.

Es ist nicht nur so, dass ich es mir wünsche – ich brauche es unbedingt.

Brian leiert weiter, und ich versuche, das Pochen zwischen meinen Schenkeln zu ignorieren. Aber es lässt sich nicht ignorieren. Ich muss kommen. Oh, verdammt. Schnell. Ich überlege, wie ich das bewerkstelligen kann. Ich könnte zum Klo laufen, rasch ein paar Fingerstriche, und es wäre vorbei. Wenn ich meine Beine zusammenpresse, könnte ich vielleicht hier am Tisch schon kommen. Ich bin so geil, deshalb wäre ich schnell am Ziel. Aber es ist Scott, den ich will.

Ich schaue hoch und sehe ihn auf der anderen Seite des großen Saals stehen. Er lächelt mich an, dann dreht er sich um und geht in Richtung Küche. Ich kann nicht anders, ich muss ihm folgen.

»Entschuldigung«, sage ich zu Brian und erhebe mich. Ich fühle Brians Augen auf meinem Rücken, als ich den Saal durchquere, und ich kann nur hoffen, dass meine glühenden Wangen und die zitternden Hände mich nicht verraten.

Der Redakteur der auflagenstärksten englischen Tageszeitung hebt gerade zu einer vermutlich höchst vergnüglichen Rede an, aber ich werde sie nicht hören, denn im gleichen Moment verlasse ich den Saal, den Kopf voller niederer Instinkte.

Hinter der Küchentür wartet Scott auf mich. Er nimmt mich an die Hand und führt mich durch die Küche zu einem Seitenausgang. Das Hotel ist voll belegt, deshalb brummt es überall, nur draußen ist es relativ ruhig.

Fetzen der Ansprache erreichen uns durch das Lautsprechersystem des Hotels, aber als Scott mich in eine dunkle Ecke zieht, hinter einen geparkten Lieferwagen mit dem Emblem des Hotels auf der Tür, kann ich mich auf nichts mehr konzentrieren – nur auf ihn. Während der Schweiß zwischen meinen Brüsten rinnt und mein Atem in kleinen heiseren Zügen kommt, denke ich an aufregendere Dinge als die, über die der Wirtschaftsfachmann referiert.

Wir haben keine Zeit, uns kennen zu lernen. Ich lehne mich gegen die Wand und hebe mein Kleid. Der Champagner hat mich mutig gemacht, deshalb ist es mir egal, dass ich mich wie eine Hure benehme. Mein Kleid liegt wie eine Wurst um meine Taille. Ich stehe mit gespreizten Beinen da, und Scott starrt auf mein Höschen. Ich erfreue mich an dem gierigen Ausdruck auf seinem Gesicht.

Seine Bewunderung lässt mich lächeln. Unter dem teuren Kleid trage ich die billigstmögliche rot-schwarze Unterwäsche, der winzige Slip und der schmale Strumpfhalter mit hübschen seidenen Schleifen verziert. Es ist die Art Wäsche, die kratzt; man vergisst nie, dass man sie trägt. Ich liebe den Kontrast zwischen dem makellosen Äußeren und der Schlampe darunter. Scott teilt ganz offensichtlich meine Vorliebe für den Pornolook.

Er sagt nichts. Ich auch nicht. Die Tatsache, dass wir nicht zusammen reden, lässt die Begegnung noch spannender, noch schmutziger sein. Wir werden es zusammen treiben. Nicht mehr und nicht weniger.

Ich sehe zu, wie er seine Hose öffnet und seinen dicken Penis herausholt. Ich bleibe reglos stehen, als er auf mich zukommt. Oh, Mann, warum beeilt er sich nicht? Es gibt kein Vorspiel. Er zieht wortlos mein Höschen hinunter und stößt in mich hinein. Der Angriff erregt mich, und ich weiß, dass ich ganz schnell kommen werde.

Scott stößt heftig zu und zwingt meine Beine auseinander. Er fährt mit einer Hand zwischen unsere Körper und kreist mit den Fingern um meine Klitoris. Ich erschauere, während der Finger wunderbar hin und her wetzt. Er steigert das Tempo seiner Stöße, und ich weiß plötzlich, dass ich mich nicht mehr zurückhalten kann. Ich halte mich an seinen Schultern fest und erbebe in einem heftigen Orgasmus.

Meine Befriedigung lässt ihn nicht langsamer werden. Er packt meine Hüften und stößt tiefer in mich hinein. Er ist zu erregt, um sich um mich zu kümmern, also stößt er zu, wild und unbeherrscht. Ich helfe ihm, presse meine Hände gegen seine Backen und ziehe ihn fester an mich.

Ich spüre, wie er erschauert, als er sich seinem Ende nähert. Er wirft den Kopf in den Nacken, und sein Mund ist weit geöffnet. Ja, er ist bereit. Ich spüre sein Zittern, die heftigen Zuckungen, und in seinem Gesicht lese ich die Konzentration auf seinen Orgasmus und sonst nichts.

Im Hotel wird der Gewinner des großen Preises verkündet.

»Die Auszeichnung als bester Berater des Jahres geht an – Renshaw Winterman.«

Später, als ich wieder auf meinem Platz sitze, serviert Scott den Kaffee. In aller Ruhe lehnt er sich über mich und stellt einen Teller mit Petits Fours auf den Tisch. Er sieht so aus, als wäre nichts geschehen. Ich stecke ein Stückchen Schokolade in meinen Mund und lächle Marcus freundlich an.

Ich wüsste gern, ob es auch eine Auszeichnung für die beste Parkplatznummer des Jahres gibt.

Zweites Kapitel

Lukes Geschichte

Washington ist eine harte Stadt, aber selbst in diesem heißen, schwülen Sommer liebe ich diese Stadt. Ich liebe die Menschen, das vibrierende Leben und den Platz in der Geschichte. Aber am meisten liebe ich die Politik. Hier ist Politik nicht nur eine Beschäftigung, hier ist sie Existenzgrundlage, der Grund zu leben. Das gefällt mir. Washington ist mir Heimat geworden, ich lebe und arbeite schon seit vier Jahren hier. Es kommt mir viel länger vor.

Es ist morgens halb sieben. Ich hatte nicht vorgehabt, so früh zu arbeiten, aber die Gewohnheit, aus dem Bett zu springen, sobald es hell wird, ist schwer zu überwinden. Ich war auch an diesem Tag um fünf Uhr aufgestanden, und nach meinem morgendlichen Joggen sitze ich nun, kurz nach Sonnenaufgang, hinter meinem Schreibtisch.

Als ich meinen Arm nach einer Akte ausstrecke, schießt ein scharfer Schmerz durch meine rechte Schulter. Seit dem Attentatsversuch sind ein paar Monate vergangen. Zum Glück war ich noch bewusstlos, als der Präsident mich im Krankenhaus besuchte. Eine Reihe von Leuten hatte mein völlig unangebrachtes Anbaggern von Serena gehört, und Paul waren alle Details erzählt worden. Die Schusswunde heilte so gut, dass ich das Krankenhaus nach ein paar Tagen wieder verlassen konnte. Es wird länger dauern, mich von der Peinlichkeit zu erholen und meine Schwärmerei für seine Frau zu erklären.

Ich lasse die Akte an ihrem Platz, setze mich zurück und schaue aus dem Fenster. Hitzeschwaden wabern von den Pfaden und Terrassen rund um den Westflügel hoch. Es wird wieder ein warmer Tag werden.

Ich schaue mich in meinem Zimmer um. Später wird es auf den Fluren brummen; Journalisten, Technikteams und die Angestellten des Weißen Hauses werden sich im Presseraum drängen. Aber dieses Zimmer ist meine Privatsphäre. Es ist nur spärlich möbliert. Das dunkle Holz der Aktenschränke und des Schreibtischs bildet einen starken Kontrast zu den weißen Wänden. Der Boden ist mit unauffällig grauem Teppich ausgelegt. Über meinem Schreibtisch hängt ein grimmiges Bild über das Martyrium des heiligen Sebastian. Es war mir vor Jahren zum Geburtstag geschenkt worden, und zuerst hatte ich es gehasst. Aber es zeigt eine dunkle Leidenschaft, und mit der Zeit hat es mich verführt, und ich lernte, das Bild zu schätzen. Es ist die einzige Dekoration auf dem glatten Putz. Mein Zimmer ist alles andere als luxuriös, aber ich bin glücklich hier.

Draußen kann ich das Dröhnen der Staubsauger hören und den leisen Rhythmus des mexikanischen Radiosenders. Dann höre ich noch, wie eine vom Reinigungspersonal in einer Sopranstimme singt. Ich muss lächeln, denn ich erkenne die Stimme. Sie gehört Rocio. Ein großartiges Mädchen. Eine schreckliche Sängerin.

Ich gähne und strecke mich und versuche, meine schmerzende Schulter zu entspannen. Ich will mich gerade wieder meiner Arbeit zuwenden, als es leise an meine Tür klopft. Rocio geht nie vorbei, ohne kurz auf einen Plausch hereinzuschauen.

»*Venga*«, rufe ich.

Die Tür öffnet sich, und dann tritt sie ein und trägt ein Tablett mit Kaffee und Kuchen. Mit der Hüfte stößt sie die Tür ins Schloss.

»*Hola, guapo*«, sagt sie. »Ich war im Café und habe Ihnen ein Abschiedsgeschenk mitgebracht.«

»*Hola,* Rocio. Frühstück!« Das ist typisch für Rocio. Ein Zeichen ihrer Zuneigung. Ich bin beeindruckt. Sie schiebt die wichtigen Papiere, an denen ich arbeite, zur Seite und stellt das Tablett direkt vor mich.

»Ich danke dir. Das sieht wirklich verlockend aus.«

»Ah ja, so verlockend.« Sie macht sich über meinen englischen Akzent lustig. Sie hört sich wie eine spanische Version von Audrey Hepburn am Ende von *My Fair Lady* an. Ich freue mich, dass meine englische Aussprache zu ihrer Heiterkeit beiträgt.

Ich versuche, ein Dossier, das ich für den Präsidenten erstellen muss, unter ihrem Po wegzuziehen. »Du bist heute spät dran. Solltest du nicht längst weg sein?«

Ihre kräftigen Finger öffnen die fest sitzenden Deckel der dampfenden Kaffeebecher. »Nein.« Sie hebt die Schultern und greift zu einem Plunderteilchen. »Ich habe auf Sie gewartet.« Ihr schwerer Akzent ist interessant, eine Mischung aus mexikanischem Spanisch und lang gezogenem Amerikanisch, wie es in Washington gesprochen wird. Ihr Englisch ist schlimmer als mein Spanisch, aber ich höre ihr gern zu, weil sie mit meiner Sprache kämpft. Genau wie sie von meinem Akzent fasziniert ist, finde ich ihre Sprache unwahrscheinlich sexy.

Mir wird bewusst, dass ich hungrig bin. Während wir essen, plappert sie fröhlich, und als ich mein Frühstück beende, vertilgt sie den Rest und redet weiter mit vollem Mund.

Rocio hat diese lateinamerikanische Schönheit, die fast zum Klischee geworden ist, wenn wir an eine junge Latina denken. Ihre makellose Haut hat die Farbe von Café Crema, und ihr glänzend schwarzes Haar fällt in dicken Zöpfen über ihren Rücken. Ihre vollen Lippen sind immer knallrot geschminkt. Sie hat einen drallen Körper mit ausgeprägten Kurven, und an diesem Morgen klafft ihr blauer Arbeitskittel über den runden Brüsten ein wenig auseinander.

Ich beobachte, wie Stoff und Knöpfe bis zum Äußersten gespannt sind, als sie sich vorbeugt, um die letzten Krümel vom Tablett zu picken. Es fehlt nicht viel, dann würden die Brüste aus dem Kittel kippen.

Als sie aufsteht und das Tablett an sich nimmt, gehe ich davon aus, dass sie nach Hause geht.

»Danke für mein Abschiedsgeschenk. Ich habe mich sehr gefreut.«

Sie stellt das Tablett auf dem Stuhl ab, geht quer durch mein Büro und verschließt die Tür und sieht mich dann mit einem verwegenen Lächeln an.

»Oh nein«, sagt sie. »Das war nicht Ihr Geschenk.«

Ihre Finger greifen zum obersten Kittelknopf. Ich halte den Atem an, als sie Knopf für Knopf öffnet und dann aus dem Kittel heraussteigt.

Dann steht sie reglos da, als wüsste sie, dass ich mir ihren Körper genau anschauen möchte. Ihr weißer BH ist vielleicht ein bisschen zu klein, denn die Brüste drücken sich oben und an den Seiten heraus. Es sieht gut aus. Ich wüsste gern, ob sie bemerkt, wie mein Schwanz lebendig wird.

Sie bewegt sich mit der lässigen Anmut der wirklich sinnlichen Frau, als sie auf mich zukommt und sich vor mir auf den Schreibtisch setzt. Sie streckt beide Hände aus und öffnet mein Jackett. Ich verziehe das Gesicht, als ihre Hand meine verletzte Schulter berührt.

»Immer noch wund?«

»Ein bisschen.«

»Ah, armes Baby«, schnurrt sie. Ihr Mitgefühl ist nur halb echt. Ich weiß, dass sie mächtig beeindruckt ist von meiner Rolle als Präsidentenretter, ganz egal, wie oft ich ihr sage, dass es purer Dusel war. Als wir das erste Mal nach der Attacke zusammen waren, kam es ihr schneller denn je, und ich hatte sie auch noch nie so laut erlebt.

»Ich werde den Schmerz wegmassieren«, sagt sie lieb. Sie langt in mein Jackett und streift es mir ab. Ich rühre mich nicht, als sie meine Krawatte lockert und auszieht, ehe sie die Hemdknöpfe öffnet.

Sie zieht mir die Schöße aus der Hose, schält mich aus dem Hemd und lässt es auf den Boden fallen. Dann streicht sie mit den Händen über meine Arme, und ich seufze dankbar, als sie die Anspannung aus meinen Muskeln massiert.

Rocios Berührungen haben größere Heilkräfte als die teuren Physiotherapeuten des Präsidenten. Allmählich bewegen sich ihre Hände von der Schulter weg zum Bauch. Die Massage hat nun nicht mehr viel mit meiner Verletzung zu tun. Mir fällt auf, dass sie ein Grinsen unterdrückt, als sie die wachsende Schwellung in meiner Hose sieht. Wie zufällig berührt eine Hand die Spitze meiner Erektion.

»Oh, entschuldigen Sie.« Aber ich sehe ihr an, dass sie es nicht meint. Sie ist eine ganz raffinierte kleine Physio. Ihre Hände arbeiten unermüdlich, jetzt fummeln sie an den Knöpfen meiner Hose herum, und dann schiebt sie die Finger unter den Stoff. Ihre Augen funkeln voller Lust, als sie das volle Ausmaß meiner Härte abmisst.

»Mister Luke, Sie sind ein schrecklicher Patient«, schimpft sie. »Wie kann ich Ihre Verletzung behandeln, wenn sie immer eine Erektion bekommen?«

Sie kneift die Schwellung, und ich weiß, dass ich geschlagen bin. Ich schließe die Augen, während sie mich weiter neckt. Blut schießt in meinen Unterleib. Meine Hose wird immer enger. Rocio richtet sich auf, langt auf ihren Rücken und öffnet den BH. Ich reiße die Augen weit auf, als ihre Brüste mir entgegenfallen. Mit einer Hand streichle ich die Umrisse der beiden prächtigen Halbkugeln. Ich nehme sie in die Hände und hebe sie an, als wollte ich ihr Gewicht schätzen.

»Gefallen sie Ihnen?«, fragt sie, nimmt die Schultern zurück und präsentiert sie noch prominenter, damit mein Urteil besser ausfallen soll.

»Ich liebe sie«, sage ich und lächle sie an. »Aber das weißt du doch.«

Ich beuge mich vor, halte immer noch ihre Brüste und lecke mit der Zunge durch das Tal dazwischen. Ich könnte mich in dem köstlichen Fleisch verlieren.

Meine Erektion beginnt zu zucken, als ich anfange, ihre Nippel zu lecken. Sie sind dunkel wie reife Kirschen und fast auch so groß. Abwechselnd nehme ich sie in den Mund und lecke und sauge, und ich fühle, wie sie unter meiner Zunge hart werden. Ich kann nicht widerstehen, leicht meine Zähne einzusetzen. Rocio wühlt mit den Händen durch meine Haare, sie schnurrt wie eine Katze.

Sie gleitet vom Schreibtisch, und ihr Körper streicht an meinem entlang. Ein schönes Gefühl, als ich ihre lieblichen harten Brustwarzen auf meinem Brustkorb spüre. Mein Bauch spannt sich an, denn sie beginnt, ihn mit kleinen neckischen Küssen zu verwöhnen. Ihre Zungenspitze dringt in meinen Nabel ein, und ich halte vor Lust die Luft an, während sie die Reise nach unten fortsetzt.

Sie zieht meine Hose ganz nach unten, und ich stöhne erleichtert auf. Mein Schaft springt ins Freie. Ihr Blick ist auf meinen Schwanz gerichtet. Sie stößt einen leisen bewundernden Pfiff aus.

»*Que magnifico*«, murmelt sie.

Ich muss unwillkürlich lachen. »Rocio, du siehst ihn nicht zum ersten Mal.«

Sie zieht verärgert die Brauen zusammen. »Und Michelangelos David sieht Scheiße aus, weil du ihn mehr als einmal gesehen hast?«

Sie bewegt sich auf und ab. Nimmt meinen Schaft zwischen die Brüste und reibt ihn mit ihrem weichen, festen Fleisch. Ich blicke nach unten und sehe die Spitze herauslugen. Es reicht fast, um mich ans Ziel zu bringen, deshalb schließe ich rasch die Augen und stöhne leise.

»*Dios mio*«, murmele ich. »Das ist auch ganz schön *magnifico.*«

»Ich weiß«, sagt sie, schaut hoch in mein Gesicht und grinst mich an.

Dann fühle ich ihren warmen Atem auf meinem Schaft. Zuerst neckt sie mich und lutscht mich wie einen Lutscher. Aber das genügt mir nicht. Ungeduldig hebe ich die Hüften ein wenig an und stoße tiefer, denn ich will alles von ihrem talentierten Mund spüren.

»*Rocio. Por favor. Estas jugando*«, flüsterte ich und verfalle ins Spanische. Aber sie braucht keine Ermunterungen. Ich kann nicht anders und muss einen tiefen Seufzer ausstoßen, als sie mich langsam ganz in ihren Mund aufnimmt.

Ihre Lippen, die meinen Schaft pressen, fahren auf und ab. Ich fühle, wie ihre Zunge mich zusätzlich reizt. Sie nimmt mich noch ein Stückchen tiefer, und ich spüre, wie ich gegen ihren Gaumen stoße. Es ist phantastisch.

Ihr Kopf geht auf und ab, und sie saugt immer härter und bewegt sich immer schneller. Mein Schwanz ruiniert ihr Make-up, ihre Haare zerzausen, und die seidigen Locken streichen kosend über meinen nackten Bauch und die Schenkel.

Oh, verdammt. Ich will noch nicht kommen. Ich versuche, an irgendwas zu denken, nur nicht an sie, die zwischen meinen Beinen kniet.

Meine Fingernägel graben sich in die Handflächen, während ich bemüht bin, Kontrolle über mich zu gewinnen. Aber ich weiß, dass sie mich sehr bald schon mitreißen wird. Es wird nicht mehr lange dauern, bis ich mich in ihr versprühe. Wenn ich in einer halben Minute noch etwas wert sein will, muss ich jetzt handeln. Jetzt oder nie.

Ich setze jede Unze meiner Selbstdisziplin ein, greife mit den Händen unter ihre Arme und ziehe Rocio langsam von mir weg. Sie nimmt den Oberkörper zurück und schaut hoch zu mir. Süß und zerzaust sieht sie aus und betörend wie selten. Nein, das Opfer ist nicht groß.

Ich bücke mich und helfe ihr mit einer Hand hoch, während ich mit der anderen Hand in ihren weißen Baumwollslip greife. Ich weiß, wie sie berührt werden will. Ich weiß, wie ich sie zur Ekstase bringen kann.

Die Narbe an meinem Handgelenk ist Zeuge ihrer Lust auf dem Höhepunkt. Sie musste sich an mir festbeißen, um die Sicherheitsleute des Weißen Hauses nicht mit ihren Entzückungsschreien zu alarmieren.

Aber als ich jetzt meine Finger zu ihrem dunklen Dreieck bringen will, zieht sie meine Hand weg.

»Rocio?«

Sie lehnt sich vor und presst ihre Finger auf meine Lippen. Ich verstehe. Das ist auch eine typische Geste Rocios.

Manchmal ist Rocio die Herrin, dann liegt sie stundenlang träge auf dem Teppichboden meines Büros, die Beine weit gespreizt, damit ich sie zu ungezählten Höhepunkten lecken kann. Danach steht sie auf und geht, sie lässt mich hart und hilflos zurück, bis sie später – manchmal auch Tage später – zurückkommt. Sie lauert mir auf dem Parkplatz oder auf einem Flur auf, schleicht sich von hinten an und masturbiert mich zu einem phantastischen Orgasmus, der sich peinlich schnell einstellt, aber das Warten wert war.

Und manchmal ist sie die Dienerin.

»Nein«, sagt sie, und ihre schwarzen Augen funkeln. »Dies ist nur für dich.«

Sie kniet sich wieder zwischen meine weiten Schenkel, und ich lege mich lächelnd in meinem Sessel zurück, die Hände hinter dem Kopf verschränkt.

Ich war in keiner Position, um ihr ernsthaft Widerstand zu leisten.

Später, lange nachdem Rocio gegangen ist, leere ich mein Postfach, schicke die letzten E-Mails und schalte meinen Computer ab. Einer meiner Presseassistenten klopft ungeduldig gegen meine Tür.

»He, Luke«, ruft er. »Die Leute warten auf dich. Sie wollen mit einem Abschiedstrunk auf dich anstoßen.«

»Ja, fein. In einer Minute bin ich da.«

Ich hole die letzten meiner Habseligkeiten aus dem Aktenschrank, verstaue die üblichen Fotosammlungen, Briefe und Andenken, die sich im Laufe der Zeit anhäufen, in eine alte braune Ledertasche. Schließlich hänge ich den heiligen Sebastian von der Wand.

Ich gehe nach Hause.

Drittes Kapitel

Cassandras Geschichte

Lord Fenwick Jones of Railton Lea ist nicht glücklich.

»Ich habe dir diesen Job besorgt, Cassandra.«

»Wunderbar«, sage ich in meiner besten Begeisterung vortäuschenden Stimme.

Kürzlich ins Oberhaus berufen, hat Charles Fenwick Jones nicht mehr viel mit den internen Dingen des Unterhauses zu tun, aber als ehemaliger Schatzkanzler ist er nicht ohne Einfluss und kann immer noch an ein paar Strippen ziehen. Die letzte Strippe, die er gezogen hat, hatte mich aus einer verzwickten Situation herausgeholt.

Nach dem Intermezzo auf dem Parkplatz während der Preisverleihung – später fand ich heraus, dass Brian uns aus den Schatten zugeschaut hatte – kursierten Gerüchte über mein schamloses Verhalten, die schließlich auch an Marcus' Ohren drangen. Es war unvermeidbar, dass ich zu Marcus gerufen wurde. Seine Ansprache begann mit: »Dies schmerzt mich ebenso wie Sie ...« Er fuhr fort, dass ich meine Talente vergeude und ... Ich machte mir nicht einmal die Mühe zuzuhören.

Der neue Job ist absolut unbedeutend. Ich arbeite in einer kürzlich reorganisierten Kommunikationsabteilung der Regierung. Mein Studium und meine PR-Erfahrung bei Renshaw Winterman hatten mich zu der Bewerbung animiert. Charles' Einfluss und mein Charme schafften den Rest. Ich bin nicht sicher, ob ich für die bierernste Welt der »Große-Jungs-Politik« geeignet bin, aber Charles macht mir klar, dass man mir einen Drink in der »Bar der letzten Chance« angeboten hat. Den Job abzulehnen war einfach keine Option.

»Ich habe mir fast einen Arm ausreißen müssen, Cassandra.« Dann fügt er hinzu, nach meiner Meinung völlig überflüssig: »Wieder einmal.«

»Ich weiß, und ich bin dir auch sehr dankbar.«

»Das solltest du auch sein. Lass mich diesmal nicht im Stich, okay?«

»Nein, werde ich nicht. Das verspreche ich dir, Daddy.« Meine Zukunft ist also entschieden.

Am Ende der ersten Woche im neuen Job treffe ich mich mit Kollegen und einigen ihrer Freunde in deren Stammlokal, dem »*Ship and Anchor*«.

Unter den Gästen befindet sich auch William de Courcy, ein scharfzüngiger Journalist, der während meiner Zeit bei Renshaw Winterman manche Fehden mit uns gefochten hat. Er ist über einsachtzig groß und hat den Kopf voller schwarzer Locken. William hat was von einem Bär an sich. Er ist gutmütig und hat gute Manieren, deshalb ist er überall beliebt. Auch bei mir. Ich kenne ihn seit zwei Jahren, und in dieser Zeit ist er zu einem guten Freund geworden.

Er hat an diesem Abend einen Abgeordneten mitgebracht, Simon Moore, Inhaber eines todsicheren Parlamentssitzes. Simon gehört zu der neuen Generation von Politikern, die das Land bei der letzten Wahl im Sturm erobert hatte. Sein gutes Aussehen und sein Job als Moderator eines einflussreichen TV-Programms (›Moore From The House‹) haben ihm zu einer immensen Bekanntheit verholfen.

Er ist mit einer ständig lächelnden Ehefrau verheiratet und Vater von zwei Kindern. Simon hat die gepflegten Eigenschaften, die der englische Mittelstand so liebt. Jene, die ihn besser kennen, wissen, dass er nicht ganz so sauber ist, wie seine PR-Leute ihn darstellen. Im Augenblick starrt er in den Ausschnitt von Camilla, die im Pressebüro der Partei arbeitet. Sie war ganz sicher eher wegen ihres Dekorationswerts eingestellt worden und weniger wegen ihres Intellekts.

Während der Alkohol fließt, werden die ernsthaften Fachsimpeleien über die Transparenz der Regierung und die Frage der Finanzierung unserer Universitäten abgelöst von weniger hehren Themen, zu denen auch Witze über die politischen Rivalen gehören.

Es ist unvermeidlich, dass die Gespräche auch auf den neuen Direktor der Kommunikation kommen; er ist mein neuer Boss und heißt Luke Weston. Ich kenne Luke nur vom Hörensagen. Seine Karriere als politischer Journalist war kurz und wahnsinnig erfolgreich gewesen. Danach ging er in die USA, aber nachdem er sich eine Kugel eingefangen hatte, die für den Präsidenten unterwegs war, hatte er seine Rolle als amerikanischer Superheld satt und ein Angebot des Premierministers angenommen, amerikanisches Wissen in die englische PR für die Regierung einzubringen. Mich würde nicht überraschen, wenn er bei seinem Dienstantritt mit einem Fallschirm in der Downing Street landet.

»Du bist sein bester Freund, William. Was ist er für ein Mann?«, fragt Camilla.

William lächelte geheimnisvoll. »Er ist in Ordnung.«

»Ist er wirklich so ein großer Zauberer?« Camillas Frage wird von »Ohs« und »Ahs«, begleitet.

»Wenn er wirklich zaubern könnte, wäre er im Zirkus besser aufgehoben«, sagt Lucy, eine junge, ehrgeizige Journalistin bei einer Sonntagszeitung. Sie war nicht gerade dafür bekannt, unsere Partei zu unterstützen.

William lacht herzlich. »Lucy, er kann einen Doppeldeckerbus mit seinem kleinen Finger steuern.«

Die anderen nicken zustimmend.

»Ich habe gehört, dass er ein liebes Baby ist«, murmele ich zu William. »Wenn er jetzt auch noch wie ein Pferd bestückt ist, dann ist er mein Mann.« Während ich rede, ebbt die

Unterhaltung der anderen ab, und mein Kommentar, nur für Williams Ohren bestimmt, wird von allen gehört. Über das laute Kichern hinweg höre ich eine Stimme hinter mir. Tief und leise.

»Freut mich zu hören.«

Ich drehe mich um und sehe mich dem schönsten Mann gegenüber, den ich je gesehen habe.

»Hallo«, sagt er. »Ich bin Luke Weston.«

»Oh, verdammt«, entfleucht es mir. Ich schlage mir die Hände vor's Gesicht.

Das Kichern meiner Kollegen wird noch lauter, sie laben sich an meiner Verlegenheit. Ich weiß, ich sollte Lukes Hand schütteln, aber ich bin gelähmt vor Scham und starre nur in sein schönes Gesicht. Zum Glück beendet William meine Schande.

»Luke!«, ruft er und umarmt ihn voller Begeisterung. »Willkommen zurück. Das ist Cassandra Jones. Wie du gerade gehört hast, hält sie große Stücke auf dich.«

Endlich schüttle ich seine Hand. Luke sieht so aus, als wollte er lächeln, tut es aber nicht.

»Nett, Sie kennen zu lernen, Cassandra.« Er spricht meinen Namen sehr prononciert aus, als wäre ihm jeder Buchstabe wichtig. »Sie müssen die Tochter von Charles Fenwick Jones sein.«

Die Stimme ist schwer zu deuten. Ich weiß nicht, ob er mich verflucht oder die Verbindungen schätzt, die er sich von seiner Mitarbeiterin erhofft.

»Ja. Äh ... nein.« Ich will nicht, dass er glaubt, ich hätte diesen Job nur wegen meines Vaters erhalten.

Jetzt lächelt er doch noch. Seine Augen erhellen sich langsam, dann heben sich seine Mundwinkel.

»Mysteriöse Elternschaft«, sagt er. »Sehr interessant.« Ich nehme nur einen Anflug von Sarkasmus wahr, aber mir reicht es. Ich krümme mich innerlich. William rettet mich erneut.

»Luke, komm, ich stelle dir ein paar andere Leute vor.«

Er legt einen Arm um ihn und führt ihn um die Bar herum, um ihn mit Lobbyisten, Journalisten und Parteiangestellten bekannt zu machen.

»Das ist Camilla«, sagt William. »Neben ihr sitzt Lucy und neben ihr natürlich Simon.«

»Ja«, sagt Luke, und für einen Moment gefriert das Lächeln auf seinem Gesicht. Mir fällt auf, dass er Simon nicht die Hand reicht.

»Ich würde Ihnen gern einen Drink spendieren, aber Sie trinken nicht, stimmt's?«, beginnt Simon und schaut verächtlich auf die Dose Diät-Cola in Lukes linker Hand. Luke erwidert nichts, und William schiebt Luke rasch weiter zum Rest seiner Mannschaft.

Während die Gespräche wieder an Fahrt gewinnen, nehme ich mir die Zeit, meinen neuen Boss zu betrachten. Er ist groß, aber er bewegt sich nicht ungelenk; die Körpergröße passt zu ihm. Seine dichten blonden Haare sind ein bisschen länger, als es heute Mode ist, und er hat die Angewohnheit, mit den Händen durch die Haare zu fahren und sie aus seinem Gesicht zu schieben. Seine Haut ist leicht gebräunt, sie hat die Farbe von warmem Honig angenommen. Die grünen Augen haben die unergründliche Tiefe von makellosen Smaragden.

Das Jackett seines offensichtlich teuren Anzugs hängt lässig über einer Schulter, eine sympathische Feierabendgeste, die man bei Engländern sonst selten sieht. Ein unmöglich weißes Hemd verrät nur einen Hauch des geschmeidigen trainierten Körpers darunter. Ich gestatte meinen Augen einen Blick auf seinen Schritt. Die Hose ist viel zu raffiniert geschnitten, um zu erahnen, was unter dem wunderbaren Stoff verborgen ist, und doch meine ich, eine leichte Wölbung zu erkennen.

Aber nicht nur sein Aussehen nötigt einem Respekt ab. Mit

der unbekümmerten Selbstsicherheit eines Mannes mit natürlichem Charisma hält er Hof bei seinem Team, er unterhält mit witzigen Geschichten über seinen Abgang von der amerikanischen Politikbühne. Seine Mannschaft ist an beeindruckende Redner gewöhnt, aber alle hängen an seinen Lippen. Es amüsiert mich zu sehen, wie die Frauen nervös auf ihren Stühlen herumrutschen und mit ihren Haaren spielen. Selbst die Männer können den Blick nicht von ihm wenden.

Während er spricht, nimmt er eine Zigarettenschachtel aus seiner Tasche. Er öffnet sie, und ich sehe seine Hände, kräftig und doch elegant. Es sind fähige Hände. Hände, die schmeicheln, erregen und trösten können. Er lehnt sich leicht nach vorn, steckt eine Zigarette zwischen die Zähne, und die Lippen wölben sich um den Filter. Er zündet sie an, und seine Augen verengen sich wegen des Rauchs.

Gewöhnlich mag ich keine rauchenden Männer, aber jetzt, da ich sehe, wie der sinnliche Mund den blassblauen Rauch ausstößt, will ich gar nicht mehr wegsehen. Und wenn mein Leben davon abhinge, ich kann nicht wegsehen.

»Cassandra! Noch ein Bier?«, ruft William von der anderen Seite der Bar.

»Bitte, William«, rufe ich zurück.

Ich bin bemüht, nach der peinlichen Szene vor und nach der Begrüßung ein wenig Würde zurückzugewinnen, deshalb verlasse ich den kleinen Kreis, der sich dicht gedrängt um Luke geschart hat, gehe durch den Raum und täusche Interesse an der Tafel vor, auf der die »Specials« der Küche notiert sind. Während ich überlege, ob ich mir ein Sandwich bestellen soll, kann ich nicht aufhören, ihm zu lauschen. Man kann noch ganz schwach den Akzent von Yorkshire heraushören. Seine Stimme ist erden. Männlich. Sein Lachen ist laut und uneitel.

Ich drehe mich um und sehe, dass William zu mir kommt, zwei Bier in der Hand. Er reicht mir eine Flasche.

Ich sehe ihn finster an. Dass ich unflätige Bemerkungen im Kreis der Kollegen anbringe, könnte man noch als Fehler durchgehen lassen, der durch zu viele Budweisers verursacht wurde. Aber mein Kommentar über meinen neuen Direktor – in dessen Gegenwart, was mir aber nicht bewusst war – konnte nur als Katastrophe bezeichnet werden.

»Ja, okay. Er muss mich für einen Trottel halten.«

»Nun, sehen wir es mal so.« William runzelt die Stirn, als sein journalistisches Hirn die Tatsachen beleuchtet. »Zuerst gibst du einen kruden Kommentar über das Ausmaß seines Dödels ab. Dann konntest du dich nicht mehr an den Namen deines Vaters erinnern. Ja, ich würde sagen, dass ›Trottel‹ die einzig zutreffende Bezeichnung ist.«

Ich kichere und schubse William. Camilla redet auf Luke ein, fährt mit der Zunge über ihre glänzenden Lippen und sieht ihn unter den gesenkten Wimpern an.

»Schau dir doch mal Camilla an«, sage ich zu William. »Sie sieht so aus, als wollte sie ihn gegen die Wand pinnen und ihn jetzt sofort bumsen.«

»Du nicht?«

Ich kann mich nicht zu einer Antwort durchringen und lache über seine Frage.

»Cassandra«, sagt William, »Luke ist ziemlich … äh … kompliziert.«

»Ich habe eher den Eindruck, dass er sehr geradeaus ist«, widerspreche ich, trinke einen Mund voll Bier und sehe, wie verführerisch Luke meine Kollegin Camilla ansieht. Sie windet sich auf ihrem Stuhl mit sichtlicher sexueller Erregung und streckt ihm ihr Silikonoberteil entgegen. Sie errötet betörend.

»Nein, wirklich, Cas …« William wird ernst. »Er hat ein paar sehr harte Jahre hinter sich.« Ich schnaufe und lache spöttisch, denn ich nehme an, dass William auf das Attentat anspielt. Es muss ärgerlich sein, wenn dir jemand ein Stück Fleisch aus dem Arm schießt.

»Keine Bange. Ich werde behutsam mit ihm umgehen. Was anderes«, sage ich, um von dem Thema abzulenken, »lässt sich gut mit ihm arbeiten?«

»Sehr gut. Du wirst gut mit ihm auskommen.«

»Ja.« Ich sehe, wie Luke sich zu Camilla beugt. Er berührt ihren Arm, als er über einen privaten Scherz lacht. »Ja, das glaube ich auch.«

Eine Woche später treffe ich um Viertel vor zehn in der Parteizentrale ein. Ich trage meine Aktentasche und gehe die Treppe zu meinem Büro hoch. Ich bin einigermaßen sicher, dass Luke meine Verspätung nicht bemerkt, denn die meiste Zeit hat er vergangene Woche in Downing Street verbracht.

Ich gehe den Flur entlang, als ich sehe, dass sich die Tür der Damentoilette öffnet und eine rotgesichtige Camilla heraustritt. Ich bleibe am Kaffeeautomaten stehen und beobachte, wie Camilla mit den Händen ihre zerzausten Haare zu ordnen versucht. Ich überlege, ob ich ihr zurufen soll, dass sie den V-Ausschnitt ihres Pullis auf dem Rücken trägt, aber dann denke ich böse, dass ich es einem anderen überlassen will, sie auf den Fehler aufmerksam zu machen.

Sekunden später schlendert Luke aus der Damentoilette und steckt lässig die Hemdschöße in seine Hose. Auf seinem Gesicht erkenne ich das verstohlene, verschwommene postkoitale Lächeln eines Mannes, der gerade fein befriedigt wurde.

Neid ist eine hässliche Emotion, die mir fremd ist. Aber als ich Luke in sein Büro schreiten sehe, fühle ich bei dem Gedanken, dass Camilla diesen herrlichen Körper für sich beansprucht hat, ein unangenehmes Zwicken in meinem Bauch, und ich erkenne das Gefühl als pure Eifersucht.

In meinem Kopf formen sich gegen meinen Willen explizite Bilder von dem, was die beiden auf dem Klo getrieben haben. Ich sehe sie mit gespreizten Beinen auf dem Deckel sitzen. Ich sehe ihn, wie er ihr beim Pinkeln zuschaut. Die Gedanken verstören mich enorm.

Ich zwinge meine Überlegungen auf die Arbeit, die heute vor mir liegt, und gehe mit raschen Schritten auf mein Büro zu. Ich schiebe meine Elektronikkarte in den Schlitz vor der Tür zu unserer Abteilung, aber sie öffnet sich nicht. Ich drücke die Klinke. Die Tür bleibt verschlossen.

»Hier, ich helfe Ihnen.« Luke steht neben mir und schaut mir mit einer entwaffnenden Offenheit in die Augen. Als er sich zu mir beugt und die Karte aus meiner Hand nimmt, gewahre ich seinen Geruch – eine zu Kopf steigende Mischung aus teurem Rasierwasser und dem frischen Schweiß nach dem Sex. Der Geruch verbindet sich mit einem Urtrieb in mir.

Meine Aktentasche gleitet mir aus den Händen und kracht auf den Boden. Papiere, Discs und Stifte fliegen heraus und schliddern über den Teppich.

Oh, großartig. Jetzt kann er meine Beschreibung um eine weitere Vokabel ergänzen: »tollpatschig« nach »vulgär« und »intellektuell unbedarft«. Wir gehen beide in die Knie, um die Sachen aufzuheben. Weil ich mich ein bisschen zu schnell bewege, schwanke ich leicht. Luke legt die Papiere und Discs hin, die er eingesammelt hat und streckt einen Arm aus, um mich in Balance zu halten. Unsere Augen begegnen sich, und ich sehe ein amüsiertes Lächeln.

»Es tut mir Leid, dass ich mich bisher noch nicht um Sie kümmern konnte«, sagt er. Ich mache ihn nicht darauf aufmerksam, dass er mehr Zeit hätte, sich um seine Mitarbeiter zu kümmern, wenn er nicht während der Arbeitszeit bumste. »Und es ist schade, dass Sie vorigen Freitag so früh gehen mussten. Ich hatte kaum Gelegenheit, mich mit Ihnen zu unterhalten.«

Ich hoffe, dass mein Herz so wild pumpt, weil ich mich über meine Unbeholfenheit ärgere. Aber ich bin nicht sicher. »Ich musste zurück ins Büro, weil ich noch eine Arbeit abschließen wollte«, lüge ich.

Ich habe mein Gleichgewicht wieder und stütze mich mit einer Hand auf dem Boden ab, doch Luke lässt seine Hand auf meinem Oberarm liegen. Ich möchte ihm gern sagen, er soll seine Hand zurückziehen. Ich möchte ihn warnen, dass eine Anklage wegen sexueller Belästigung sich nicht gut in seinen Papieren liest und dass ein Mann im einundzwanzigsten Jahrhundert nicht einfach eine Frau abtatschen kann.

Aber Lukes Berührung ist willkommen. Lukes Berührung ist die eines Mannes, der Zurückweisung nicht kennt. Vielleicht bilde ich es mir nur ein, aber ich glaube fast, dass er mit dem Daumen die Seite meiner Brust streift. Mein Mund ist trocken. Ich sollte ihm sagen, er soll abhauen. Stattdessen höre ich mich fragen: »Leben Sie sich gut ein?«

»Ja, danke. Aber wegen des bevorstehenden Parteitags gibt es viel Arbeit.«

Er bedenkt mich mit dem Blick, den er an der Bar Camilla gewidmet hat. Ich fühle, wie er den Blick mit voller Kraft in mich hineinbohrt. Dann schaut er weg und kramt den Rest meiner Sachen zusammen, als hätte er bemerkt, dass kein Funken überspringt.

Als er die Augen wieder hebt, ist der Blick weg, einfach ausgeknipst. Verdammt.

Irritiert bücke ich mich nach den letzten Blättern und Stiften, lege sie hastig zurück in meine Tasche, und dann richten wir uns beide wieder auf. Ruhig schiebt Luke meine Karte in den Schlitz, und die Tür klickt auf.

»Werden Sie beim Parteitag dabei sein?«, fragt er und gibt mir die Karte zurück.

»Oh ja«, antworte ich aufgeräumt. »Keine zehn Pferde können mich davon abhalten.« Ich zwinge mich zu einem

Lächeln, und er lächelt zurück. Er sieht so aus, als wollte er noch etwas sagen, aber dann wechselt sein Ausdruck wieder, und es entsteht ein verlegenes Schweigen.

»Einen schönen Tag«, sagt er.

»Danke«, antworte ich, schlüpfe rasch durch die Tür, drücke sie ins Schloss und lasse Luke auf dem Flur stehen.

Neun Stunden später bin ich erleichtert, wieder in meiner Wohnung zu sein. Ich streife die Schuhe ab und lasse meine Jacke auf einem Stuhl liegen. Ich ziehe die restlichen Kleider aus, dusche, ziehe ein T-Shirt an und eine weiche Baumwollhose. Dann schließe ich die Vorhänge und zünde ein paar Kerzen im Wohnzimmer an.

Mit einer Flasche Chablis und dem Hühnersalat von meinem Lieblingsdeli setze ich mich vor den Fernseher. Ich freue mich schon auf die DVD, die ich auf dem Heimweg gekauft habe. Aber als ich sie öffne, sehe ich sofort, dass es nicht meine Disc ist. »Presse-Infos Jan – Mrz« steht in Lukes flüssiger Handschrift da.

Neugierig lege ich die Scheibe ins Abspielgerät und sehe Luke bei einer Pressekonferenz im Weißen Haus. Ich schaue ihm zu, wie er den Raum im Griff hat, wie er komplexe Vorgänge mit klaren Worten erklärt und schwierige Fragen mit Takt und Diplomatie pariert. Zwischendurch hellt er die Atmosphäre nach ernsthaften Diskussionen mit sanftem Humor auf. Seine Überzeugung, seine Ehrlichkeit und die durchgängige Ratio seiner Argumente waren nicht zu widerlegen. Kein Zweifel, er war sensationell gut.

Mir fällt auf, dass er bereitwilliger lächelt als seit seiner Rückkehr nach England. Er wirkt so entspannt. Und herzergreifend begehrenswert.

Der Film endet, und der Bildschirm flimmert. Während ich mit der Fernbedienung den Fernseher ausschalten will, entdecke ich auf dem Boden der Hülle eine weitere Disc. Ich tausche sie mit der ersten und drücke auf »PLAY«.

Diese Szene ist ganz anders. In der Mitte eines großen, wunderschönen Betts räkeln sich zwei halb nackte Frauen. Ich lächle still vor mich hin, als mir klar wird, dass ich mir einen Privatfilm ansehe. Im nächsten Moment muss ich laut lachen: Ich erkenne Camilla und die Journalistin Lucy.

Aber da ist noch eine andere Person, nämlich der Kameramann. Er selbst ist natürlich nicht zu sehen, aber ich höre seine Stimme, mit der er die Frauen dirigiert. Die sanfte heisere Stimme ist unverkennbar. Luke. Ich lache nicht mehr.

Lucy kniet auf dem Bett und schaut in die Kamera. Sie trägt ein seidenes weißes Leibchen und ein weißes Spitzenhöschen. Camilla, die mit gespreizten Knien Lucys schlanken Körper flankiert, trägt einen schwarzen BH und einen schwarzen G-String.

Auf Lukes Anweisung hin schiebt Camilla die kastanienbraunen Haare der Freundin von den Schultern, dann beugt sie sich über Lucy und küsst ihren Hals. Lucy seufzt, und als sie das Gesicht dreht, treffen sich die Lippen der Frauen. Zuerst sind es nur sanfte, verspielte Küsse. Camilla schaut in die Kamera. Luke ermutigt sie. Die Zungen der Frauen berühren sich, ihre Lippen teilen sich, und sie beginnen, zu nagen und zu knabbern. Langsam werden die Küsse inniger.

Ich nehme einen Gabelbissen, während ich die Aktion verfolge, aber plötzlich stelle ich fest, dass ich nicht hungrig bin, und schiebe mein Abendessen zur Seite. Es ist ein eigenartiges Gefühl, den beiden Frauen zuzuschauen. Meine Hand schließt sich um die Fernbedienung, aber ich kann mich nicht dazu bringen, auf den Aus-Knopf zu drücken.

Camillas Hände streichen zögernd über Lucys Bauch und kreisen höher zu den Brüsten. Dann tauchen sie unter das Hemdchen. Camilla hebt das Gesicht, schaut wieder in die Kamera und wartet auf weitere Anweisung.

»So ist es gut«, sagt Luke. »Schieb es hoch.«

Ich lehne mich vor, dem Bildschirm entgegen, als Lucys Brüste entblößt werden. Die Nippel sind von einem zarten Pink; sie recken sich von den wunderbaren Rundungen vor, erigiert und erregt. Camilla schiebt das Hemdchen höher, und Lucy hebt die Arme, damit es ausgezogen werden kann.

Langsam streichen Camillas Hände über die Kurven von Lucys Körper; eine zittrige Erkundungsreise. Sie nimmt die beiden Spitzen von Lucys Brüsten zwischen die Finger, zwirbelt und zwickt sie, bis das Pink zu einem dunklen Rot wird. Lucy schmiegt sich an Camilla, gibt sich ihr hin und überlässt sich ihr.

»Himmel, sieht das gut aus«, höre ich Luke flüstern. Ich kann nur zustimmen. Es sieht so gut aus, dass mir fast schwindlig wird. Meine Hände schlüpfen unter mein T-Shirt und reiben über meine ebenfalls erregten Nippel. Es fällt mir nicht schwer, mir Lucys geschwollene Brüste vorzustellen und wie sie sich unter meinen Handflächen anfühlen.

Camillas lustvolles Schnurren verrät mir, dass es ihr auch gut geht. Die beiden Frauen brauchen keine Anweisungen mehr. Während Camilla weiter Lucys Brüste streichelt, beben Lucys Hüften, sie kreisen und winden sich. Camilla streicht über Lucys flachen Bauch und beschreibt sinnliche Kreise auf den Innenseiten von Lucys Schenkeln.

»Fass sie an«, sagt Luke.

Als Lucy den Kopf von Camillas Schulter hebt und Luke anlächelt, ist ihr Blick verschwommen. Sie ist betört von Lust. »Ja«, sagt sie zu Camilla, »ich will, dass du mich anfasst.«

Camilla zieht Lucys Slip ein Stück nach unten und greift mit der anderen Hand hinein. Unter der Spitze sehe ich, wie sich die Finger bewegen. Lucy schließt die Augen. Sie lehnt sich gegen die andere Frau zurück. Was immer Camilla mit ihr anstellt, es ist offensichtlich, dass Lucy es genießt. Aber wir können es nicht sehen, und das frustriert Luke ebenso wie mich.

»He«, ruft er lachend, »lass mich was sehen.«

Lucy hebt den Po an, und Camilla zieht ihr den Slip aus und wirft ihn zur Seite. Camilla spreizt Lucys Schenkel.

»Oh, verdammt«, murmelt Luke, als die äußeren und inneren Labien von der Kamera eingefangen werden. Camillas Finger kreisen um Lucys Klitoris, und wir sehen, wie der kleine Knopf unter Camillas kundigen Berührungen anschwillt. Meine Hand kopiert das geschickte Streicheln. Als Camilla einen Finger hineinschiebt, tue ich das auch.

Camillas Finger pumpt, und Lucy stößt mit dem Becken dagegen, als könnte sie nicht genug davon bekommen. Ihre Bewegungen werden wilder und unbeherrschter, sie stöhnt und grunzt. Als Camilla den Finger zurückzieht und dann mit zwei Fingern einfährt, gehen die Stöhnlaute in ein leises Wimmern über. Ich frage mich, wie lange Lucy das durchhalten kann, ohne zu kommen. Sie wirft den Kopf in den Nacken. Ein leiser Schrei beantwortet meine Frage, denn nun weiß ich, dass ihr Höhepunkt nicht weit entfernt ist. Lucy krümmt den Rücken, und ihre festen Brüste recken sich gegen den Himmel. Während sie sich gegen Camillas Hand windet, fliegen ihre Brüste auf und ab. Sie sehen göttlich aus, und am liebsten würde ich auch nach diesen Brüsten greifen.

»Ja, ja, ja«, ruft Lucy. Ihr Körper spannt sich noch mehr, und ihre Beine umklammern Camilla. Die Freundin hält ihre Hand reglos, während Lucy ihren Orgasmus erlebt.

Ich habe viele Pornofilme gesehen, in denen Frauen ihren Orgasmus vortäuschen, aber solche gefilmte Lust habe ich noch nicht gesehen. Die erregende Schönheit der Szene lässt mich atemlos zurück.

Lucy kippt zur Seite und gleitet gegen die andere Frau. Die vollen Lippen in postorgasmischer Glückseligkeit geöffnet, die süßen Löckchen zart ums verschwitzte Gesicht gerahmt, sieht sie wunderbar sinnlich und sexy aus, und zum ersten Mal bin ich Zeugin, wie gut eine Frau aussieht, wenn sie kommt.

Aber Lucy bleibt nicht lange still. Als sie wieder normal atmen kann, streicht sie mit einer Hand über Camillas Körper und umfasst ihre Brust. Es sieht so aus, als sollte Camilla ihre Belohnung erhalten.

Lucy senkt den Kopf, zieht eine Brust aus dem Körbchen und saugt einen dunklen Nippel in ihren Mund. Camilla stöhnt und schmiegt sich an ihre Geliebte, weil sie will, dass Lucy mehr von der Brust in den Mund nimmt. Es geht ihr nicht schnell genug, deshalb zieht sie mit fiebrigen Bewegungen den BH aus, und nun fallen die schweren Brüste in Lucys zierliche Hände. Es ist nichts mehr zu sehen von Lucys Scheu, von ihrem anfänglichem Zögern. Sie massiert die dargebotenen Halbkugeln mit deutlich sichtbarer Begeisterung.

Ich bin so neidisch, dass es wehtut. Camillas Brüste mögen eher für die Kunst eines Chirurgen bürgen als für den Segen der Natur, aber meine Erregung verdrängt die Verachtung über den unnatürlichen Umfang und die viel zu perfekte Silhouette. Ich will auch diese Brüste berühren. Ja, ich will sie anfassen und mit meinen Händen drücken.

Lucy gleitet weiter an Camillas Körper entlang. Camilla fällt zurück aufs Bett, und Lucy spreizt die Beine der Freundin, beugt sich hinunter zum Delta und haucht einen Kuss auf den hauchdünn bedeckten Venusberg. Ich halte fasziniert den Atem an, als Lucy den G-String zur Seite schiebt und eine geschwollene Schamlippe sichtbar wird. Dann hält Lucy den dünnen Stoff auf der anderen Seite fest, und wir sehen den Rest von Camillas nassem Geschlecht.

Luke genießt die Zurschaustellung offenbar nicht weniger als ich, denn ich höre, wie er scharf einatmet.

Über dem Rand von Camilles Satinstring ist ihre Klitoris

zu sehen. Lucy hält das Wäschestück mit einer Hand zur Seite, senkt den Kopf und tupft mit der Zungenspitze gegen den gereizten kleinen Hügel. Wir hören Camilla lustvoll stöhnen. Luke hält die Kamera starr auf diesen Punkt gerichtet, und wir sehen zu, wie Lucy glücklich leckt und saugt. Dann, als sich Camilla auf dem Bett hin und her windet, richtet sich Lucy auf und sieht direkt in die Kamera.

»Luke«, flüstert sie, »sie ist bereit für dich.«

Luke braucht keine zweite Einladung. Ich höre seine Stimme. »Lucy, nimm das hier. Ich will, dass du jede Einzelheit filmst.«

Die Kamera wechselt die Hand, und Luke tritt ins Bild. Er hat sich schon ausgezogen, und mit einem Seufzer des Verlangens sehe ich ihn aufs Bett zugehen. Sein Körper ist nackt ebenso herrlich wie angezogen. Er befindet sich im fortgeschrittenen Stadium der Erregung, und ich wüsste gern, ob der Anblick der Mädchen das ausgelöst oder ob er sich zwischendurch gestreichelt hat. Ich stelle mir vor, wie er die Kamera mit einer Hand hält und die Szene auf dem Bett filmt, während er sich mit der anderen Hand reibt, und ich spüre, wie sich mein Magen voller Sehnsucht nach ihm verknotet.

Er vergeudet keine Zeit. Er reißt den G-String weg, legt seine Hände auf Camillas Schenkel und stößt den Schaft ansatzlos in sie hinein – der Herrscher des Harems nimmt sich, wen er will. Aber Camilla ist glücklich, die Ausgewählte zu sein. Sie hält sich mit einer Hand an der Bettkante fest, sie hebt die Beine, und ihre Zehen krümmen sich vor Lust.

»Oh, Luke, du bist der Beste«, stöhnt sie im Stil eines wahren Pornostars. Ich glaube nicht, dass sie übertreibt. Er beugt sich über sie und küsst sie. Sein Mund wandert sinnlich über ihre Lippen, ihre Augen und den Hals. Er muss seinen Rücken krümmen, um ihre Brüste mit dem Mund zu erreichen. Die ganze Zeit behält er seinen stoßenden Rhythmus bei, fährt mit fein kalkulierten Zügen hinein und holt langsam neuen Anlauf. Die Muskeln von Armen, Brust und Schenkeln spannen und entspannen sich bei seinen Bewegungen. Mit einer Hand schlüpft er zwischen ihre Körper, dorthin, wo sie verbunden sind, und ich kann sehen, wie er sie befingert. Ich weiß, was er tut, und ich weiß, dass es sich für Camilla großartig anfühlen muss.

»Du bist bald da, nicht wahr?« Es ist eine Feststellung, keine Frage.

Camilla antwortet mit einem leisen Wimmern. Bevor sie die Augen schließt, habe ich noch ihren ekstatischen Ausdruck sehen können.

»Komm näher«, sagte Luke zu Lucy. »Filme ihr Gesicht, wenn es ihr kommt.«

Auf dem Schirm sehe ich Camillas Gesicht ganz groß, Gesicht und Brüste. Obwohl ich Luke nicht mehr sehen kann, weiß ich durch das Schwappen von Camillas Brüsten und das Drücken der Schultern gegen die Matratze, dass er noch mit kräftigen Stößen in sie eindringt. Sie stöhnt und wimmert, lacht und heult, als ob sie sich nicht entscheiden kann, welche ihrer wirbelnden Emotionen die stärksten sind.

»Jetzt ist sie am Ziel«, ächzt Luke.

Camillas Mund öffnet sich weit, sie lässt einen Schrei heraus, und ihr Körper wird vom Orgasmus geschüttelt.

Lucy nimmt jetzt Luke in den Fokus. Sie geht ganz nah heran und richtet die Kamera auf Lukes Schaft. Während ich zuschaue, wie der dicke, feucht glänzende Schaft unentwegt in Camilla hineinpumpt, fühlen sich meine Finger nur wie ein schwacher Ersatz an, und ich sehe mich keuchend nach etwas um, was mich besser füllen kann. Mein Blick fällt auf eine der brennenden Kerzen neben dem Sofa. Ich strecke mich, greife danach und blase die Flamme aus.

Ich drehe die Kerze herum, und heißer Wachs tropft auf die Innenseiten meiner Schenkel. Ich spüre den Schmerz nicht. Ich spüre überhaupt nichts außer der dringenden Gier, mir endlich Erleichterung zu verschaffen. Ich schiebe die Kerze behutsam zum Eingang und fülle meine Leere.

Ich höre, wie Luke beginnt, nach Luft zu schnappen. Dann tut er etwas, was mir den Atem raubt. Er nimmt den Schaft aus Camilla und hält ihn in der Hand wie in einem Pornofilm, und ich sehe, wie es ihm kommt. Mit offenem Mund schaue ich zu, wie er sich mit kräftigen Zügen pumpt und Strahl auf Strahl über Camillas Brüste und Bauch verbreitet. Meine eigene Hand nimmt den Rhythmus seiner Hand an, während ich mich zu einem überwältigenden Orgasmus bringe.

Ich schiebe die Kerze erst langsam in mich hinein, als der Orgasmus schon eingesetzt hat. Ich beobachte, wie Lukes Erguss träge von Camillas Körper rinnt, während meine Pussy zuckt und sich gegen das harte, kalte Wachs zusammenzieht. Die Zuckungen übertragen sich bis in die Spitzen meiner Finger und Zehen.

Während die Wellen der Lust abebben, liege ich auf dem Sofa und schaue verträumt auf den Bildschirm, wo es zu schneien beginnt.

»Ich werde dich kriegen, Luke Weston«, flüsterte ich. »Ich werde dich kriegen.«

Viertes Kapitel

Cassandras Geschichte

Aber so schnell kriege ich Luke nicht. Ab und zu kreuzen sich unsere Pfade, aber er bleibt auf höflicher Distanz. Nachdem ich ihn nackt auf der DVD bewundert habe, sehe ich ihn jetzt höchstens mal in einem Sweatshirt, wenn er von seinem mittäglichen Joggen zurück ins Büro kommt.

Als die Vorbereitungen für den Parteitag in die entscheidende Phase gehen, behält er alles im Griff; er arbeitet zügig, effektiv und unaufgeregt. Aber er ist ein Geheimnis, das mich jeden Tag mehr fasziniert. Ich will hinter das Rätsel dieses FitnessFanatikers kommen, der von Fast Food lebt und Kette raucht. Ich will den Code knacken, wie dieser Vollprofi zu dem absolut hemmungslosen Mann wird, den ich auf der DVD gesehen habe, ein Mann, der sich sogar beim Sex mit einer bekannten Zeitungsjournalistin und einem jungen Mitglied seiner eigenen Abteilung filmen lässt.

Die Scheibe, jetzt wieder in der korrekten Hülle in Lukes Büro, bleibt als Beweis dafür, wie er sein kann. Aber mit der Zeit fällt es mir immer schwerer zu glauben, dass der Luke, den ich auf der Disc gesehen habe, und der Luke, der mein Boss ist, der gleiche Mensch ist. Seine Kälte mir gegenüber scheint sich zu vertiefen.

Je abweisender er sich gibt, desto entschlossener will ich ihn haben. Seit ich ihn auf der DVD gesehen habe, lauern die derben Szenen in meinen Gedanken und lassen mich aufstöhnen und den Atem anhalten. Selbst im Büro suchen mich diese Bilder heim. Dann schließe ich mich auf der Toilette ein, reiße den Rock hoch und stoße meine Hände zwischen die Schenkel, um mich zu einem eiligen, unbefriedigenden Orgasmus zu bringen.

In der Woche vor dem Parteitag ruft mich ein Redakteur von *Moore From The House* an und fragt, ob Luke in der Talkshow auftreten will. Ich gehe zu Luke mit den Einzelheiten, die ich auf der Rückseite von einer von Camillas Presseinformationen notiert habe.

»Luke, Simon Moore fragt an, ob ...«

»Nein.« Luke sieht nicht einmal von dem Stapel Briefe auf, die er unterschreibt.

»Aber ...«

»Ich helfe ihm nicht. Und lassen Sie mich wissen, wenn er eines der Ministerien direkt anspricht. Ich will keinen unserer Leute in seiner Show sehen.«

Ich weiß, dass man gewogenen Journalisten den einen oder anderen Gefallen erweist. Nützliche Informationen werden sorgsam an die Journalisten weitergegeben, die Geschichten schreiben, in denen die Partei gut wegkommt. Diejenigen, die uns in die Pfanne hauen, werden eingefroren und von allen Informationen ausgeschlossen. So läuft das eben. Und nun überrascht mich Lukes Entscheidung, eine der einflussreichsten TV-Sendungen zu boykottieren. Das ist eine Irrationalität, die nicht zu ihm passt.

»Aber Sie wissen nicht, was er will.«

»Mir ist egal, was er will.«

»Er will Sie.« Endlich habe ich Lukes Aufmerksamkeit. Er sieht auf und kaut gedankenverloren auf seinem Stift.

»Himmel«, sagt er mehr zu sich als zu mir. Dann fährt er fort: »Die Antwort ist ein noch größeres Nein.«

Simons Produktionsfirma wird enttäuscht sein. Lukes hohe Position und das dramatische Ende seiner Karriere in den Staaten machen ihn zu einem großartigen Gast in einer politischen Talkshow, von seinem guten Aussehen ganz zu schweigen.

»Und was soll ich ihnen sagen?«

Luke hebt die Schultern und wendet sich wieder dem

Briefstapel zu. »Sagen Sie ihm, ich brauche diese intellektuelle Onanie nicht.«

Ich gehe zurück an meinen Schreibtisch und überlege mir eine taktvollere Weise, Lukes Bedauern auszudrücken, die freundliche Einladung ausschlagen zu müssen.

An diesem Abend, als ich über die Westminster Bridge gehe und versuche, ein Taxi anzuhalten, sehe ich ihn auf der anderen Straßenseite. Er steht an der Mauer und starrt ins schwarze Wasser der Themse. Ich verlangsame meine Schritte, um ihm eine gute Nacht zu wünschen. Aber eine seltsame Stille umgibt ihn, und ich traue mich nicht, ihn zu stören. Ich frage mich, was seine Gedanken beschäftigt.

Bei unserem Teamtreffen am Freitagmorgen bin ich noch nicht in Höchstform. Luke ist nicht da, und es gibt sonst niemanden, den ich beeindrucken will. Die Konferenzräume sind belegt, deshalb campieren wir in Lukes Büro.

Das Zimmer ist klinisch sauber. Die einzige persönliche Ergänzung, die Luke seit seiner Ankunft vorgenommen hat, ist das schreckliche Bild eines Mannes, der gesteinigt wird, das Gesicht zu einer Agonie verzogen, die auch durch einen Orgasmus ausgelöst sein könnte.

Camilla, die sich selbst dazu aufgeschwungen hat, Lukes Position in seiner Abwesenheit zu übernehmen, beherrscht unsere Konferenz. Sie sitzt nicht hinter, sondern auf Lukes Schreibtisch, und ihr Po wetzt über seine Papiere. Aus irgendeinem Grund ist mir das zuwider. Ihre Aussagen sind nichts als Schlafmittel, und ich gähne so oft, dass sie es eigentlich merken müsste. Aber sie merkt nichts.

Ich richte meine Aufmerksamkeit auf die anderen Mitglieder unserer Abteilung. Toby, ein junger Pressereferent, ist bei weitem der interessanteste Mann. Er ist nicht mal einundzwanzig und weiß gar nicht, wie gut er aussieht. Ich betrachte ihn ausgiebig und vermute, dass sich unter seinen Kleidern ein muskulöser Körper versteckt.

Ich starre ihn an, senke den Blick und schaue ihn unter gesenkten Wimpern wieder an. Eine leichte Befriedigung stellt sich bei mir ein, als ich sehe, dass er errötet und wegsieht. Ich rutsche in meinem Sitz nach vorn, lege mich zurück und lasse den Rock höher gleiten. Es ist ein primitiver Trick, das gebe ich zu, aber er hilft jedes Mal.

Toby, mein hilfloses Opfer, schaut auf meine entblößten Schenkel. Vielleicht bin ich nicht der einzige Mensch, der Langeweile als großartiges Aphrodisiakum betrachtet. Ich frage mich, ob ich ihm vorschlagen soll, ein stilles Plätzchen zu finden, um das Spiel noch ein bisschen weiter zu treiben.

Es wäre doch eine willkommene Abwechslung, ihn in ein leeres Büro zu zerren, mein Höschen auszuziehen und mich von seinen wenn auch unerfahrenen Fingern fertig machen zu lassen. Aber das würde Toby sich nie trauen.

Camilla drängt sich in meine Tagträume und stellt mir eine Frage. Sie hat gerade den Hintergrund einer neuen Kampagne erklärt.

»Was hältst du davon, Cassandra?« Ich kann Camilla nicht sagen, dass ich nicht zugehört habe, aber mir fehlt die Energie, sie anzulügen. Stattdessen lächle ich sie an. »Das ist so faszinierend, wie ich es von dir erwartet habe, Camilla.«

»Wunderbar«, sagt sie strahlend. »Ich dachte mir, dass du begeistert sein würdest.«

Goldene Sonnenstrahlen strömen in den Raum. William hat mich fürs Wochenende in sein Haus auf dem Land eingeladen. In vier Stunden soll ich aufbrechen. Aber noch ist das Wochenende weit entfernt. Ich versuche, mich auf Camillas Präsentation zu konzentrieren, aber es ist hoffnungslos. Es ist Zeit, das Treffen zu beenden.

Ich lange unter meinen Sessel und krame in meiner Tasche. Ein paar Minuten später wird Camillas eintönige Stimme vom Klingeln meines Handys gestört.

»Tut mir Leid«, sage ich und greife in meine Tasche. »Ich dachte, ich hätte es abgestellt.«

»Das sind fünf Pfund in das Wohltätigkeitsschwein«, sagt Camilla vorwurfsvoll.

Die anderen drehen sich zu mir um, während ich ins Telefon sage: »Ja, hier ist Cassandra ... Oh, hallo, Mrs. Bannister. Oh, Himmel, nein.« Meine Augen weiten sich. »Ja, natürlich, ich werde gleich da sein.« Ich drücke auf den Knopf und sage: »Entschuldigung. Ich fürchte, ich muss gehen. Das war meine Putzfrau. Bei mir ist eingebrochen worden.«

»Das ist ja entsetzlich«, ruft Toby. »Glaubt sie, dass viel entwendet worden ist?«

»Eine Zeichnung von Lucian Freud und ein Fabergé-Ei«, sage ich. »Aber schlimmer ist, dass mein Jack Russell zu diesem Zeitpunkt in der Wohnung war. Er wird schrecklich verunsichert sein. Ich muss gehen ...«

»Ja«, sagt einer der Assistenten. Er steht auf und drückt voller Mitgefühl meine Hand.

»Laufe«, sagt ein anderer Kollege. »Ich hoffe, dass es nicht so schlimm ist.«

»Danke«, antworte ich, die Stimme ein wenig brüchig. »Dank euch allen.«

Ich gebe ihnen ein tapferes Lächeln. Sie sehen mich stumm an. Camilla, die schon mal in meiner Wohnung war, weiß, dass ich keinen Lucian Freund und kein Fabergé-Ei in der Wohnung habe, und einen Jack Russell erst recht nicht. Sie sieht mich entsetzter an als alle anderen.

Ich verlasse Westminster mit meinem Saab-Cabrio und fahre auf die M4 zu. Ich drücke ein paar Zahlen und rufe William an.

»William! Ist es schlimm, wenn ich ein bisschen früher komme? Die Konferenz war eher beendet, als ich gedacht habe«, sage ich und schramme haarscharf an der Wahrheit vorbei.

»Natürlich, Darling. Ich werde erst am Abend eintreffen, aber ich bin scher, es ist jemand da, der dir die Tür öffnen kann.«

Ich löse meine Haare, wende mein Gesicht der Sonne zu und atme tief durch. Das Wochenende hat begonnen.

Ich war noch nie in Williams Haus, aber es ist leicht zu finden. Es gehört zu den Sehenswürdigkeiten in Berkshire, und es ist unmöglich, die hohen Eisentore, flankiert von zwei Wachhäuschen, zu übersehen. Der Eingang zu Temworth Manor. Ich biege von der Straße ab und fahre langsam die von Bäumen gesäumte Auffahrt hoch, bis ich hinter einer geschwungenen Kehre das Haus sehe, das sich aus einer atemberaubend schönen Parklandschaft erhebt.

Aus cremefarbenen Steinen errichtet, schimmert das Landhaus im schwindenden Sonnenlicht. Vor dem Haus beschreibt der Weg einen Kreis um einen eleganten Brunnen und endet vor einer breiten Steintreppe, die zu einer schweren Doppeltür führt. Hohe Fenster in georgianischer Symmetrie zu beiden Seiten des Eingangs. Ich schaue hoch und sehe, dass es drei Stockwerke gibt, darüber ein Dach aus grauem Schiefer.

Ich halte an, steige aus und schleppe meine Sachen zur Tür. Kieselsteine knirschen unter meinen Schuhen; ein herzerwärmendes, so typisches Geräusch in England. Während ich darauf warte, dass jemand auf mein Klopfen reagiert, drehe ich mich noch einmal zur einmaligen Anlage um. Uralte Zedern unterbrechen den wogenden Rasen, und in der Ferne kann ich eine Herde äsender Hirsche sehen. Die ganze

Szene könnte aus einem Roman von Jane Austen stammen, und ein bisschen erwarte ich, dass Mr. Darcy die Auffahrt heraufkommt. Aber noch überraschender ist der Mister, der mir die Tür öffnet. Ich stehe wie gelähmt da.

»Luke!«

Er sieht so konfus aus wie ich. »Cassandra.«

»Hi«, bringe ich heraus. »Ich bin fürs Wochenende hier. Ich wusste nicht, dass William Sie auch eingeladen hat.«

»Nein.« Er zögert. »Nein, hat er nicht. Ich bin hier, weil ich ...« Er gerät ins Stottern, dann sagt er nichts mehr. Es ist offensichtlich, dass Luke glaubt, nicht erklären zu müssen, was er in Williams Haus zu tun hat. Dann erinnert er sich an gute Manieren, öffnet die Tür und tritt zur Seite, damit ich eintreten kann. »William wird erst später hier sein. Aber kommen Sie doch herein.«

Luke trägt eine Jeans, die ihm locker auf den Hüften hängt, dazu ein Baumwollhemd. Aber auch im Freizeitlook sieht er so hinreißend aus wie immer. Im Gegensatz zu mir. Während ich Luke in die große Eingangshalle folge, blicke ich hinunter auf meine Füße und stelle fest, dass die spitzen Kieselsteine von Temworth ein Loch in meinen linken Schuh gebohrt haben.

Das Landhaus beeindruckt mich innen nicht weniger als außen. Hohe, mit Stuck verzierte Decken, Ölgemälde an den Wänden und wunderbare Kamine mit Marmorsimsen.

»Das ist ein wunderschönes Haus.«

Luke sieht sich mit einem Ausdruck von Desinteresse um. »Ja, kann man wohl sagen. Wissen Sie, in welchem Zimmer William Sie unterbringen will?«

»Nein, das hat er mir nicht gesagt.«

»Nun, dann sollten Sie das blaue Zimmer nehmen. Es hat den schönsten Ausblick.«

Er lässt sich dazu herab, mir mit dem Gepäck zu helfen, obwohl ich sicher bin, dass er wichtigere Dinge zu tun hat. Er führt mich die breite Treppe hoch und dann einen Korridor entlang, bestückt mit wertvollen Antiquitäten. An den Wänden hängen Kunstwerke, die mir das Wasser im Munde zusammenlaufen lassen. Williams Familie muss einen guten Geschmack haben. Und viel Geld.

»Und diese Bilder«, seufze ich. »Phantastisch.«

Luke schreitet achtlos an einem Constable vorbei. »Äh, ja?« Er schüttelt den Kopf. »Ja, klar.«

Er öffnet die Tür zu einem hübschen Schlafzimmer mit Wänden aus blauem Toile. Meine Taschen lässt er aufs Bett fallen. Als er die letzte Tasche anhebt, sehe ich eine teure Cartier-Uhr an seinem Arm, viel exklusiver als das japanische Ding, das er gewöhnlich im Büro trägt. Irgendwie sieht die Uhr an seinem Arm deplatziert aus.

»Hübsche Uhr«, sage ich.

Luke sieht verlegen aus und zieht die Manschette über die Uhr. »Danke.«

»War sie ein Geschenk?«

»Ja, sie war ein Geschenk.« Er kratzt sich die Nase; seine Körpersprache verrät sein Unbehagen. Als professionelles Ass in der Kommunikation sollte er eigentlich immer alles unter Kontrolle haben. Ich hätte noch eine Menge Fragen, aber ich traue mich nicht.

Ich richte mich auf und sehe ihn an. Ich erwarte einen Tadel, dass ich zu früh aus dem Büro abgehauen bin. Aber von ihm kommt nichts.

»Nun gut«, sage ich, ignoriere seine schlechte Laune und bedenke ihn mit meinem strahlendsten Lächeln. »Was ist also Ihr Plan?«

»Plan?«

»Was fangen wir mit diesem Nachmittag an?«

»Nun, ich bereite die Parteitagsrede des Premierministers vor. Ich bin hergekommen, um in Ruhe arbeiten zu können.«

Die schroffe Zurückweisung trifft ins Ziel. Ich soll mich allein vergnügen. Ich blicke aus dem Fenster. Luke hat Recht: Die Aussicht ist wunderschön. Hinter einem in Terrassen angelegten Rasen sehe ich die Ställe, und Pferde stehen auf der eingezäunten Wiese.

»Ich werde gleich mal zu den Pferden gehen.«

»Ähm ... ja. Aber Sie sollten sich vielleicht was anderes anziehen.« Er beäugt meinen Hosenanzug und die Riemchenschuhe.

»Ja, klar doch«, sage ich und zeige auf die Taschen. »Ich bin auf alles vorbereitet.«

»Sehr schön. Viel Spaß.« Ohne weiteres Wort dreht er sich um und geht aus dem Zimmer. Er drückt die Tür fest hinter sich zu, als sollte ich seine Verärgerung nicht bemerken.

»Und vielen Dank für Ihre freundliche Hilfe«, rufe ich ihm noch hinterher.

In meinen Gummistiefeln, neu und eng, und in der roten Jacke sieht man mir schon von weitem an, dass die Natur nicht mein gewohntes Umfeld ist. Ich folge dem breiten Pfad, der mich zu einem mit alten Steinen ausgelegten Hof vor den Ställen führt. Die Köpfe feiner Zuchtpferde lugen aus den einzelnen Stalltüren. Zwischen den frisch gestrichenen Türen hängen schwingende Ampeln mit bunten Sommerblumen. Ein paar Pferdepfleger bringen Eimer mit dem Abendessen für die wertvollen Tiere.

Ich schlendere durch ein gewölbtes Tor und sehe ein dunkles Vollblut auf einer Koppel stehen. Seine Schönheit ist so spektakulär, dass sogar ich nicht unbeeindruckt bleiben kann. Ich halte die Luft an und gehe noch ein paar Schritte, während ich ihn aus der Nähe bewundere.

»Er ist prächtig, nicht wahr?«

Ich drehe mich um und sehe Luke hinter mir stehen. »Er ist

so prächtig, dass mir die Luft wegbleibt. Ich wusste gar nicht, dass William sich für Pferde interessiert.«

»William nicht. Er gehört mir.«

»Oh. Wie heißt er?«

»Aplauso.«

Den Namen kenne ich. Ich versuche, Luke zu imponieren. »Nach dem berühmten Rennpferd?«

Luke lacht. »Er ist das berühmte Rennpferd.«

Ich muss schlucken und weiß im Moment nicht, was ich sagen soll. Zum Glück redet Luke.

»Er läuft keine Rennen mehr. Wir haben ihn vor ein paar Jahren zurückgezogen. Jetzt hat er nichts anderes mehr zu tun als schlafen und decken.«

Eine Weile lehnen wir über dem Zaun.

»Reiten Sie?«, frage ich.

»Ja, wenn ich die Zeit finde. Ich bin auf einer Farm aufgewachsen. Wir hatten immer Pferde. Ich nehme an, Sie waren ein vollzahlendes Mitglied im Ponyclub.« Ein verbitterter Unterton schwang in seiner Stimme mit.

»Ist das nicht jeder?«, sage ich so eisig ich kann. In Wahrheit habe ich Angst vor Pferden. Aber wenn Luke der Held der Arbeiterklasse sein will, dann darf ich das reiche Biest spielen. Luke springt auf den Köder nicht an und wendet sich wieder seinem Pferd zu.

Aplauso hebt den Kopf und füllt seine Nüstern mit dem Geruch seines Meisters. Er trottet auf uns zu. Der Schweif ragt steil hoch, und sein Hals streckt sich anmutig. Er will sich in seiner Pracht zeigen, damit wir sehen, was für ein elegantes Tier er ist.

Luke tritt ein wenig näher zu mir. Ich kann die Wärme seines Atems im Nacken spüren. Er trägt einen leicht verwitterten Barbour, und die ölige Würze zieht in meine Nase. Er holt eine Hand voll Körner aus der Tasche und drückt mir einige davon in die Hand.

Bei der Berührung läuft mir ein Schauer über den Rücken. Als ich Luke ansehe, nehme ich den Anflug eines Lächelns um die Mundpartie wahr. Aplauso senkt den majestätischen Kopf, und Luke hebt meine Hand und streckt meine Finger.

»Er wird Ihnen nichts tun«, sagt er leise. Aplauso frisst die Maiskörner von meiner Hand, er kaut nachdenklich und wiehert leise.

Plötzlich fühle ich mich ganz schwach, und ich schwanke leicht. Lukes kräftiger Körper stützt mich. Während Aplauso mich anstößt, weil er mehr Maiskörner haben will, legt Luke seine Hand um meine Taille. Ich drehe den Kopf zur Seite, und unsere Münder sind dicht beieinander. Er gibt mir wieder eine Hand voll Körner, und diesmal füttere ich das Pferd ohne Lukes Hilfe. Ich bin begeistert von meiner Tapferkeit.

Ich drehe mich wieder zu Luke um, weil ich ein Lob von ihm erwarte. Aber er ist nicht mehr da.

Ich sehe ihn das ganze Wochenende nicht mehr.

Fünftes Kapitel

Cassandras Geschichte

Normalerweise werde ich ganz nervös, sobald ich auf die M25 einfädele, aber für Brighton nehme ich den Stress gern in Kauf. Wegen des Parteitags der New Spectrum Party brummt die Stadt. Politiker, Presseleute und Parteianhänger überfüllen die Bars, Cafés und Restaurants. Die Hotels im Umkreis von vielen Meilen sind ausgebucht. Als Mitglied des Regierungsteams wohne ich im feinsten Hotel am Platz.

Sobald ich durch die breite Flügeltür trete, nimmt mir ein Page das Gepäck ab. Mein Blick fällt auf Toby, den Presseassistenten, der mit einer vollgepackten Sporttasche vor der Rezeption steht. Er winkt mir unsicher zu.

»Hi, Toby«, rufe ich.

Der stille, scheue Toby schaut auf seine Füße. »Hi, Cassandra.«

Wir checken zusammen ein, und während Toby seine Morgenzeitung bestellt, bestelle ich eine Maniküre. Wir tauschen ein rasches »Wir sehen uns« und gehen zu unseren Zimmern.

Ich schlendere zum Fenster, schiebe die Gardinen zur Seite und blicke in einen Innenhof. Kein aufregender Ausblick. Ich wette, der Premierminister kann von seiner Suite aufs Meer schauen, denke ich schmollend. Na gut. Ich hebe die Arme über den Kopf und lasse die Schultern rotieren. Allmählich fällt der Stress der langen Autofahrt von mir ab. Ohne mich vom Fenster abzuwenden, lasse ich die Jacke von den Schultern rutschen und will gerade meine Bluse aufknöpfen, als ich direkt gegenüber eine Bewegung der Gardine bemerke.

Die dunkelhaarige Gestalt im Zimmer gegenüber trägt ein rotes Sweatshirt und schwarze Jeans und ist deshalb hinter dem dünnen Gardinenstoff leicht zu erkennen. Ich lege meine Hand langsam auf den obersten Knopf der Bluse. Zuerst will die Gestalt zurück ins Zimmer treten, aber als ich den ersten Knopf geöffnet habe und an den zweiten greife, bleibt sie wie erstarrt stehen.

Der süße, scheue Toby hofft offenbar, mich beim Entkleiden zu erwischen. Ich könnte wütend darüber sein und ihm später eine Szene machen. Aber die Vorstellung, heimlich beobachtet zu werden, hat ihren Reiz. Ich senke den Kopf und lächle still in mich hinein. Okay, er soll was Lohnendes zu spannen haben.

Meine Finger verharren auf den nächsten Knöpfen, als müsste ich noch überlegen, ob ich mich jetzt ausziehen soll. Dann öffne ich die Bluse und beuge mich vor, damit Toby meine Brüste in den Seidenschalen des BHs besser sehen kann.

Ich ziehe den Reißverschluss des Rocks hinunter und drehe mich um. Mein heimlicher Bewunderer soll die Konturen meines Pos sehen können, denn als ich den Rock über die Hüften nach unten schiebe, bücke ich mich. Ich trete aus dem Kleidungsstück hinaus und richte mich wieder auf, immer noch in den Schuhen mit den hohen Absätzen. Ich löse meine Haare, die locker auf meine Schultern fallen, und wenn ich den Kopf in den Nacken lege, weiß ich, dass die Haarspitzen fast den Poansatz berühren. Schau nur zu, Toby, wenn du deinen Spaß daran hast.

Ich tue so, als wollte ich meine Muskeln lockern, verschränke die Hände hinter dem Kopf und täusche ein Gähnen vor. Dadurch strecken sich meine Brüste noch mehr. Ich bücke und biege mich und achte darauf, dass mein Körper sich in jeder Pose von der besten Seite zeigt. Ein leises Lächeln umspielt meine Lippen, als ich schemenhaft erkennen kann, wie Tobys Hände an seinen Schoß greifen. Er macht sich an der Hose zu schaffen, dann beginnt sich der Arm rhythmisch zu bewegen.

Ich durchquere das Zimmer und gehe zum Bett, dabei schwinge ich provozierend die Hüften und genieße die Vorstellung von Tobys Blicken auf meiner Figur. Mit einem Seufzen lege ich mich auf die Decke, schiebe die Hände in meinen BH und hebe die vollen Kugeln aus den Körbchen. Es ist leicht, sich auszumalen, wie ich Tobys Verlangen anstachele, als ich eine Fingerkuppe in den Mund stecke und dann kleine nasse Kreise um die rosaroten Nippel beschreibe.

Langsam senkt sich mein Kinn. Mein Mund bläst kühle Luft auf die eine Warze und dann auf die andere, und beide richten sich auf. Ich quetsche sie zwischen meinen Fingern und hebe meinem Spanner die Brüste entgegen. Mir beginnt dieses Spiel immer besser zu gefallen.

Toby gefällt es auch. Ich hebe den Kopf leicht an und sehe bewundernd auf seine aufsteigende Erektion, die ich hinter der Gardine zumindest umrissartig erkennen kann. Die Schatten verzerren meine Sicht, glaube ich, denn die Stange sieht viel größer aus, als sie sein kann; sie steht prall von seinem Körper ab, und er reibt sie entschlossen.

Ich lange auf meinen Rücken, sehe an mir hinunter und beobachte, wie die Brüste anschwellen, als ich den BH ausziehe. Ein feiner Anblick, finde ich, und so überrascht es mich nicht, dass Tobys Hand sich schneller bewegt, drängender, nötiger. Ich überlege mir Dinge, die er sich mit mir vorstellt. Die Brüste streicheln, drücken, quetschen. Bestimmt will er mir den Slip abstreifen. Soll ich der erotischen Wirkung wegen Schuhe und Strümpfe anbehalten?

Mit einem einzigen Finger streiche ich über mein Geschlecht und verharre über der geschwollenen Klitoris, die unter dem dünnen Stoff des Höschens erregt pocht. Ich stöhne laut auf. Es wäre ganz leicht, so weiterzumachen, aber dann finde ich, dass es noch mehr Spaß bringen könnte, meinen heimlichen Spanner mit einzubeziehen.

Ich greife nach meinem Handy und wähle eine Nummer. Die Gestalt am Fenster springt hoch, als sein Telefon klingelt.

»Ja?« Seine Stimme klingt flach.

»Toby«, flüstere ich, »sieht das nicht gut aus?« Ich spreize meine Schenkel und ziehe mein feuchtes Höschen zur Seite, damit er alles deutlich sehen kann. In meinem Ohr höre ich ein heftiges Krachen, als Tobys Handy aus seiner Hand rutscht. Ich muss still vor mich hin lachen. Er hebt das Telefon wieder auf, und ich höre Tobys schweren Atem.

»Toby, warum kommst du nicht zu mir?«, wispere ich. »Dann hast du eine viel bessere Sicht.«

Es entsteht ein kurzes düpiertes Schweigen, ehe ich ihn sagen höre: »Ja.« Im nächsten Moment ist die Verbindung unterbrochen. Ich klappe mein Handy zu.

Ich lasse mich wieder auf den Rücken fallen und vertreibe mir die Zeit, indem ich ganz sacht über meine angenehm warme Klitoris streichle. Die Wartezeit dauert nicht lange. Mir scheinen es nur Sekunden zu sein, ehe ich das leise Klopfen an der Tür höre. Ich öffne sie rasch und ziehe sie weit auf.

Die Inszenierung hat den gewünschten Effekt. Toby starrt auf meinen fast nackten Körper und bleibt wie angewurzelt auf der Stelle stehen. Ich bin eine Vision für ihn. Langsam trete ich beiseite und winke ihn ins Zimmer.

Er hat seine Hose wieder hochgezogen, aber seine Erektion sprengt fast den Stoff. Trotz seiner sichtlichen Verlegenheit kann er die Hände nicht von seinem Penis lassen. Er greift und packt in seinen Schritt und tritt von einem Fuß auf den anderen – wie ein kleiner Junge, der dringend zur Toilette muss.

»Es ... äh, tut mir Leid«, stammelt er. »Ich dachte, du könntest mich nicht sehen.«

»Schon gut, Toby.«

Ich gehe auf ihn zu und lasse meinen Körper sanft und sinnlich schwingen, während ich die Distanz überbrücke. Als ich dicht vor ihm stehe, drücke ich einen nassen Finger gegen seine geschwungene Unterlippe. Es freut mich, als ich sehe, wie er mit der Zungenspitze über die Stelle leckt, die ich gerade berührt habe. Er ist versessen darauf, mich zu schmecken.

»Es ist bestimmt besser, mich anzuschauen als die albernen Mädchen in den Pornoheften«, fahre ich fort. In diesem Moment fällt mir ein, dass ich die Kamera von der Preisverleihung dabeihabe. Das bringt mich auf eine Idee.

»Vielleicht können wir ja beides miteinander verbinden«, sage ich. Ich gehe zum aufgetürmten Gepäck und ziehe die Kamera aus einer Tasche heraus. »Jetzt können wir dein persönliches Pornomagazin zusammenstellen.«

Einen Augenblick starrt er mich verdutzt an. Ich drücke ihm die Kamera in die Hand. Als ich mich wieder aufs Bett lege und ihn frage, was ich tun soll, zeigt mir seine zuckende Erektion nur zu deutlich, wie begeistert er von der Idee ist, aktiv an unserem Spiel teilzunehmen.

»Sage mir, wie du mich gern hättest, Toby«, fordere ich ihn leise auf.

Toby steht mit hochrotem Gesicht da und sagt nichts.

Ich lasse meine Hände über die Konturen meiner nackten Brüste gleiten.

»Nun mach schon, Toby. Irgendwas wird dir doch einfallen, oder?« Ich seufze übertrieben laut. »Oder wäre es dir lieber, wenn ich mich wieder anziehe?«

»Nein!«, ruft Toby erschrocken. »Ich möchte gern sehen, wie du deine Brüste in die Hand nimmst, wie du es eben getan hast.«

Gehorsam lege ich die Hände unter meine Brüste und drücke sie zusammen. Ich beuge mich vor und biete ihm diese Pose an. Mit zitternden Händen kommt Toby zu seinem ersten Schuss.

Sein Selbstvertrauen nimmt zu. »Ich möchte ein Foto haben, wie du dich auf alle viere begibst. Bitte.«

»Hast du es dir so vorgestellt?« Ich stütze mich im Bett auf Händen und Knien auf und strecke ihm meinen Po entgegen. Ich schaue über meine Schulter und lächle in seine Kamera.

»Ja, ja, so ist es gut.« Ich höre die Kamera klicken.

»Aber ich möchte mehr sehen ...« Seine Stimme stockt, als könne er seine sündigen Gedanken nicht aussprechen.

»Vielleicht so?«

Er wimmert hilflos, als ich mein Höschen über meine Backen schiebe. Ich wölbe den Rücken und achte darauf, dass er einen guten Blick auf mein Geschlecht werfen kann. Als ich wieder über meine Schulter schaue, hat er seine Erektion aus der Hose befreit und streicht mit der Hand an dem Stamm auf und ab.

Ich öffne meine Beine ein wenig mehr und fühle, wie sich die Labien teilen und der Kamera einen Blick in meine nasse Höhle gewähren. Ich spüre seine heißen Blicke auf mir; es ist, als wollten sie mich penetrieren. Er seufzt bewundernd auf.

»Gut?«

»Oh ja.«

Langsam, träge vor Erregung, stehe ich auf, schwenke die Hüften und sehe zu, wie mein Höschen auf meine Füße fällt. Toby starrt offenen Mundes auf mein Wäschestück. Ich springe vom Bett und stelle mich vor Toby hin. Er kann den Blick nicht von meinen nackten Brüsten wenden.

»Lege dich hin, dann zeige ich dir einen anderen Blickwinkel«, sage ich leise, und meine Hand drückt sanft gegen seine Schulter, bis er zu Boden sinkt.

Seine Augen öffnen sich weit in gieriger Erwartung, als er sich flach auf den Rücken legt, während ich mich gespreizt über seine Schultern stelle. Er muss einen ungehinderten Blick auf meine Strümpfe haben – und auf meine Pussy.

»Wow«, sagt er und beäugt die babysanften Daunen meines Schamhügels. »Du bist wirklich schön.«

»Oh ja, Toby, das weiß ich.« Ich lasse die Finger über die Innenseiten meiner Schenkel gleiten, und ich sehe, wie seine Hand zuckt. Er möchte mich berühren, aber er weiß, dass Berühren verboten ist.

Ich gehe langsam über seinem Gesicht in die Hocke. Er stöhnt und schließt die Augen.

»Was ist denn, Toby? Ist es zu viel für dich?« Ich beuge mich vor und sehe zwischen meinen Schenkeln auf sein Gesicht.

Er öffnet die Augen wieder. »Ja. Äh, ich meine, nein.«

»Dann schieß dein Foto.« Ich bin sehr erregt, und ich weiß, dass es zwischen meinen Schenkeln glitzern muss. Ich beuge mich noch ein bisschen tiefer, damit der untere Bogen meiner Brüste noch aufs Bild kommt. Mit zitternden Händen hebt er die Kamera und schießt das Bild.

Als er seine Aufgabe beendet hat, knirscht er mit den Zähnen und greift wieder in seinen Schritt. Die Hand bewegt sich so schnell, dass ich sie kaum verfolgen kann.

»Nein«, sage ich und halte seinen Arm still. »Noch nicht. Du willst doch bestimmt noch etwas für dein Fotoalbum.« Toby sieht mich an, und ich merke, dass er sich nicht traut. »Aber da muss dir doch was einfallen.«

Sein Gesicht rötet sich wieder, als er leise sagt: »Ich möchte gern, dass du das tust, wobei ich dich eben beobachtet habe.«

»Was meinst du denn?«

»Ich möchte gern sehen, wie du ...«

»Nun rede schon.« Ich will es aus seinem Mund hören.

»Ich möchte dir beim Masturbieren zusehen.«

»Wirklich?«

Toby schluckt und nickt eifrig. »Ja. Und bis zum Schluss.«

Ich gehöre nicht zu denen, die einer Herausforderung aus dem Weg gehen. Während ich Toby verführerisch anschaue, gehe ich zum Bett zurück, lege mich gegen das Kissen und spreize die Beine, damit er sieht, wie ich mich streichle. Zuerst agiere ich für die Kamera, krümme den Rücken und strecke ihm meine Brüste entgegen.

Ich reibe mich nur mit den Fingerspitzen, damit meine Hand nicht seine Sicht versperrt. Aber zu masturbieren, während ein Mann mich fotografiert, ist schon eine bizarre Kiste, und so dauert es nicht lange, bis mein Verlangen nach Befriedigung übernimmt und die Kamera in den Hintergrund drängt. Ich stemme meine hohen Absätze in die Matratze, stoße einen Finger in meine Pussy und streiche mit der anderen Hand über meine Klitoris. Durch halb geschlossene Augen sehe ich, wie Toby seine Bilder schießt. Ich will ihm mehr geben, als die sterilen Frauen in seinen Hochglanzmagazinen ihm bieten können. Er soll die dampfende, gekeuchte Realität einfangen.

Ich richte mich auf die Knie auf, stoße die Hüften vor und zurück und schiebe den Finger in mich hinein, als wäre er ein Penis. Meine Brüste wippen auf und ab, während ich auf meinem Finger reite. Jetzt brauche ich nichts vorzutäuschen. Die Lust ist real. Ich lasse nichts an mich heran, nur der Finger zählt, mit dem ich mich aufspieße. Ich will in diesem Moment nichts sehnlicher als meinen Orgasmus.

Als ich nach einiger Zeit wieder zu Toby schaue, wird mir klar, dass er sein letztes Bild geschossen hat. Die Kamera entgleitet seinen Fingern, und im nächsten Augenblick ergießt er sich in seine Hand. Er grunzt und stößt die Hüften bei jedem Zucken vor, als stellte er sich vor, sich in einer Frau zu verströmen. Ein Teil des Ergusses landet auf dem Teppich. Dieser

Anblick reicht aus, um mich über die Klippe zu bringen. Ich schüttle mich, während es mir kommt, und stoße tiefe Seufzer aus.

Als ich mich erholt habe, stehe ich auf und lege den Bademantel des Hotels um meine Schultern. Ich bücke mich nach meinen Kleidern. Die Idee kommt mir, als ich mein Seidenhöschen aufhebe.

Ich drücke es zusammengeknüllt in Tobys Hand. »Hier«, sage ich, »ein Souvenir.«

Dann hebe ich die Kamera auf und werfe sie Toby zu, der sich gerade in seine Jeans zwingt, wobei er wegen des Höschens in seiner Faust leicht behindert ist.

»Schade, dass es keine Digitalkamera ist. Du musst den Fotoladen, in dem du den Film entwickeln lässt, schon sehr gut kennen, sonst könnte es unangenehm werden.«

Ich sehe ihm noch ein paar Sekunden beim Anziehen zu, dann gehe ich nach nebenan und lasse heißes Wasser in die Wanne laufen. Ich will mich mit einem langen Bad verwöhnen.

Es ist Donnerstagabend, und das Team *Communications* ist in bester Stimmung. Die Rede des Premierministers – Höhepunkt des Parteitags – an diesem Morgen war ein voller Erfolg und hat die Partei entzückt. Radio und Fernsehen berichten positiv über den Parteitag, und wir erwarten, dass auch die Zeitungen morgen ebenso positiv berichten.

In der Hotelbar haben sich die Kollegen versammelt und feiern den Erfolg mit einem Drink oder zwei, aber mir steht nicht der Sinn nach feiern, deshalb hocke ich da und nippe lustlos an einem Glas Wein. Mein bisschen Spaß mit Toby hat nicht zu der Lösung meines Problems beigetragen – meine Obsession mit Luke wird immer stärker.

Er hat sich am frühen Abend mal kurz sehen lassen, um

jedem einzelnen Mitglied des Teams für seinen Beitrag zum Gelingen des Parteitags mit wohl gewählten Worten zu danken. Seit drei Tagen hat er wahrscheinlich rund um die Uhr gearbeitet. Man sieht ihm die Erschöpfung an. Nachdem er die letzten Berichte im Fernsehen bewertet hat, ist er zu Bett gegangen. Es ist, als wäre die Sonne untergegangen.

So läuft das Spiel eigentlich nicht ab. Ich pfeife, und er soll brav nach meiner Pfeife tanzen. Aber Luke kennt die Spielregeln ganz offensichtlich nicht. Er braucht jemanden, der ihm zeigt, wie das Spiel geht. In der überfüllten Hotelbar treffe ich den spontanen Entschluss, dass ich den ersten Schritt tun muss, wenn er ihn schon nicht geht.

Ich leere das Weinglas, entschuldige mich bei den Kollegen und fahre mit dem Lift zu Lukes Etage. Unter den Türen vieler Zimmer fällt noch ein Lichtschein auf den Flur, aber das letzte Zimmer, in dem Luke wohnt, liegt im Dunkel.

Eine Hausdame bewegt sich müde hinter einem Wagen mit frischen Handtüchern. Ich spreche sie an und merke, dass sie nicht gut Englisch spricht und meine Geschichte wohl auch kaum versteht, dass ich mich aus der Suite meines Mannes ausgeschlossen habe. Nach einem kurzen Blick auf ihre Zimmerliste und auf meinen Parteitagspass öffnet sie für »Mrs. Weston« die Tür zu Suite 348. Ich schlüpfe hinein und schließe die Tür leise hinter mir.

Ich befinde mich in einem Vorraum, von dem mehrere Türen abgehen. Ich öffne die erste, die mich in ein geräumiges Wohnzimmer bringt. Es dauert eine Weile, bis sich meine Augen an die Dunkelheit gewöhnt haben, dann kann ich erste Umrisse entdecken.

Es gibt genügend Hinweise auf seine Gegenwart: der offene PC auf dem Schreibtisch, das achtlos aufs Sofa geworfene Sakko, eine leere Kaffeetasse auf einem Tisch. Über einem Stuhl hängt seine Krawatte. Ich nehme sie in die Hand und streiche über die sanfte Seide.

Dann bemerke ich etwas, was meinen Atem zum Stocken bringt. Auf einem kleinen Tisch am Fenster sehe ich das Bild einer Frau im Silberrahmen. Eine Frau, die so aussieht wie ich. Ich hebe das Bild hoch, um es besser betrachten zu können. Der Schnitt der Jacke und ihr Make-up verraten, dass das Foto schon vor einigen Jahren aufgenommen worden ist. Aber da ist mein langes blondes Haar, mein voller Mund. Die Frau hat kornblumenblaue Augen wie ich, und sogar die Nase könnte von mir sein.

Die Ähnlichkeit jagt mir Schauer über den Rücken. Ich höre Gelächter auf dem Flur und hebe ruckartig den Kopf. Aber in Lukes Suite bleibt alles ruhig. Mit leicht zitternder Hand stelle ich das Foto wieder an seinen Platz.

Ich ignoriere meine Angst und husche durchs Zimmer. Auf dem tiefen Teppich sind meine Schritte nicht zu hören. Ich öffne eine zweite Tür und blicke hinein. Lukes Badezimmer. Ich gehe hinein.

Das Zimmer ist auffällig geordnet. Auf einem Regal neben dem weißen Becken sehe ich eine Anzahl von Toilettenartikeln. Ich trete ganz nahe heran und betrachte jede Tube, jede Flasche – eine intime Sammlung, die nicht für meine Augen bestimmt ist. Ich nehme seinen Rasierer in die Hand und drücke die Klinge gegen meinen Daumen. Die Kälte des Stahls geht mir durch und durch. Dann drücke ich ein bisschen Zahnpasta auf einen Finger und reibe ihn über meine Zähne. Ich will schließlich gut schmecken für ihn.

Ich spucke in sein Becken und wische meinen Mund an seinem Handtuch ab. Auf dem Fensterbrett liegt eine angebrochene Packung Kondome. Ich bediene mich mit einer Hand voll und stecke sie in meine Jackentasche. Dann greife ich nach der Flasche mit seinem Rasierwasser, schraube den Deckel ab, hebe die Flasche an meine Nase und atme tief ein. Als ich den vertrauten Duft einziehe, durchfährt mich ein Blitz der Erregung, so stark, als hätte er mich selbst berührt.

Leise stelle ich die Flasche zurück. Auf Zehenspitzen verlasse ich das Bad und gehe zurück in den Vorraum. Mein Herz schlägt wie verrückt, als ich die letzte Tür ganz langsam öffne.

Da liegt er – ausgestreckt auf seinem breiten Bett, die Arme über dem Kopf. Ein Laken bedeckt seinen Körper, aber unter der gestärkten Baumwolle kann ich die Konturen erkennen. Langsam gehe ich zum Bett, beuge mich über ihn und betrachte ihn ganz aus der Nähe. Ein schmaler Strahl des Mondlichts fällt ins Zimmer, beleuchtet sein perfektes Gesicht und färbt seine Haare silbern. Er hat sich vor dem Zubettgehen nicht rasiert, deshalb sehe ich die Stoppeln auf Oberlippe und Kinn. Der Kopf liegt auf der Seite. Während ich ihn so nah bewundere, spüre ich das vertraute sehnsüchtige Ziehen zwischen meinen Schenkeln. Wieder einmal bin ich fasziniert von seiner unglaublichen Schönheit.

Seine Lippen teilen sich leicht beim Einatmen, und der Drang, meinen Mund auf seinen zu pressen, ist fast unwiderstehlich. Aber eben nur fast. Ich will mir Zeit lassen und jede Sekunde meiner Invasion in seine Privatsphäre genießen. Ich bin noch nicht bereit, ihn zu wecken.

Ganz, ganz vorsichtig nehme ich das Laken, das ihn bedeckt, zwischen Daumen und Zeigefinger und lupfe es an, damit ich mehr von seiner Haut sehen kann. Ich ziehe es immer weiter nach unten und freue mich unbändig, dass er völlig nackt zu Bett gegangen ist. Er bewegt sich und murmelt etwas Unverständliches. Ich erstarre.

»Nein«, flüstere ich. »Noch nicht.«

Es ist, als wolle er mir gehorchen, jedenfalls streckt er sich träge, und dann fällt er wieder in tiefen Schlaf. Ich lasse das Laken auf seine Füße fallen, dann trete ich ein paar Schritte zurück, um den ganzen entblößten Körper auf mich wirken zu lassen. Ich erinnere mich nur zu deutlich an alle Einzelheiten aus dem Film, den ich mir kürzlich angeschaut habe, aber

Luke in Fleisch und Blut vor mir zu haben ist viel intensiver.

Seine langen Beine berühren fast das Fußende des Betts. Die Haare wachsen nicht so dicht, dass sie die Form der Waden und Schenkel verbergen. Ein Bein ist leicht angezogen, deshalb sind die Muskeln praller zu sehen.

Er hat einen breiten Brustkorb, und ein Kreis feiner goldener Härchen umgibt jede dunkle Warze. Unterhalb der Rippen schaue ich auf den flachen, glatten Bauch, aber selbst im Zustand der Entspannung sind die Muskeln zu sehen. Er hat eine glatte, leicht gebräunte Haut. Es juckt mir in den Fingerspitzen, seine Haut zu berühren. Die Wärme auf meiner Hand zu spüren. Aber noch halte ich mich zurück.

Seine Arme sind kräftig und haben die idealen Proportionen. Aber da sehe ich einen Makel auf dem sonst perfekten Körper – eine frische, gezackte Narbe auf der rechten Schulter, dicht über der Schwellung des Bizeps. Ein Souvenir des Attentäters, nehme ich an. Irgendwie unterstreicht dieser Makel noch die Vollkommenheit der übrigen Gestalt.

Ich habe mir das Beste bis zum Schluss aufgehoben, aber nun erlaube ich meinen Augen, seinen Penis zu betrachten, der völlig entspannt auf einem Schenkel ruht. Obwohl er schlaff und starr daliegt, ist er angenehm lang. In mir brennt das Verlangen, ihn aus seiner stillen Trägheit zu wecken.

Die runzlige Haut seines Hodensacks bildet einen witzigen Kontrast zu der glatten geschmeidigen Haut überall sonst. Die Haare um seinen Penis und auf den Hoden sind dunkler, aber nicht rau – die weichen krausen Härchen laden mich zum Kraulen ein.

Ich wende den Blick nicht von seinem Körper, während ich mich langsam ausziehe. Stück für Stück lasse ich meine Kleider auf den Boden fallen. Eine lange Zeit stehe ich nur da und betrachte ihn; ich genieße den Luxus, ihn hemmungslos bewundern zu können. Ich starre. Auch der narzisstischste meiner voraufgegangenen Liebhaber wäre bei einer solchen anhaltenden Überprüfung verlegen geworden, aber Luke kann mir nicht ausweichen. Das Gefühl der Macht ist herrlich.

Ich bin hin und her gerissen. Ich will verharren und genießen. Ich will meine Lust in die Länge ziehen und führe meine Finger zwischen meine Beine, ziehe sie durch die glitschigen Falten. Ich bin schon derart erregt, dass ich sofort kommen könnte, so wie ich vor ihm stehe und ihn betrachte.

Aber diesmal genügt mir das nicht. Ein wachsendes Verlangen treibt mich an, und bald werde ich ihn berühren müssen. Ich habe keine andere Wahl. Ich gehe auf den Zehenspitzen zurück zum Bett und klettere zwischen seine Füße.

»Ich will dich ansehen«, wispere ich und schiebe seine Schenkel weiter auseinander.

Ich hocke tief auf dem Bett und hebe den Blick. Er bewegt sich wieder, und in der Bewegung rollt der Penis gegen das andere Bein, und die Hoden fallen zwischen die stämmigen Schenkel.

»Wunderschön«, murmele ich, »aber das weißt du selbst, nicht wahr?«

Ich schiebe meine Hände unter ihn. Köstlich, seine muskulösen, harten Backen auf meinen Händen zu fühlen. Als ich meine Finger durch die Kerbe gleiten lasse, höre ich, wie er den Atem in einem Seufzer ausstößt. Ich berühre seine Hoden, nehme sie einzeln in die Hand und fühle, wie sie sich unter meinen Fingern unruhig bewegen. Ich halte sie eine Weile fest und lasse mich von dem Gewicht betören.

Mein Gesicht senkt sich über seinen Schoß. Ich atme seinen moschusartigen männlichen Geruch ein. Minutenlang inspiziere ich seinen Penis, ich nehme die subtilen Unterschiede der Farbe seiner Haut wahr, die Unterschiede im Gewebe, von der purpurnen Eichel bis zum faltigen Hodensack und dem noch lockeren Fleisch seines Schafts. Er ist beschnitten, und ich kann das dunkle Auge in der Spitze der Eichel erkennen. Nie habe ich etwas gesehen, was ich dringender begehrt habe.

Ich will ihn nicht aus dem Schlaf aufschrecken, deshalb blase ich leicht gegen den Schwanz. Ich sprühe ihn von oben bis unten mit meinem Atem ein. Er zeigt Wirkung. Unter meinen Lippen beginnt er zu zucken, und dann sehe ich fasziniert, wie er sich streckt und lang wird. Das ermutigt mich, den Mund noch etwas mehr zu senken und ihn mit leichten Küssen zu necken.

Er murmelt wieder, und ich verharre über ihm. Aber noch spricht er in der seltsamen, unverständlichen Sprache des Unterbewusstseins. Er hebt seine Hüften an, als wolle er mehr von dem haben, was ich ihm bisher gegeben habe. Oh ja, ich bin sicher, dass er mich wahrgenommen hat, aber noch auf irgendeiner Traumebene, die nicht mit der Realität in Verbindung steht.

Mit der flachen Zunge lecke ich über die gesamte Länge, wobei ich die Augen die ganze Zeit geöffnet habe, damit ich den schönen Schwanz nicht nur fühlen, sondern auch sehen kann. Er schmeckt so gut, wie er aussieht. Ich lecke ihn beharrlich und erfreue mich an dem Wunder, wie er wächst und anschwillt. Ich höre Luke wieder murmeln. Ich hebe den Kopf, um vielleicht ein Wort aufzuschnappen.

»Liz, bitte. Lizzy.«

Ich lächle in mich hinein und wende mich wieder der Arbeit zu. Wenn ich mit ihm fertig bin, wird er meinen Namen nicht mehr verwechseln.

Ich schließe meine Faust um ihn und reibe sie auf und ab. Gemächlich beuge ich mich über ihn, halte das starre Glied in der Hand und presse die Lippen gegen die Spitze. Ich drücke meinen Mund über die Eichel und lasse zu, dass er von unten zustößt, tiefer in meinen Mund hinein. Ich gehe an ihm hinab, nehme Zentimeter für Zentimeter auf, bis er gegen meinen Gaumen rammt. Dann hebe ich den Kopf hoch, den Blick weiter auf den Schaft gerichtet, der von meinem Speichel glänzt. Auf und ab geht mein Kopf, von der samtenen Spitze bis zur dunklen Wurzel und wieder zurück.

Er ist jetzt halb wach, und ich fühle, wie seine Finger in meine Haare greifen und mich tiefer drücken wollen. Er will sofort die Kontrolle übernehmen. Aber ich habe seine Arroganz nicht vergessen, als er mich in der Parteizentrale angefasst hat. Ich habe auch nicht vergessen, wie gnadenlos er Lucy und Camilla dominiert hat. Jemand muss Luke eine Lektion erteilen. Und diese Jemand will ich sein.

Ich schlüpfe vom Bett, bücke mich nach meinen Kleidern und ziehe den Gürtel aus den Schlaufen meiner Hose. Im nächsten Moment schlinge ich den Gürtel um seine Handgelenke, ziehe ihn stramm und befestige das Gürtelende am Bettpfosten.

»Cassandra?« Seine Stimme bricht die Stille. »Was machst du?« Er sieht mich mit Augen an, deren Lider noch schwer vom Schlaf sind.

Ich lächle nur und sage nichts. Dann beuge ich mich erneut über ihn, und er scheint an der Beantwortung seiner Frage nicht mehr interessiert zu sein. Er wirft den Kopf in den Nacken und stößt laute Lustlaute aus.

Erst jetzt wird ihm bewusst, dass ich ihn gefesselt habe. Er blickt auf seine Handgelenke, und ich sehe einen Anflug von Panik in seinem Gesicht.

»Verdammt, Cassandra! Was zum Teufel soll das?« Er will sich auf die Ellenbogen aufrichten, aber das gelingt nicht. »Binde mich sofort los!«

»Nein.« Ich krieche an seinem Körper hoch, drücke eine Hand auf seine Schulter und halte ihn auf dem Bett fest. »Ich bestimme, wo es langgeht«, sage ich. Um meine Worte zu unterstreichen, beuge ich mich über ihn und ratsche mit den Zähnen über seinen linken Nippel.

»Autsch«, ruft er. »Das tut weh.«

Aber sein Körper straft ihn Lügen, denn als ich die kleinen Warzen zwischen Daumen und Zeigefinger nehme, werden sie hart und groß. Er krümmt den Rücken und wetzt sich mir entgegen. Wenn ich ihm wehtue, dann genießt er es.

»Komm schon, Cassandra«, murmelt er, »binde mich los.« Aber sein Protest hört sich halbherzig an, und er unternimmt auch keine Versuche mehr, sich gegen die Fesselung zu wehren. Sein heimliches Einverständnis löst eine neue Welle des Verlangens in mir aus.

Er seufzt, als ich mit den Fingern über seinen Bauch streichle, seinem Schaft entgegen. Jetzt weiß ich sicher, dass er sich nicht mehr beschweren wird. Meine Hände kreisen über seine Haut, und ich überlege, wie ich es am besten anstellen kann, dass er mir die größtmögliche Lust beschert. Im nächsten Moment weiß ich, was ich will. Ich grätsche über seinen Körper und rutsche höher, auf sein Gesicht zu.

»Leck mich«, befehle ich ihm. »Ich möchte, dass du mich mit der Zunge verwöhnst.«

Er hat damit gerechnet, er hebt schon den Kopf, und ich schaue zu, benommen vor Erregung, wie sich meine Scham seinen Lippen nähert. Ich spreize die Labien mit meinen Fingern, weil ihm seine Finger nicht zur Verfügung stehen.

Als ich schließlich seine Lippen spüre, bin ich überwältigt, und ich muss mich zwingen, ganz tief einzuatmen, denn ich will mich beruhigen, damit ich alles bei vollem Bewusstsein erleben kann. Meine Hüften schwingen vor und zurück, bis ich seine Zunge auf meiner Klitoris spüre. Jetzt verhalte ich mich ganz still, als wollte ich nicht riskieren, dass der Zauber vergeht. Seine Zunge dringt in mich ein, und mein Stöhnen wird lauter.

Ich kann mich kaum dazu durchringen, mich von der Quelle dieser unglaublichen Lust zurückzuziehen, aber ich will nicht, dass er mich auf diese Weise zum Orgasmus bringt. Ich will die Kontrolle behalten. Ich will seinen phantastischen Körper benutzen, und ich will ihm nicht die Genugtuung geben zu glauben, dass ich nur eine weitere seiner zahlreichen Eroberungen bin, reduziert auf eine schmachtende Frau, verführt von seinem schönen Gesicht und seiner erfahrenen Technik.

Ich rutsche an seinem Körper hinab und greife nach einem Kondom. Mit den Zähnen reiße ich die Hülle auf, dann sauge ich das Kondom in den Mund, bevor ich mich über seine Erektion beuge und das Kondom mit den Lippen über seinen Schaft ziehe. Er scheint diesen Trick zu genießen, denn ich spüre, wie der Penis in meinem Mund zuckt.

Ich nehme ihn in die Hand und führe ihn zum Eingang meines Geschlechts. Luke stößt von unten in mich hinein, aber ich weise ihn zurück und hebe mich an.

»Nein, bewege dich nicht.« Er zuckt zusammen, weil ich ziemlich laut gesprochen habe. Er soll wissen, wer das Sagen hat. Ich lasse mich wieder langsam sinken.

Ich halte ihn in der Hand und führe ihn ein, lasse mir viel Zeit dabei, als wollte ich mir jede einzelne Bewegung einprägen. Ich fühle, wie ich mich für ihn öffne, wie meine Muschi danach giert, gefüllt zu werden, deshalb sinke ich tiefer und tiefer, bis die Wurzel des harten Schafts gegen meine Klitoris reibt.

Was für eine Lust! Eine Weile verhalte ich mich ganz still. Mein Körper soll sich an die Sensationen der tiefen, köstlichen Penetration gewöhnen. Ich hebe mich langsam an, bis ich fühle, dass er beinahe aus mir gleitet, aber nein, nein, ich will ihn nicht verlieren. Ohne jede Verzögerung lasse ich mich wieder auf ihn sinken und grunze lustvoll, als ich spüre, wie wonniglich er mich wieder ausfüllt.

Ich beginne einen göttlichen langsamen Rhythmus, und jedes Mal, wenn seine ganze Länge in mir steckt und mich bis zum Bersten dehnt, reibt seine Wurzel gegen meine glühende Klitoris. Es geht ganz langsam zwischen uns ab, mein Genießen braucht Zeit, ich will jede Sekunde auskosten.

Er will wieder von unten zustoßen, aber ich halte auch jetzt dagegen, und diesmal klingt meine Warnung noch lauter und ernster.

»Ich sagte, du sollst dich nicht bewegen, verdammt! Du musst lernen, dass es nicht immer nach deiner Nase geht!«

Ich lege die Hände um meine Brüste, lehne mich über ihn und drücke meine Nippel gegen seine trockenen Lippen. Im nächsten Moment hebe ich mich wieder an. Er starrt auf meine Brüste, die vor seinem Gesicht hin und her pendeln. Ich weiß, dass er die Nippel in seinen Mund saugen will, aber ich lasse ihn zappeln und halte mich aus seiner Reichweite.

Er ringt mit sich, denn es fällt ihm schwer, reglos unter mir zu liegen. Er beißt sich auf die Unterlippe. Die Anstrengung steht ihm ins Gesicht geschrieben. Er hält es nicht länger aus, und mit einem lauten Stöhnen schließt er die Augen. Aber das will ich nicht. Ich muss ihn zwingen, mich anzuschauen.

»Schau mich an, Luke! Ich will, dass du siehst, wie ich komme.« Gehorsam schlägt er die Augen auf, und ich schiebe eine Hand zwischen meine Beine und fange an, meine Klitoris zu massieren, während ich die andere Hand abwechselnd über meine Nippel rotieren lasse. Ich habe auf seinem Schwanz einen feinen Rhythmus gefunden und benutze ihn wie einen Dildo.

Aber dann weiß ich, dass ich zu weit gegangen bin. Benommen von meinem Verlangen, beginne ich zu keuchen. Ich bringe mich selbst um die Kontrolle, als der Druck steigt und die Lust wie heiße Lava durch meine Adern fließt. Ich halte mich an seinen Armen fest, meine Nägel graben sich tief in seine Haut, und der Orgasmus überfällt mich. Jeder Nerv meines Körpers fängt an zu singen. Dann spüre ich, wie sich meine Verkrampfungen lösen, ich lasse mich tief auf seinen Schwanz sinken, schreie auf vor Lust und komme.

Als es vorbei ist, glaubt er, dass nun der Augenblick da ist, in dem er die Kontrolle übernehmen kann. Er will sich wieder aufrichten. Mit einer Kraft, die uns beide erstaunt, presse ich ihn zurück auf die Matratze.

»Nein«, sage ich streng. »Wenn du dich bewegst, ist es sofort vorbei.«

»Okay.« Seine Stimme klingt heiser vor Geilheit. »Okay.«

Seinen Schaft immer noch tief in mir, nehme ich wieder Tempo auf. Ich spanne die Muskeln an und umklammere ihn. Ich sehe in sein Gesicht. Er hat die Zähne fest aufeinander gepresst. Er zittert vor Leidenschaft. Gerade noch rechtzeitig halte ich inne. Er stöhnt frustriert auf – eine Art Flehen um den Orgasmus, den ich ihm vorenthalten habe.

»Cas, bitte.«

»Pst.« Ich streiche mit einer Fingerspitze über seine Lippen. »Du musst geduldig sein.«

Sein Schwanz ist so geschwollen, dass er mich komplett ausfüllt und gegen meine Gebärmutter stößt. Die Penetration grenzt an Schmerz. Seine verdunkelten Augen fixieren mich. Er bettelt schweigend. Aber ich gebe nicht nach.

»Ich kann das nicht, Cas«, keucht er.

»Doch, du kannst. Du hast keine andere Wahl.« Ich habe alle Trümpfe in der Hand. Meine Überlegenheit wird dadurch bekräftigt, dass er sich nur eingeschränkt bewegen kann. Ich lächle triumphierend, hebe mich an, bis ich ihn fast verliere, und nehme ihn dann wieder ganz langsam in mich auf, eine kleine Belohnung dafür, dass er sich fügt. Ich höre, wie er seine Dankbarkeit murmelt.

Ich lange hinter mich und streichle seine Hoden. Unter der weichen Haut sind sie vor Erregung gespannt. Lange wird er nicht mehr durchhalten.

Aber ich bin noch nicht fertig mit ihm. Meine Finger greifen weiter und streichen über seinen Anus. Ich schaue ihn fragend an. Fragend oder herausfordernd. Ich drücke den Mittelfinger gegen seine Rosette. Ich fühle, dass er vor Lust erschauert, deshalb stoße ich den Finger noch etwas tiefer. Es gefällt ihm. Ich bewege den Finger leicht. Oh ja, es gefällt ihm sehr. Seine Muskeln spannen sich unwillkürlich um meinen Finger.

»Oh, verdammt«, stößt er hervor. Er wirft den Kopf zur Seite, und ich sehe, wie verzerrt sein Gesicht ist. Er wird von seiner Lust geschüttelt, und der Schweiß läuft ihm übers Gesicht. Mein Sieg ist vollkommen. Aber ich erlaube ihm noch nicht die Erleichterung, die er begehrt.

Doch dann ist die Zeit gekommen. Ich will seinen sich windenden Körper sehen, wenn sein Orgasmus einsetzt, auf den er so lange gewartet hat. Ich schwinge mich von ihm und streife das Kondom ab.

Ich stelle mich neben das Bett und nehme ihn in meine Hand. Als er erkennt, dass ich bereit bin, ihm den Orgasmus zu besorgen, ist seine Erleichterung zu schmecken. Er schreit auf, dankbar für meine Berührung. Ich reibe ihn fest, und ich weiß, dass er an der Schwelle steht.

»Ich komme«, presst er heraus.

»Ich weiß«, flüstere ich und drücke mit der anderen Hand seine Hoden. »Lass alles heraus. Jetzt.«

Etwas anderes wäre ihm auch gar nicht möglich. Er schnarrt irgendeine Obszönität, dann setzt sein Orgasmus ein. Sein Körper windet sich, er wirft sich hin und her, und ich kann ihn nicht länger kontrollieren. Er ruckt sein Becken vor und zurück und verstärkt damit noch die reibenden Bewegungen meiner Finger. Ein letzter Ruck.

Er reißt den Mund weit auf, aber es kommt kein Schrei, nur ein dumpfes Geheul, und dann wird er von Zuckungen geschüttelt, und mir kommt es wie eine Ewigkeit vor, bis endlich sein Samen herausschießt.

Er ergießt sich über meine Hand und seinen Bauch, und es kommt ihm so lange, dass ich schon glaube, er kann gar nicht mehr aufhören.

Erschöpft lasse ich mich neben ihm auf den Rücken fallen.

Luke braucht eine Weile, bis sich der Atem normalisiert. Ich sehe, wie sein Herz pumpt, ich fühle die verschwitzte, stickige Wärme seines Körpers. Ich habe ihn geschafft.

Ich muss daran denken, wie er mich das erste Mal berührt hat. Meine Knie waren weich wie Pudding geworden. Ich muss daran denken, wie ich ihn auf der DVD gesehen habe, wodurch ich zu unaufhörlichem Masturbieren gezwungen war. Ich erröte jetzt noch, wenn ich daran denke.

Aber jetzt, Luke Weston, sind wir quitt.

Sechstes Kapitel

Lukes Geschichte

Am Freitagnachmittag klingt der Parteitag aus, und wir bereiten uns auf die Rückfahrt nach London vor. Cassandra und ich steigen in unsere Freizeitklamotten. Gewöhnlich arbeite ich an Samstagen und Sonntagen, aber Cassandra freut sich auf ein paar freie Tage, und als wir dabei sind, das Hotel zu verlassen, steckt sie mich mit ihrer ausgelassenen Vorfreude an.

Cassandra fährt mit ihrem Auto zurück, deshalb pfeife ich auf mein Bahnticket und schließe mich ihr an. Wir nehmen die langsame Route. Cassandra begegnet den engen, gewundenen ländlichen Straßen mit der Vorsicht der geborenen Städterin. Wir plaudern locker und fühlen, wie sich die Vertrautheit einstellt, die mit dem besseren Kennenlernen einhergeht.

Wir tauschen Listen unserer Lieblingsdinge. Sie mag Frank Sinatra, was gut ist, und toleriert Mozart, was mich überrascht. Ich liebe das Land. Sie sagt, da stinkt es nach Gülle, und außerdem verabscheut sie die Farbe Grün. Ihr Lieblingsfilm ist *Singin' in the Rain,* und sie nimmt es beinahe gelassen hin, als ich zugebe, ihn nie gesehen zu haben. Von *The Draughtman's Contract* hat sie nie etwas gehört, deshalb schiebe ich meinen zweiten Lieblingsfilm nach, *The Incredible Journey.*

»Ich muss immer weinen, wenn die Katze in den Fluss fällt«, gestehe ich.

Sie lacht, aber ich bin nicht sicher, ob sie mir glaubt.

Während sie neben mir sitzt, sehe ich den Vorhang ihrer blassen Haare vor ihrem Gesicht hin und her wehen. Ich liebe es, wie sie um ihre Lippen spielen. Manchmal lässt sie die

Haare vor ihren Augen, dann weiß ich nicht, ob sie mich anschaut oder nicht. Ab und zu wischt sie eine Strähne ungeduldig zur Seite. Ich weiß, eines Tages will ich diese langen seidenen Haare um meinen Schwanz spüren.

»Oh, schau mal«, ruft sie und zeigt auf eine saftige Wiese. »Kühe!«

»Ja«, sage ich ohne großes Interesse. Ich beobachte ihre Hände und bin fasziniert von ihren flüssigen Bewegungen, mit denen sie ihre Worte bekräftigt. Ich sehe auf die halbmondförmigen Striemen, die ihre langen gelackten Fingernägel auf meinen Armen hinterlassen haben. Ich schüttle mich. In der vergangenen Nacht haben mir Cassandras Nägel unerwartete und unvertraute Gefühle beschert.

Sie trägt enge Jeans, die sie in Stiefel mit unglaublich hohen Absätzen steckt. Sie haben mir sofort beim ersten Blick einen Ständer verschafft. Unter dem weißen Baumwollhemd sind ihre Brüste nackt; sie beben jedes Mal, wenn sie den Gang wechselt. Die oberen Knöpfe des Hemds sind offen, und den ganzen Nachmittag quäle ich mich mit heimlichen Blicken auf ihre Brüste. Als sie sich vorbeugt, um ihre Taschen in den Kofferraum zu legen, glaube ich, einen rosigen Nippel zu sehen, aber ich bemühe mich, nicht hinzustarren. Es ist schwer, sich von Perfektion zu trennen, denn wie der Rest von ihr sind die Brüste perfekt. Ich erinnere mich, wie sie mein Gesicht umspielten, als sie in der Nacht ihren ersten Orgasmus erlebte, und bei diesem Gedanken spüre ich, wie sich meine Erektion wieder meldet.

Sie erwischt mich, wie ich sie anschaue.

»Was ist?«, fragt sie.

»Nichts. Deine Brüste sehen großartig in diesem Hemd aus.«

Sie blickt an sich hinunter, die Lippen in Konzentration geschürzt. Dann sieht sie wieder auf und sagt: »Ja, stimmt.«

Ich lache. »Cassandra, du bist die eitelste Frau, die ich kenne.«

Sie nimmt eine Hand vom Lenkrad, drückt die Spitze des Zeigefingers gegen ihre Wange und hebt die Augen himmelwärts. Es ist eine irritierende kleine Geste, und ich weiß nicht, ob ich sie schlagen oder vögeln soll.

»Vielleicht«, sagt sie, »liegt das daran, dass ich auch die bestaussehende Frau bin, die du kennst.«

Ich lache wieder, und in meinem Kopf klärt sich schnell die Frage schlagen/vögeln. Nach dem ersten wahnsinnigen Akt in der vergangenen Nacht haben wir sanfteren Sex gehabt, aber nicht weniger aufregend. Wir haben Liebe gemacht, und das ist bei mir selten geworden.

Wir haben kaum Zeit zum Schlafen gefunden. Irgendwann bin ich von ihr weggerollt und in einen leichten Schlummer gefallen, aber bald schon hat mich die Nähe ihres Körpers wieder erregt, hoffnungslos erregt. Immer und immer wieder habe ich sie genommen, deshalb kann ich nicht verstehen, dass ich überhaupt noch fähig bin, nach ihr zu verlangen. Und wie ich nach ihr verlange!

»Fahre links raus«, sage ich. »Da drüben.« Ich zeige auf eine mit wilden Brombeersträuchern zugewachsene Einfahrt zu einem verfallenen Bauernhof.

»Was?« Cassandra sieht mich überrascht an, aber sie befolgt meine Anweisung, und das Auto holpert über den Weg. Schon nach wenigen Metern sind wir von der Straße nicht mehr zu sehen.

»Okay, halt an.«

»Warum?«

»Weil ich dich haben muss. Auf der Stelle.«

Ein leichtes Lächeln spielt um ihre Lippen, dann hält sie an, zieht die Handbremse und wendet den Kopf. Sie sagt nichts.

Wir steigen aus. Es ist ruhig um uns herum. Wir werden nicht gestört. Cassandra lehnt sich gegen die Autotür und sieht mich mit einem verführerischen Glitzern in den Augen an, das mich ungeheuer erregt, und ich muss an mich halten, um ihr nicht die Kleider vom Leib zu reißen und wuchtig in sie hineinzustoßen. Aber ich will warten, ich will das Beste aus diesem Moment herausholen.

Ich stehe vor ihr und schaue in ihr Gesicht. Ihre Pupillen sind dunkel und weit, sie reflektieren nichts als Lust. Ich fühle ihren flachen, unregelmäßigen Atem auf meinen Lippen. Ich beuge mich über sie und küsse sie, lasse die Zunge jeden Winkel ihrer Lippen erforschen, jeden Teil ihres Mundes kosten. Küsse bringen mir gewöhnlich nicht viel, aber als Cassandra meine Küsse erwidert und ihre Zunge über meine gleiten lässt, werde ich geil wie ein Schuljunge.

Ohne meinen Blick zu wenden, ziehe ich ihr Hemd aus der Jeans und hebe es langsam an.

»Luke, das ist verrückt.«

Ja, es ist verrückt, sie nur wenige Meter entfernt von der Straße auszuziehen, aber es ist mir egal. Und ihr ist es auch egal. Trotz ihres Protests lächelt sie mich einladend an, und während sie mich mit Worten aufhalten will, zwingen mich ihre Augen weiterzumachen.

»Zweifeln Sie an meiner Entscheidung, Miss Jones?« Ich schiebe das Hemd immer höher.

»Das hängt davon ab, ob Sie die Entscheidung mit dem Kopf oder mit Ihrem Schwanz getroffen haben, Sir.«

»Das ist eine aufsässige Bemerkung, für die Sie entlassen werden können.«

Sie sieht mich mit einem arroganten lächelnden Ausdruck an, der mir gleich am ersten Abend bei ihr aufgefallen war. »Nein, es ist eine aufsässige Bemerkung, die mir eine gefüllte Muschi bringt.« Sie hat ja so Recht!

Ich senke den Blick und sehe den straffen, gebräunten Bauch, und als ich das Hemd noch ein wenig höher hebe, sehe ich die unteren Bögen ihrer Brüste. Ich quäle mich selbst und warte noch ein paar Momente, ehe ich den Stoff ganz nach oben schiebe und auf die bonbonpinken Nippel starre. Ihr Herz schlägt schnell; unter der delikaten Haut kann ich den Puls sehen. Als sie einen leisen Seufzer ausstößt, pendeln ihre Brüste.

»Mach das noch mal«, sage ich. Ja, da ist es wieder. Seufzen, pendeln. Ich könnte sie vernaschen.

Ich beuge mich hinunter und nage an dem weichen Fleisch. Sie ist heiß und ihre Haut ein wenig klamm. Sie duftet wunderbar, und sie schmeckt sogar noch besser. Ich kreise mit der Zunge langsam um ihre Nippel und lasse die hart werdenden Knospen in meinen Mund wachsen.

Sie stöhnt auf, als ich einen Nippel zwischen die Zähne nehme und mit der Zunge darüberstreiche. Ich verstärke den Druck noch ein bisschen, und sie reibt ihren Schoß gegen meinen Schenkel. Sie reagiert stark auf mein Kosen, und ich frage mich, ob ich sie auf diese Weise zum Orgasmus bringen kann. Indem ich nur mit ihren Brüsten spiele. Aber ich will mich nicht beschränken, ich will mit allem spielen, was sie hat. Sie stößt ein lautes Zischen aus, als ich von ihren Nippeln lasse.

Ich öffne ihren Gürtel und ziehe den Reißverschluss der Jeans auf. Ich schlüpfe mit einer Hand hinein und stelle fest, dass sie kein Höschen trägt. Das Gefühl der hautwarmen Jeans und der Gedanke, dass der dicke Saum gegen ihre nackte Pussy gedrückt haben muss, schicken erotische Blitze durch meinen Körper. Ich fahre mit den Fingern durch die weichen Daunen ihres Schamhügels und greife behutsam zwischen die Labien. Oh, Mann, ist sie nass. Ich bin begeistert, dass sie mich ebenso begehrt wie ich sie. Ich habe jetzt beide Hände in ihren Jeans und ziehe sie über ihre Hüften. Meine Hände streichen bewundernd über ihren festen Po.

Ich gehe vor ihr auf die Knie und ziehe ihre Stiefel aus, dann hebe ich einen Fuß an und drücke meine Lippen auf den weichen Rist. Es muss sie kitzeln, denn ich höre sie kichern, und ich fühle, wie sie zittert, als sie gegen den Drang ankämpft, den Fuß zurückzuziehen. Aber als ich meine Zunge zwischen ihre hübschen Zehen eindringen lasse, geht das Kichern in ein leises, entzücktes Schnurren über. Ich stelle den nackten Fuß auf den Boden, ziehe die Jeans ganz herunter, und sie hebt erst den einen, dann den anderen Fuß, und die Jeans liegt neben ihr.

Meine Finger wandern an den Innenseiten ihrer Schenkel nach oben. Sie erschauert, als ich langsam ihre Kniekehlen liebkose. Dann drängen meine Finger höher und hinterlassen eine Spur, die zu Pussy und Po führt. Ihr Seufzen wird lauter. Sie hat sich schon lange nicht mehr gewehrt.

Ihre Pussy lockt. Zwischen den geschwollenen Labien lugt die Klitoris hervor. Ich kann nicht länger widerstehen. Mit der Zungenspitze teile ich die prallen Lippen. Ich lasse mich auf die Waden sinken und starre ihr Geschlecht an. Ich bin ganz benommen von der seidigen Schönheit in Pink.

Manch eine Frau wäre verlegen, wenn man sie derart aus der Nähe betrachtet, aber Cassandra kennt keine Zweifel an ihrer Schönheit. Sie steht unerschrocken da und hält ihr Hemd oberhalb der Brüste fest.

Während ich sie betrachte, öffnet sie die Beine noch etwas weiter und drückt ihren Rücken gegen das Auto. Sie entblößt sich vor mir. Ihre Säfte, vermischt mit meinem Speichel, tröpfeln aus ihr und bilden glitzernde Spuren auf den Innenseiten ihrer Schenkel. Sie sieht unglaublich aus. Das Glühen in meinen Lenden geht in Flammen über. Wenn ich nicht aufpasse, komme ich in meiner Hose, bevor ich ihn auch nur herausgeholt habe.

»Cassandra«, flüstere ich. »Oh, Cas, du bist wunderbar.«

Ich sauge ihre Klitoris zwischen meine Lippen und sauge daran, als wäre sie ein kleiner Penis. Mit den Händen streichle ich über die köstlichen Schwellungen ihrer Backen. Ich drücke sie gegen mein Gesicht und genieße ihr sanftes Stöhnen, während sie sich vor und zurück wiegt. Sie greift an ihre Brüste, zwirbelt die Nippel zwischen den Fingern und geht viel derber mit ihnen um, als ich mich je trauen würde. Ich stöhne auch, als ich zusehe, wie sie ihren phantastischen Körper malträtiert.

Mit einer Hand schlüpfe ich zwischen ihre Beine und finde ihren Eingang. Sie beugt die Knie ein wenig und stößt den Schoß vor. Sie will, dass ich in sie eindringe. Ich fühle, wie sie vor Verlangen zuckt, als ich die Hand um ihren heißen, nassen Spalt kreisen lasse. Sie ist bereit, gefüllt zu werden. Langsam schiebe ich einen Finger in sie hinein.

Ich reibe den Finger gegen ihr Gewebe und erfreue mich an der samtenen Nässe. Ich streiche, knete, drücke, während mein Mund die ganze Zeit mit ihrer Klitoris spielt. Meine Zunge stößt die winzige Spitze an.

»Oh, oh, bitte nicht aufhören«, höre ich sie wimmern.

Als ob. Es tut einfach zu gut, ihr diese Lust zu verschaffen.

Sie beginnt zu murmeln, ein Strom halb fertiger Sätze, der sich über ihre Lippen ergießt. Liebenswürdiges und Unsinniges wird ergänzt durch schockierend Schmutziges, Worte, die fast zu erotisch sind. Ich höre die Worte »ficken« und »Prachtschwanz« und »Möse«, und ich weiß, dass ihr schmutziges Reden fast zu viel für mich ist. Ich zwinge mich, nicht auf ihre Worte zu hören. Was hat diese Frau an sich, dass der Drang zum Orgasmus fast unwiderstehlich wird?

Sie ist jetzt exquisit erregt, und ich will sie auf diesem Plateau halten, dicht vor ihrem Höhepunkt. Aber als ich den Druck erhöhe und die Klitoris mit Zunge und Lippen angreife, schüttelt sie sich kurz und wird dann ganz still. Ich erkenne die Phase – es ist die Ruhe vor dem Sturm.

Und dann kommt sie über meinem Mund. Ich muss eine Hand auf den Boden drücken, um das Gleichgewicht zu halten, denn sie wirft ein Bein über meine Schulter und stößt mir ihre Pussy entgegen. Sie stöhnt und schreit, sie erreicht die sexuelle Höhe und stößt einen schrillen Schrei aus.

Ich weiß, dass sie jetzt sehr empfindlich ist, deshalb lasse ich sie das Tempo und den Druck vorgeben. Ich will, dass sie mich benutzt, dass sie mir alles gibt, was sie hat.

Und sie gibt mir alles. Sie gräbt ihre Finger in meine Haare, sie hält mich fest, sie drückt meinen Kopf gegen ihren zuckenden Schoß. Dann löst sich der Griff allmählich, das Beben klingt ab, ihre Bewegungen verebben. Mit einem tiefen Seufzer der Erleichterung sackt sie gegen das Auto, die Augen geschlossen. Lächelnd schaue ich auf ihr Gesicht; es ist das Gesicht einer total befriedigten Frau.

Jetzt ist die Zeit da für meine eigene Befriedigung. Ich stehe vor ihr und reiße die Kletts auf, die meine Jeans halten. Ich will den Penis in die Hand nehmen, aber er springt mir schon entgegen. Mein Orgasmus wird nicht lange auf sich warten lassen. Behutsam teile ich ihre Beine mit meinem Knie, dann dringe ich in sie ein und erwische die letzten Kontraktionen ihres Orgasmus. Langsam bewege ich die Hüften und genieße jedes kleine Flattern ihrer inneren Muskeln.

Mir ist, als würde ich in ihr schmelzen. Ich fahre in sie ein wie ein heißes Messer in die Butter. Süß und mächtig. Sie drückt gegen mich, nimmt mehr und mehr von mir auf, bis ich nicht mehr sagen kann, wo ich aufhöre und sie anfängt. Sie nimmt instinktiv meinen Rhythmus auf.

Ich will, dass es dauert. Es soll endlos weitergehen, denke ich, als ich mich tief in ihre Nässe versenke. Dann drückt sie ihren Mund gegen mein Ohr und haucht meinen Namen. Das schafft mich endgültig. Ich lege den Kopf an ihre Schulter und komme.

Als wir im Stau auf der M23 stehen, sagt er: »Der PM gibt am Freitagabend einen Empfang für die Presse. Es werden einige Leute da sein, die du vielleicht kennen lernen möchtest. Willst du mit mir kommen?«

»Das würde ich gern«, antworte ich, »aber ich habe Simon Moore schon zugesagt, dass ich mit ihm hingehe.«

»Simon geht hin?« Luke runzelt die Stirn. »Das wusste ich nicht.«

»Ja«, sage ich lachend. »Sorgst du dich wegen der Konkurrenz?«

Luke lächelt nicht. »Wieso hat er dich eingeladen? Ich wusste nicht, dass du so . . .«

». . . dass ich so wichtig bin?«, frage ich, und der verärgerte Unterton in meiner Stimme ist nicht zu überhören. Aber ich gebe zu, ich habe mich auch gewundert, als Simon mich eingeladen hat. Simon ist nicht jemand, der seine Zeit mit Leuten vergeudet, die keine Rolle spielen, und es gibt viele Menschen in »Communications«, die wichtiger und einflussreicher sind als ich. Nie zuvor stand ich auf Simons Gästeliste.

»Nein. Ich wollte sagen: Ich wusste nicht, dass du ihm so freundschaftlich verbunden bist.«

Ich bin ein wenig verdutzt. Es ist ein bisschen früh in unserer Beziehung, um Besitzansprüche anzumelden, oder? Nun, ich werde ihm natürlich nicht sagen, dass ich Simon nicht ausstehen kann.

»Oh ja«, sage ich. »Wir kennen uns gut.«

»Ich verstehe.«

»Was verstehst du?« Ich hebe mein Kinn und betrachte ihn mit hochnäsigem Trotz. Er starrt mich an, und einen Moment kann ich seinen Gesichtsausdruck nicht lesen.

»Nichts.«

Ich schmolle. Eine Nacht voller Sex (zugegeben: großartigem Sex) gibt ihm nicht die Genehmigung, eifersüchtig zu sein. Er hat kein Recht, andere Männer von mir fern zu halten.

»Stört es dich?«, frage ich.

»Stört mich was?« Er beugt sich vor, greift sich eine Hand voll CDs und gibt vor, die Hüllen zu lesen. Seine gespielte Gleichgültigkeit überzeugt mich nicht.

»Meine Freundschaft mit Simon.« Ich will, dass er mich ansieht, aber er vermeidet den Augenkontakt.

»Natürlich nicht«, antwortet er. »Es hat nichts mit dir zu tun.«

»Ja, richtig.«

Es entsteht ein schmollendes Schweigen. Er langt auf den Rücksitz und legt seine Aktentasche auf den Schoß. Ich sehe, dass er sich in Papiere vertieft.

»Luke, ich ...«

»Hast du was dagegen, wenn wir eine Weile nicht reden? Ich muss noch eine Menge lesen, bevor wir London erreichen.«

Ich konzentriere mich aufs Fahren, aber irgendwo in meinem Bauch spüre ich ein grimmiges Unbehagen.

Siebtes Kapitel

Cassandras Geschichte

Luke trifft mit dem Premierminister zum Empfang ein. Wie immer löst die Ankunft des PM viele aufgeregte Aktivitäten aus, aber ich habe nur Augen für Luke. Simon Moore reicht mir ein Glas Wein, und dabei raunt er mir völlig überraschend zu: »Ich habe gehört, dass Sie seit neuestem dem neuen Pudel des Premiers nahe stehen.«

Seine Beschreibung des Mannes, der vielleicht der zweitwichtigste Mann des Staates ist, finde ich sehr rüde, aber ich weise Simon nicht zurecht. Ich weiß, dass Simon viel zu überzeugt von sich ist, um sich von mir herausfordern zu lassen.

»Luke? Ich arbeite für ihn, das ist alles.« Ich will nicht über Luke reden.

Simon lächelt. »Ich verstehe.«

»Das glaube ich nicht.«

»Ich kann mir auch nicht vorstellen, dass Sie sich von einem wie ihm beeindrucken lassen. Er gehört nicht wirklich zu uns, nicht wahr?«

Ich sehe Luke zu, wie er sich durch die Menge kämpft, lächelnd und selbstbewusst Hände schüttelt und lässig mit Journalisten plaudert. »Wie meinen Sie das?«

Simon verzieht das Gesicht. »Er kommt aus Ripon, verdammt. Es ist ein Wunder, dass er unfallfrei mit Messer und Gabel umgehen kann.«

»Aber er ist ein guter Direktor unserer Abteilung.«

»Er ist ein Arsch.«

Ich traue mir keinen Widerspruch zu, deshalb nicke ich.

Simon schaut sich im Saal um und gähnt, ohne eine Hand vor den Mund zu halten.

»Himmel, ist das langweilig hier. Haben Sie Lust, irgendwohin zu gehen, wo es ein bisschen lebhafter zugeht?«

Luke unterhält sich mit dem Redakteur des *Telegraph.* Plötzlich schaut er auf und zwinkert mir zu. Ich wende den Blick.

»Ja«, sage ich zu Simon. »Ich hole meinen Mantel.« Ich trinke den Rest Wein, und wir gehen zur Tür. Luke sieht, wie wir den Saal verlassen.

»Wohin gehen wir?« Wir preschen aus dem Parliament Square Richtung Westen.

»Wir wollen uns eine Show ansehen.«

»Großartig. Ein Musical?«

»So ungefähr. Aber diese Show ist nicht für das übliche West-End-Publikum geeignet. Die Produktionen meiner Freundin Caroline sind nur für geladene Gäste.«

Unsere Fahrt endet in Mayfair, und das Auto parkt vor einem eleganten Stadthaus in der Curzon Street. Die Tür wird von einer gepflegten Dame geöffnet, die ich für Caroline halte. Sie trägt ein karmesinrotes Kleid, dessen Ausschnitt bis zur Taille geht und viel von ihren gut erhaltenen Brüsten enthüllt. Ihre Hände stecken in Handschuhen bis zu den Schultern. Das Make-up ist dick, aber gekonnt aufgetragen, und falls ihre Lippen synthetische Hilfe erhalten haben und ihre Stirn künstlich geglättet wurde, dann hat ihr Chirurg gute Arbeit geleistet. Sie strahlt Glamour aus.

»Hallo, Caro«, schnurrt Simon. »Das ist Cassandra, eine ... äh ... Freundin von mir.«

Caroline mustert mich von oben bis unten. Ich scheine die Beschau zu bestehen. »Sehr schön.« Sie beugt sich vor und küsst mich auf die Wange. Eine Wolke schweren Parfums hüllt mich ein. Ihre Umarmung ist zunächst nur freundlich, aber bevor sie sich von mir löst, hebt sie eine Hand und drückt meine rechte Brust. Es ist nur ein kurzer sinnlicher Kontakt, aber trotzdem lange genug. Zu meinem Entsetzen bemerke ich, dass sich mein Nippel unter ihrer Hand streckt. Carolines Lippen schürzen sich. Sie fühlt es auch.

Simon lächelt, kommentiert aber nicht. »Der Rubens-Raum, wie immer?«, fragt er.

»Ja«, antwortet Caroline. »Du kennst den Weg. Einige der anderen sitzen schon da und warten auf den ersten Akt. Wir sehen uns später.« Sie tritt zur Seite, und Simon führt mich weiter. Caroline drückt meinen Po, und ich schaffe es, nicht laut zu quietschen.

»Sie mag Sie«, raunt Simon, als wir die Eingangshalle betreten. Ich bin nicht sicher, ob ich die Zuneigung einer Frau wie Caroline überhaupt will. Ich frage mich, was noch passiert wäre, wenn Simon mich nicht weggeführt hätte. Ob sie mich auch geküsst hätte? Ich weiß, dass ich es hätte geschehen lassen.

Der Gedanke ihres zinnoberroten Munds auf meinen Lippen erregt mich mehr, als ich zugeben will. Ob sie mich weiter abgetatscht hätte? Auch das hätte ich geschehen lassen. Ich hätte gern meine Bluse geöffnet und ihre Handschuhe auf meinen Brüsten gespürt.

In einem geschmackvoll eingerichteten Vorraum bleibt Simon neben einem kleinen Tisch mit wunderschönen Intarsien stehen und hält mich am Arm fest. Aus einer Tasche seines Jacketts nimmt er eine kleine silberne Ampulle und schüttet eine Linie aus weißem Pulver auf die polierte Oberfläche des Tischs. Mit einer Plastikkreditkarte schiebt er die Linie enger zusammen, dann rollt er einen Fünfziger und reicht ihn mir.

»Das würzt Ihre Eiscreme und das Popcorn.« Er zeigt auf den Tisch. »Bedienen Sie sich.«

Ich nehme seinen Geldschein und beuge mich tief über den Tisch.

Als ich mich wieder aufrichte, drehe ich mich zu Simon

um, der genau zugesehen hat. »Was ist das für ein Ort?«, frage ich. Sein dunkles Lächeln sagt mir nicht viel. Er legt einen Finger senkrecht über meine Lippen, und zu meiner Schande muss ich gestehen, dass ich den Mund öffne und seinen Finger gegen meine nasse Zunge reiben lasse.

»Pst«, macht er. »Sie werden es früh genug erfahren.«

Simon nimmt eine Flasche Champagner aus einem riesigen Silberkübel sowie zwei Gläser, dann öffnet er eine Doppeltür, und wir betreten einen dunklen Raum. Drinnen sitzen etwa zwölf Gäste auf vergoldeten Sesseln, die in mehreren Halbkreisen vor einem leicht erhöhten Podium stehen.

Oberhalb der Bühne hängt ein Bild, das sich fast über die gesamte Breite des Raums erstreckt. Es wird von einem Spotlight angestrahlt, wodurch es wie ein Relief wirkt. Ich kenne mich zu wenig in Kunstgeschichte aus, um das Gemälde datieren zu können, aber das Thema erkenne ich sofort.

Es ist eine Vergewaltigungsszene. Eine Frau mit üppigen Kurven liegt auf einen Felsen gedrückt. Ihre Kleider sind zerfetzt, sodass eine volle Brust und ein weißer Schenkel entblößt sind. Über ihr lauert der Bösewicht. Er ist nackt. Er hat dem Betrachter den Rücken zugewandt, deshalb sehen wir nicht, ob er erregt ist, aber die Spannung in den festen Gesäßbacken und in den muskulösen Oberschenkeln lassen niemanden daran zweifeln. Der Mann ist bereit.

Das Opfer starrt ihm in die Augen. Aber man sieht keine Furcht auf dem Gesicht der Frau. Ihre Lippen sind feucht und ein wenig geöffnet, wir können sie beinahe atmen hören. Ihre Augen glitzern in aufgeregter Vorfreude. Bei ihren Schultern und zu ihren Füßen tollen ein paar Nymphen. An ihren verzückten Gesichtern sehen wir, dass sie sich auf eine lustvolle Show freuen.

Wir auch. Während Simon und ich in der hinteren Reihe Platz nehmen, bin ich sicher, dass Carolines Idee einer vergnüglichen Vorstellung sich von meiner kaum unterscheidet.

Eine Truppe von Musikern in Perücken und goldenen Brokat-Breeches stellt sich vor die Bühne und beginnt zu spielen. Die süßen, sanften Töne von Schuberts Forellenquintett bilden einen starken Kontrast zur aufgeladenen Atmosphäre im Raum. Die Konversation bricht ab; es wird still.

Das Spotlight wird kurz ausgeschaltet, und als das Bühnenlicht angeht, haben fünf Darsteller die Posen des Gemäldes eingenommen.

Der Held der Szene steht so nackt da wie der Mann auf dem Bild. Seine aufgeplusterten Glieder sind die eines eifrigen Bodybuilders. Es ist kein Bild, das ich normalerweise bewundere, aber für dieses kleine Tableau ist er die ideale Besetzung. Er ist dunkel und eingeölt, seine Haut glänzt, wodurch seine weiße Partnerin noch verletzlicher wirkt.

Aber wie ihre gemalte Inspiration hat auch unser weiblicher Star keine Angst. Sie strahlt feminine Kraft und viel Selbstvertrauen aus. Sie ist draller, als es die Mode ist, die Brüste sind runder, auch der Bauch weist eine sanfte Rundung auf, und solche Hüften bezeichnen Menschen, die es gut meinen, mit fraulich. Dies ist eine Frau, die sich nichts versagt. Ein Schleierstoff ist um ihren Körper drapiert, aber wie auf dem Gemälde ist auch von unserer Frau eine Brust zu sehen. Ihr unbehaarter Venushügel ist nur zum Teil bedeckt. Durch den dünnen Stoff ist der rosa Spalt deutlich zu erkennen.

Ihre Nymphen, drei Blondinen mit der Schönheit von Supermodels, sind auch mit diesem durchsichtigen Stoff bekleidet. Er hebt die erigierten Nippel an und unterstreicht mehr, als er verhüllt, und während sie sich tänzelnd um ihre Herrin bewegen, sehen wir Kurven und Schwellungen, auf die wir auch deshalb so gespannt schauen, weil sie eben teils verdeckt sind.

Jetzt stehen sie neben der Herrin und heben langsam den Schleier, der über ihr liegt. Sie lassen ihn um ihre Hüften fallen. Sie streicheln ihre Brüste, und unser Held schaut gierig zu, wie die zierlichen Hände in das volle Fleisch greifen. Als er genug gesehen hat, kauert er über ihr, den Kopf über ihren Brüsten. Die Nymphen heben eine Brust an, als wollten sie ihn füttern.

Simon lehnte sich herüber zu mir. »Sehr hübsch«, murmelt er.

»Oh ja.« Und sehr erregend. Das Kokain und die Show zeigen Wirkung. Meine Klitoris kribbelt und zuckt zwischen meinen übereinander geschlagenen Beinen.

Der Held dreht sich um, und wir sehen endlich seine ganze Größe im glorreichen Profil. Sein Glied ist so lang und dick, dass mir der Atem stockt. Ich frage mich, ob irgendeine menschliche Öffnung ihn aufnehmen kann.

Aber unsere Hauptdarstellerin hat solche Zweifel nicht. Mit einem sanften Seufzer ergibt sie sich ihm, liefert sich ihm aus, die Beine weit gespreizt, bereit, genommen zu werden. Ihre Nymphen halten sie still, als wollten sie sie ihrem Gott darbringen.

Der Held nimmt das Opfer an. Wir sehen, wie er sich in Position begibt und langsam in sie eindringt. Sie umklammert ihn äußerlich und innen. Sein Körper erhebt sich über sie und fällt in einen sanften Rhythmus. Er sieht in Aktion nicht weniger beeindruckend aus als auf dem Gemälde.

»Das bringt es jedes Mal für mich«, sagt Simon und nickt zur Bühne. »Haben Sie Ihr Boot auch schon zu Wasser gelassen, Cassandra?«

Ich kann ihm nicht antworten.

Unsere Hauptdarstellerin stöhnt, wölbt den Rücken, hebt die Arme in einer anmutigen Bewegung über den Kopf und reckt ihre Brüste vor, damit die Nymphen sie besser verehren können. Sie zwicken und necken, ziehen und zupfen, bedecken sie mit Küssen und nassen Zungen, huschen zwischen den Körpern ihrer Herrin und ihres Liebhabers hin und her.

Es gibt keinen Teil von ihr, der nicht verwöhnt und geleckt wird. Ihre Hüften beginnen zu zucken, als sei ihr Körper von einer Kraft besessen, die sie nicht kontrollieren kann. Der Liebhaber pflügt noch einmal tief hinein, und sie wird in den Strudel eines lauten, langen Orgasmus gerissen.

Die Nymphen kitzeln und necken sich gegenseitig zu Füßen der Herrin, sie streicheln sich und reizen ihre rosigen Pussys. Nacheinander erreichen auch sie das Ende der Vorstellung und finden seufzend ihre Höhepunkte.

Aber der Hauptdarsteller hat dem Haus noch mehr zu zeigen. Er zieht sich aus der Frau zurück, dreht sich herum und präsentiert sich den Zuschauern, das Glied fest in der Hand. Er beginnt eine drastische Schau der Eigenliebe, kost die Erektion und streicht mit langen Fingern von der Wurzel bis zur Spitze.

Ich kann kaum noch zuschauen. Mein eigenes Bedürfnis zu masturbieren wird immer stärker. Ich überlege, ob ich aufstehen und zur Toilette gehen soll, um mir Erleichterung zu verschaffen. Aber die Show ist so gut – ich will kommen, während ich zuschaue. Es wird auch nicht lange dauern, rede ich mir zu.

Mein Blick ist auf unseren Helden fixiert, der sein großes schwarzes Glied reibt. Ich konzentriere mich auf den Rhythmus seiner Bewegungen und stelle mir vor, dass meine Finger diesen Beat auf meiner Klit schlagen.

Ich lehne mich vor und muss wieder an Carolines Hände denken. Ich fühle die Satinhandschuhe, die in meine nasse Spalte schlüpfen. Die frivolen Gedanken bringen mich näher. Ich drücke die Beine fest zusammen. Die leichte Reibung genügt, und im nächsten Augenblick werde ich kräftig geschüttelt. Ich presse mich hart in den Sessel, damit ich nicht umkippe.

Oh, Himmel! Hat Simon was bemerkt? Besorgt wende ich mich ihm zu und lächle ihn an. Er lächelt zurück. Falls er meinen Orgasmus bemerkt hat, so lässt er sich nichts anmerken. Jetzt fällt mir auf, dass ich nicht allein auf der Suche nach Befriedigung bin. Zwei Sitze entfernt von mir sehe ich eine elegant gekleidete Frau, die eine Hand ihres Partners zwischen ihre Schenkel presst. Sie hält sich an seinem Arm fest und reibt seine Hand wild auf und ab. Ich höre sie wimmern.

Dann nehme ich aus den Augenwinkeln wahr, dass Simon auffällig in seinem Sessel herumrutscht. Er spreizt die Beine, öffnet den Reißverschluss seiner Hose und holt die strotzende Erektion heraus. Er reibt sie mit einer Hand und versenkt die andere in die Hose, um seine Hoden drücken zu können. Völlig unbefangen bringt er sich zum Orgasmus und achtet nicht darauf, dass er sich die Hose bekleckert.

Auf der Bühne ist unser Held auch am Ziel; er opfert seine Spende den dankbaren Kolleginnen seiner Kunst. Ein spektakuläres Finale.

Viel später werfe ich mich auf die Rückbank eines Taxis und rufe dem Fahrer meine Adresse zu. Ich drücke mich ins Polster und sehe den Nachtschwärmern auf den Bürgersteigen zu. Es ist fast ein Uhr, aber immer noch sind die Straßen sehr belebt. Die Lichter Londons brennen noch. Ich bin viel zu wach, viel zu aufgedreht, um nach Hause zu fahren.

Ich beuge mich vor und klopfe auf das Glas der Trennscheibe.

»Es wird Ihnen nicht gefallen, aber ich habe gerade meine Meinung geändert …«

Luke steht in der Tür und trägt nur seine Jeans. Ich mustere seinen nackten Oberkörper und spüre den plötzlichen Drang, meinen Mund auf seine goldene Haut zu drücken.

»Hallo, Cassandra.« Es ist kein freundliches Willkommen in seiner Stimme. Er hebt einen Arm, um die Haare aus seinem Gesicht zu streichen, und während er das tut, spüre ich ein Zucken zwischen meinen Schenkeln.

»Hallo. Ich kam zufällig vorbei und ...« Er sieht mich seltsam an. Ich kann nicht glauben, dass ich so ein schwachsinniges Klischee verwende. »Und da habe ich mich gefragt, ob du noch wach bist.« Meine Stimme klingt viel zu lebhaft.

»Aha«, sagt er. Ich sehe über seine Schulter in seine Wohnung. Sie ist modern eingerichtet: weiße Wände, helle Fußböden, helle Lampen und teures, modernes Mobiliar. Ein sanfter Stil wie aus einem Einrichtungsmagazin. Das Mädchen im Silberrahmen, das ich schon in Brighton gesehen habe, steht sehr prominent auf einem Seitentisch.

»Und du bist es«, sprudelt es aus mir heraus. »Ich meine, du bist noch wach.«

»Ja, jetzt bin ich's.«

Ich beginne zu lachen, und dann kann ich nicht mehr aufhören damit. Unsere Blicke treffen sich, und als er mich ansieht, merke ich, dass sein Ausdruck wechselt. Plötzlich muss ich den Blick senken.

»Sieh mich an, Cassandra«, befiehlt er. »Sieh mich an.«

Ich hebe den Kopf, und sein Gesicht verschwimmt vor meinen Augen.

»Scheiße. Du bist zugedröhnt. Womit?«

Ich will »nichts« sagen, aber ich finde das Wort nicht. Er greift meine Oberarme und schüttelt mich. »Sage mir, was du genommen hast.«

»Nichts. Ich habe nur zu viel getrunken.«

»Du hast was genommen. Was hast du dir reingezogen?« Er starrt immer noch in meine Augen.

»Ich weiß nicht. Nur ein bisschen Koks, den Simon mir gegeben hat.« Ich sehe, wie die Farbe aus seinem Gesicht schwindet. Das irritiert mich. Er wirkt auf mich nicht wie ein

Typ, der sich darüber entsetzt, dass man ein bisschen mit der Bewusstseinserweiterung experimentiert.

»Wie viel?«

»Nur ein bisschen.« Ich senke wieder den Blick und sehaue auf seine nackten Füße. Seine Zehen sind lang und gerade und gebräunt. Mann, sogar seine Füße sind sexy.

»Wie viel?« Er schreit mich an, und ohne dass ich es erklären kann, schießen Tränen in meine Augen.

»Ich weiß es nicht«, jammere ich. Ich kann mich wirklich nicht erinnern. Ich will auch nicht reden. Ich will mit ihm ins Bett. Er soll mich mit in sein unglaublich breites Bett nehmen und mir die Seele aus dem Leib vögeln.

»Und getrunken hast du auch?«

»Oh ja.« Ich lächle ihn an. Wahrscheinlich gerät es zum dümmlichen Grinsen.

»Mist«, sagt er und zieht mich in seine Wohnung.

Er hält meine Hand fest und führt mich zu einem karamellfarbenen Ledersofa. Er zwingt mich zum Sitzen. Ich bin schrecklich enttäuscht, als er nach einem Hemd greift, das über dem Stuhl hing, und es anzieht. Jetzt ist sein perfekter Torso bedeckt. Er geht in die Küche und kommt mit einem Glas Wasser zurück. Er zieht mich in seinen Arm, hält meine Arme fest und setzt das Glas an meine Lippen. Ich trinke, aber dann würge ich, weil das Zeug faul schmeckt.

»Igitt! Was ist das?«

»Salzwasser.«

Ich habe nur ein paar Schlucke getrunken, als die Übelkeit in mir hochsteigt.

»Oh nein!«, rufe ich. »Wo ist die Toilette?« Ich schiebe ihn aus dem Weg und stolpere über den Flur ins Bad. Ich schaffe es im letzten Augenblick.

Er steht neben mir, hält mir die Haare aus dem Gesicht, und ich übergebe mich.

Ich schrecke aus dem Schlaf hoch. In meinem Kopf pulsiert ein böser Schmerz. Dann stelle ich fest, dass ich in Lukes Bett liege. Eine Weile verhalte ich mich ganz still und warte darauf, dass sich das Zimmer aufhört zu drehen, dann stütze ich mich auf einen Ellenbogen. Durch das eine Auge, das ich öffnen kann, sehe ich Luke im Sessel auf der anderen Seite des Zimmers sitzen. Er hat die Beine übereinander geschlagen und einen Arm um den Sesselrücken gelegt. Er beobachtet mich stumm.

»Hi.« Meine Stimme krächzt.

»Hi«, sagt er. »Wie fühlst du dich?«

»Nicht großartig.« Mit der freien Hand reibe ich meine geschwollenen Augen. »Aber ich habe kein Mitleid verdient.«

»Ja, stimmt.« Er fährt sich mit der Hand durch seine unordentlichen Haare. »Kann ich dir irgendwas besorgen? Magst du frühstücken?«

Ich presse eine Hand vor den Mund. »Himmel, nein«, bringe ich heraus. Mir ist immer noch übel, aber eigentlich kann nichts mehr in mir sein, was herauswill. Mir ist auch bewusst, dass Erbrechen nicht zu den Dingen zählt, die eine Frau attraktiv machen, und Luke hat mich lange genug über seine Toilette gebeugt gesehen.

»Wie du willst.«

Während ich mich daran erinnere, dass ich mich ganz lange Zeit übergeben habe, weiß ich nichts davon, wie Luke mich ins Bett gebracht hat. Ich taste mit einer Hand über meinen Körper und stelle enttäuscht fest, dass ich mein Höschen noch trage. Er trägt noch die Jeans von gestern Nacht.

»Du siehst auch nicht sonderlich lecker aus«, sage ich. »Hast du in diesen Klamotten geschlafen?«

»Ich habe nicht geschlafen.«

Er steht auf und geht barfuß über den gebleichten Eichenboden ins Bad. Er lässt die Tür offen. Ich höre, wie er den Sitz anhebt, und behutsam, mit beiden Händen um den pochenden Kopf, lege ich mich auf die Seite, damit ich ihm zusehen kann.

Ich sehe auf seinen Rücken, während er den Reißverschluss aufzieht und laut das Wasser abschlägt. Meine Neugier ist geweckt. Am liebsten wäre ich aufgestanden und hätte mich hinter ihn gestellt. Und über seine Schulter geguckt. Ich würde gern sehen, wie er sich hält. Wie sein Penis in seiner Hand aussieht.

Als er fertig ist, sagt er: »Ich muss mich für die Arbeit vorbereiten. Bist du sicher, dass du dich nicht wieder übergeben musst?«

»Ja, mir geht es gut.« Ich versuche, überzeugend zu klingen.

»Prima.«

Er steht weiter mit dem Rücken zu mir und zieht sich unbefangen aus. Es ist leicht, keine Hemmungen zu haben, wenn du einen schönen Körper hast. Ich beobachte das Spiel der Muskeln seiner Arme und der Schultern, als er sein Hemd auszieht. Dann bückt er sich und streift die Jeans ab. Als er die Boxershorts nach unten schiebt, fange ich einen kurzen Blick auf seinen Penis im Ruhezustand auf; er pendelt von einem Schenkel zum anderen.

Der Anblick schickt einen heißen Pfeil der Begierde durch meinen Bauch. Luke tritt unter die Dusche, und ich beobachte den Schatten seines Körpers durch das Milchglas, während er sich wäscht. Schließlich kommt er heraus, schlingt ein Tuch um die Hüften und stellt sich zum Rasieren vor den Spiegel über dem Waschbecken. Einen Moment lang ist er in dieses männliche Ritual versunken. Die Düfte von Shampoo und Rasierschaum wehen zu mir herüber, aber lieber würde ich ihm so nah sein, dass ich seinen Geruch einatmen könnte. Ich sehe weg und bin wütend, dass ich ihn so sehr begehre.

Ein großes, farbenprächtiges Bild über dem Bett fällt mir ins Auge. Ich knie mich hin und betrachte es aus der Nähe.

»He, das ist ein hübscher Druck, Luke«, rufe ich und gehe ganz nah an die Unterschrift unten in der Ecke heran. »Ist es ein Degas?«

Ich greife mit den Händen nach dem Bild und will es von der Wand nehmen, aber Luke reagiert sofort. Er lässt den Rasierer ins Becken fallen, rennt ins Schlafzimmer und hält mein Handgelenk fest.

»Nicht!«, ruft er. Ich zucke zurück. »Du kannst es nicht berühren. Es ist mit einer Alarmanlage verbunden.«

»Oh, Mist«, quetsche ich heraus. »Ist es kein Druck?«

Luke schüttelt den Kopf. »Nein«, sagt er. Langsam lässt er mein Handgelenk los. »Es ist ein Original. Wenn du es bewegst, löst du einen Alarm aus, bei dem jeder im Haus taub wird.«

Ich bin sprachlos. »Du besitzt einen Degas?«

»Ja.«

»Wieso?«

»Das ist eine lange Geschichte.« Er wendet sich von mir ab und wischt sich den Rasierschaum vom Gesicht.

»Aber ein Degas? Versteckt in deinem Schlafzimmer?«

»Ich habe ihn nicht versteckt. Ich schaue ihn mir oft an.«

Ich rolle mich auf den Bauch und betrachte Luke mit neuer Faszination. »He, mach schon. Erzähl mir, wo er herkommt.«

»Eines Tages werde ich es dir erzählen.«

Ich bin neugierig, aber ich erkenne, dass es keinen Sinn hat, ihn weiter zu nerven. Für ihn ist die Unterhaltung über den Degas beendet.

Er öffnet einen Schrank und nimmt seine Kleider heraus. Ich sehe ihm beim Anziehen zu, wie er sein frisches Hemd knöpft und unauffällige Manschettenknöpfe anbringt. Er wählt einen seiner Maßanzüge aus. Langsam verwandelt er sich vom Luke Weston, dem mit Testosteron gefüllten Frauenheld, der mir in der Nacht die Tür geöffnet hat, zum Luke

Weston, dem mächtigsten Mann in unserem Gewerbe. Er dreht sich mir erst wieder zu, als er die Krawatte gebunden hat.

»Deine Sachen liegen da«, sagt er und zeigt auf meine sorgsam gefalteten Kleider auf einem Stuhl. »In der Küche gibt es Kaffee, wenn du willst. Nimm ein Bad, oder geh unter die Dusche, bevor du gehst. Und zieh die Tür fest zu. Ich muss jetzt weg. Ich habe einen Frühstückstermin.«

Ohne weiteres Wort dreht er sich auf dem Absatz herum und geht aus dem Zimmer. Ich höre das Klacken seiner Schuhe im Flur, dann das laute Schlagen der Tür. Ich bin allein in seiner Wohnung.

Ich zwinge mich in eine sitzende Position und verziehe gleich das Gesicht, als die plötzliche Bewegung neuen Schmerz im Kopf auslöst. Ich sehe mein Bild in einem niedrigen Spiegel. Meine Haare stehen in einem alarmierenden Abstand vom Kopf, und meine Mascara verschmiert mein Gesicht mit dunklen Linien. Meine Haut hat einen gelblichen Teint angenommen. Ich sehe wie eine Koksbraut aus. Niemals wieder, schwöre ich mir.

Ich sehe mich im Zimmer um. Wie der Rest der Wohnung ist alles mit untadeligem Geschmack eingerichtet. Neben dem Degas gibt es noch einige andere gute Gemälde an den weißen Wänden. Die Morgensonne fällt durch die Jalousien herein. Aber irgendwas fehlt. Lukes Schlafzimmer hat keine Seele.

Neben dem Bett steht eine breite Kommode. Ich weiß, dass ich unverzeihlich vorwitzig bin, aber ich kann nicht widerstehen, die obere Schublade aufzuziehen. Geordnete Stapel von Westen und Pullovern. Ich hole einen Pulli heraus und drücke ihn gegen mein Gesicht. Ich kann seinen sexy Geruch noch wahrnehmen.

Die Wolle kratzt auf meiner Haut. Trotzdem reibe ich den Pullover über meinen Hals und dann über meine nackten

Brüste. Die Brustwarzen ziehen sich zusammen und recken sich. Ich schiebe die Wolle weiter nach unten. Nachdem ich ihn im Bad beobachtet habe, bin ich wieder bereit, und willig gleiten meine Finger in mich hinein.

Eine Weile bleibe ich still, meine Hand im Höschen, sanft die Klitoris reibend, während ich den Pullover über Brüste und Bauch streiche.

Ich lege mich auf die Seite und wiege mich gegen die eigene Hand. Ein Finger dringt tiefer ein. Der Pullover presst jetzt zwischen meine Schenkel, grob und kratzig gegen meine zarte Haut.

Es ist ein ziemlich schmutziges Gefühl, dass ich sein Bett und seinen Pullover für meine wollüstigen Zwecke missbrauche. Ich frage mich, wie er reagieren würde, wenn er zurückkäme und mich dabei erwischte. Die Vorstellung, gestört zu werden, erregt mich. Ich bilde mir ein, dass er in der Tür steht und mir zusieht. Was für eine Demütigung. Ich reibe den Pullover fiebriger zwischen meine Schenkel. Jetzt könnte ich nicht aufhören, selbst wenn ich wollte.

»Entschuldige«, höre ich mich stöhnen, »aber ich bin so eine schlimme Schlampe.« Mein Höhepunkt kommt viel zu schnell, aber er befriedigt mich. Ich lege mich wieder flach auf den Rücken, lasse die Finger in mir und erlebe die letzten Zuckungen.

Erst jetzt fällt mir ein Packen Fotos in der halb aufgezogenen Schublade neben dem Bett auf. Ich drücke mich hoch, greife nach dem Umschlag und sehe mir die Fotos an. Es sind lauter Fotos von dem blonden Mädchen.

Aber diese Bilder sind anders als das Porträt im Silberrahmen. Auf diesen Fotos posiert sie nackt vor der Kamera. Im ersten Bild lehnt sie gegen eine Wand, die Beine weit geöffnet, die festen Brüste hochgereckt. Auf einem anderen präsentiert sie ihren Rücken, leicht vorgebeugt, und zwischen den hübsch geformten Pobacken lässt sich der Schatten ihrer behaarten Spalte ahnen. Das Bild ist gerade deshalb so erotisch, weil man so wenig sehen kann.

Auf dem letzten Bild trägt sie nichts als hochhackige schwarze Schuhe, lange schwarze Handschuhe und spektakulären Modeschmuck. Um den Hals glitzert ein wunderschönes Band, und von den Ohren baumeln Trauben von falschen Diamanten. Ein Handgelenk ist mit funkelnden Juwelen eingeschnürt. Sie steht da, die Hände auf den Hüften, den Kopf zurückgeworfen, und lacht in die Kamera. Es ist die Pose einer Frau, die weiß, wie schön sie ist. Eine Frau, die weiß, dass sie geliebt wird. Ich blättere die Fotos noch einmal durch, und neidvolle Stiche malträtieren meinen Bauch.

Kopfschüttelnd lege ich die Fotos in den Umschlag zurück und schiebe sie wieder unter die Pullover. Dabei stoßen meine Finger ganz hinten in der Schublade gegen etwas Hartes. Ich greife hinein und hole eine schmale blaue Samtschatulle heraus. Ich öffne sie, und dann kullert eine Schmucksammlung aufs Bett – Diamanten, Saphire und Rubine von atemberaubender Schönheit. Ich erkenne auch die Stücke wieder, die das Mädchen auf dem Foto getragen hat. Ich bin keine Expertin, aber jetzt glaube ich nicht mehr, dass es sich um Modeschmuck handelt. Hastig sammle ich alles wieder ein und schiebe die Schatulle zurück in Lukes Kommode.

Während ich auf dem Bett liege, werde ich das Bild der geheimnisvollen Frau nicht mehr los. Wenn sie Lukes Freundin ist, wo steckt sie denn? Wenn sie seine Ex ist, warum hebt er dann ihre Bilder auf? Aber wenn er eine Beziehung mit ihr hat, dann hat ihn das nicht daran gehindert, mit mir, Camilla, Lucy und vermutlich vielen anderen Frauen zu schlafen. Das alles ergibt keinen Sinn. Wo zum Teufel ist sie?

Achtes Kapitel

Cassandras Geschichte

Es ist ungewöhnlich für mich, aber später am nächsten Abend bin ich allein noch im Büro. Ich habe etwas Unentschuldbares getan und mir für den Abend nichts vorgenommen, weil ich mit einer Einladung von Luke rechnete. Natürlich kam sie nie. Jetzt sitze ich allein an meinem Schreibtisch und finde, dass ich etwas tun muss, um meine Laune zu bessern. Es gibt nur ein Mann, dem das immer gelingt. William. Ich schicke ihm eine E-Mail.

»Wie geht's?«

Seine Antwort ist sofort da. »Sauschlecht.«

»Warum?«

»Redaktionsschluss, Arsch von Redakteur, das Übliche. Und bei dir?«

»Langeweile. Lust auf 1 Flasche Chianti?«

»Okay. Aber wo ist Mr. Drahtzieher?«

»Luke? K. A.«

»Heißt das ›keine Ahnung‹ oder ›Klasse Abend‹?«

Ich muss kichern, und diese Zeit nutzt William, um nachzuhaken. »Wie ist er denn so?«

»William!!!«

»Sag schon.«

Ich tippe brav: »Okay. Lieb.«

»Normal? Groß? Groß wie die Partei?«

Ich lache wieder und schreibe. »Hast du ihn nie gesehen?«

»Nein. Luke hat während der Uni drei Jahre Karriere beim Rugby gemacht, während ich 22 Stunden in der Bibliothek Dienst geschoben habe. Keine Zeit für Sport. Keine Gelegenheit zu gemeinsamem Duschen mit den Jungs. Keine Ahnung, wie groß er ist.«

»Groß genug. Und sehr, sehr schön.« Während ich die Buchstaben tippe, wird mein Höschen warm und feucht.

»Wie hat er dich behandelt?«

»Wie eine Prinzessin.« Dann füge ich hinzu: »Manchmal wie eine Hure.«

»Rau?«

»Manchmal. Genau richtig.« Ein Schauer läuft mir über den Rücken, als ich daran denke, wie er mich behandelt hat, so meisterlich, so geschickt. Ja, er konnte auch rau sein. Wie er mich zum Beispiel unter der Dusche in Brighton genommen hat, gegen die Fliesen gedrückt, ein Büschel meiner Haare in seiner Faust. Ich tippe: »Aber manchmal auch sehr sanft – und immer sehr schön.«

William reagiert sofort: »Was war am schönsten?«

Ich weiß, was ich sagen will, aber ich frage mich, ob ich mich traue. Dann traue ich mich. »Sein Gesicht, als er gekommen ist.« Das entsprach der Wahrheit. Der Moment des Höhepunkts, so ungeheuer intensiv und persönlich, ist nicht immer das, was ich mit einem Mann teilen will. Aber ich hatte Luke zugeschaut. Ich hatte gesehen, wie die Lust seine Augen verdunkelt und seine Lippen geöffnet hat.

»Erzähl mir mehr.«

»Lieber nicht.«

»Stimmt, du solltest es nicht. Aber ich will es hören.«

Williams eifriges Interesse lässt mich bedauern, dass ich damit angefangen habe. Ich will ihn nicht auf falsche Hoffnungen bringen. Es ist verrückt, aber Luke hat es mir unmöglich gemacht, einen anderen Mann zu begehren. »Ich will nicht, dass du den falschen Eindruck erhältst.«

»Nein, natürlich nicht. Ich will nur darüber hören.«

Die Erregung erfasst meinen ganzen Körper, als ich schreibe: »Ich beobachte ihn gern.«

»???«

»Ach, du weißt schon.«

»Sage es mir.«

»Wenn er ihn in die Hand nimmt.«

Ich habe Männern schon vorher beim Masturbieren zugeschaut, aber da war immer eine Barriere gewesen, als ob ich einer exhibitionistischen Schau beiwohnte und nicht Teil einer sexuellen Handlung wäre. Bei Luke war es ganz anders. Zuerst war er zögerlich gewesen, fast scheu. Aber dann hatte er sich entspannt, und ich wurde in seine innere Welt eingeladen. Die Offenheit und Ehrlichkeit hatte die Erfahrung auf ein völlig neues Plateau gebracht.

Ich zucke zusammen, als William schreibt: »Du hast ihm beim Kommen zugesehen?«

»Oh ja.« Die lebhafte Erinnerung raubt mir den Atem, und das Schreiben fällt mir schwer.

Aber William lässt mir keine Verschnaufpause. Er schreibt: »Wie? Wo?«

»Auf mir. Überall. Brüste. Gesicht.«

»Ha! Er wollte dich erniedrigen.«

»Ja, und ich habe es genossen.«

Es kommt keine Antwort. »Was machst du?«

»Sexy E-Mails. Was glaubst du, was ich mache?«

Ich stelle mir William vor, wie er den Reißverschluss seiner Hose öffnet und seine Erektion herausholt. Ich sehe, wie er eine Hand unter seine Hoden legt und wie die Faust am Schaft auf und ab fliegt.

Seufzend schiebe ich eine Hand unter meinen Rock und schreibe mit einer Hand: »Ich auch.«

Es tut gut, mir die Erleichterung zu geben, die ich so nötig brauche.

Eine Weile sind wir beide mit unserer Lust beschäftigt. Die Tastaturen bleiben ungenutzt.

Dann lese ich: »Woran denkst du?«

»An ihn. Wie er in mir steckt. Wie er zustößt. Wie er mich zum Schreien bringt.« In meinem Höschen wetzt meine Hand immer schneller. Die Erinnerung wärmt mich.

»Hört sich gut an.«

»Oh ja, das ist es auch. Ah, er tut mir gut.« Meine Fingerkuppe reibt die Klitoris.

»Und was macht er?«

»Er liegt unter mir.« Ich erinnere mich, wie ich auf dem Boden im Bad über ihm grätsche, wie sein Schaft bei jedem Einfahren gegen meine Klitoris schürft, wie er in verschiedenen Winkeln in mich eindringt, bis es keine Stelle mehr in meiner Pussy gibt, die nicht wund vor Erregung ist. Ich kam und kam und hielt mich wie eine Ertrinkende an ihm fest.

Der Orgasmus, der mich jetzt erfasst, ist weniger intensiv, aber ebenso süß.

Sekunden verrinnen. Dann lese ich Williams nächste Botschaft, und ich erschauere. »Ich komme«, kündigt er an. Ich stelle mir vor, wie er an seinem Schreibtisch sitzt und seinen Aufschrei unterdrückt, als der Orgasmus losbricht.

Ein paar Sekunden später: »Danke. Du bist ein Schatz.«

Kurz nach neun Uhr klingelt mein Handy. Greg Jones vom *Daily Mercury* beginnt das Gespräch mit einer harmlosen Frage über die Urlaubspläne des Premierministers, und er beschließt es mit der Erwähnung eines Korruptionsskandals in den Vereinigten Staaten. Ich wähle Lukes Anschluss.

»Luke? Ich hatte ein merkwürdiges Telefongespräch mit Greg vom *Mercury*. Ich glaube, da gibt es etwas, was wir besprechen müssen.« Ich höre die Anspannung in seinem Schweigen. Ich brauche nicht zu erklären, wovon ich rede.

»Luke?«

»Kannst du in mein Büro kommen?«

»Natürlich.«

Während ich über den Flur gehe, dreht sich mir der Magen um. Ich will nicht glauben, was ich gehört habe, aber es beantwortet viele Fragen. Luke weicht immer aus, wenn es um Geld geht. Und warum war er so verlegen, als ich ihn auf seine Uhr angesprochen habe? Wie konnte er sich das Rennpferd und den Degas erlauben? Und wie ist er an die Schatulle mit den Juwelen geraten? Wenn er Geld genommen hatte, um ganz bestimmten Einfluss auf den Präsidenten auszuüben, erklärte das alles.

Er sitzt nachdenklich hinter seinem Schreibtisch, als ich eintrete. An der Tür bleibe ich stehen.

»Komm herein.«

Ich schließe die Tür, schreite durchs Büro und setze mich ihm gegenüber.

»Hat man dich auch angerufen?«

»Nicht direkt. William hat mir heute Morgen eine E-Mail geschickt und mich gewarnt, dass Jones an irgendeiner Sache dran ist. Kannst du dich mal ein wenig umhören? Ich möchte gern wissen, ob den Presseabteilungen in den Ministerien solche Anfragen vorliegen. Wenn ja, möchte ich wissen, was sie gesagt haben. Ich kümmere mich dann darum. Das hier sind die Leute, mit denen Jones gewöhnlich spricht.« Er schiebt mir eine handgeschriebene Liste auf liniertem Bogen über den Tisch. »Vielleicht ist es eine gute Idee, mit denen zu beginnen.«

»Ja, sicher. Soll ich herausfinden, woher die Geschichte kommt?«, frage ich.

Er grinst. »Nein, nein. Ich weiß genau, woher sie kommt. Danke. Ich muss jetzt mit dem PM sprechen, damit ich ihm erklären kann, was da abläuft. Es ist mir lieber, wenn er es von mir erfährt als von irgendwelchen anderen Leuten.« Er lockert seine Krawatte, bevor er ein paar Zahlen drückt.

»Hi«, sagt er nach einer kurzen Pause. »Luke hier. Können Sie mich zu Martin durchstellen?«

Als ich aufstehe, um das Büro zu verlassen, klingelt mein Handy. Ich trete in den Flur und nehme das Gespräch an. Williams Stimme klingt außer Atem.

»Ich kann Luke nicht erreichen. Was zum Teufel ist denn los?«

»Ich bin mir nicht sicher.« Meine kühle Stimme bildet einen schönen Kontrast zu Williams Hysterie.

»Das ist eine hässliche Kiste, Cassandra. Sage ihm, dass ich alles mache, was ich kann. Ist er okay?«

Ich schaue durch die Tür in Lukes Büro hinein. Er hängt zusammengesunken da, den Hörer ans Uhr gepresst, eine Zigarette im Mundwinkel, eine blonde Strähne vor einem Auge. Er sieht untypisch zerzaust aus. Und immer noch sehr, sehr gut.

»Es geht ihm gut«, lüge ich.

»Er soll mich so schnell wie möglich anrufen«, sagt William gehetzt. »Und sage ihm ...« William schweigt.

»Was soll ich ihm sagen?«

»Nichts.«

»Ich sage ihm, er soll dich anrufen.«

Ich schließe leise die Tür und gehe zurück an meinen Schreibtisch. Ich beginne den Prozess der Informationssammlung und rufe Kollegen in den anderen Presseabteilungen an. Die meisten haben keine Ahnung, wovon ich rede, dann beende ich den Anruf rasch, bevor ich Misstrauen ausstreue. Einige andere geben zu, ja, doch, Greg Jones hätte angerufen und ein paar seltsame Fragen über Luke gestellt.

Luke verbringt den Rest des Morgens am Telefon, und während ich immer wieder in sein Büro gehe, um Greg Jones' detaillierte Fragen und die Antworten, die er erhalten hat, weiterzugeben, schnappe ich Fragmente seiner Gespräche auf. Er erklärt, versichert und lockt, um die Spuren zu verwischen, die Greg gelegt hat.

Kurz vor Mittag ruft er Greg an, und ich höre ein wenig

von dem, was er sagt. Er klingt überzeugend. Er weiß, wie man eine Story abwürgt, das kann er ebenso gut wie eine Story aufbauen. Sein Ton ist höflich, aber unter der Wärme liegt eine stählerne Entschlossenheit, die beinahe Furcht erregend ist. Greg Jones muss nach dem Gespräch ahnen, dass es keine gute Idee wäre, diese Geschichte zu veröffentlichen.

Als es in den Straßen dunkel wird, verabschieden sich die Mitarbeiter in »Communications«. Sie schauen noch einmal bei Luke vorbei, um zu hören, ob er sie noch braucht, dann wünschen sie ihm einen schönen Abend und murmeln einen Satz des Trostes und der Unterstützung. Schließlich sind er und ich allein im Büro. Luke beendet das letzte Telefongespräch, unsere Blicke treffen sich, und ich riskiere ein Lächeln. Er lächelt nicht zurück.

»Das haben wir heute nun wirklich nicht gebraucht«, sagt er.

»Wer auch immer eine Schmutzkampagne fährt, hält nichts von einem guten Timing«, antworte ich. Wir stehen kurz davor, den Zeitpunkt der nächsten Unterhauswahl bekannt zu geben, aber man geht nicht gern mit einem angeschlagenen Direktor für »Communications« in den Wahlkampf.

Luke schnauft. »Wenn diese Geschichte diese Woche erscheint, richtet sie eine Menge Unheil an. Das Timing ist perfekt. Ich danke dir für deine Hilfe. Ohne dich hätte ich es nicht geschafft.«

»Ach, nun übertreib nicht.« Er sagt nichts. Ich atme tief durch. »Simon Moore gibt heute Abend eine Party. Hast du Lust, mit mir zu kommen?«

»Ich glaube, das wäre keine gute Idee.«

»Aber ...«

»Nein, Cassandra. Danke, dass du an mich gedacht hast, aber ich wäre heute kein guter Gesellschafter.« Ich höre eine Sanftheit in seiner Stimme, die mich hoffen lässt.

Ich zwinge mich zu dem Mut, die Frage zu stellen, die mir

den ganzen Tag schon auf den Nägeln brennt. »Luke? Womit hast du Greg besänftigt?«

Es gibt eine Menge Geschichten, die Luke jemandem wie Greg vorsetzen könnte, damit er für die entgangene Korruptionsarie entschädigt wird. Vor drei Wochen, am Tag der Beerdigung seines Sohns, war ein bekannter und beliebter Hinterbänkler namens David Thompson vorübergehend wegen Trunkenheit am Steuer festgenommen worden. Bisher war die Geschichte aus den Zeitungen herausgehalten worden, aber sie wäre jetzt ein hübscher kleiner Exklusivbeitrag für den *Mercury*.

»Wie meinst du das?«

»Hast du ihm die Geschichte über David Thompson gegeben?«

Luke sieht mich angewidert an. »Himmel. Nein.«

»Was hast du ihm denn gesagt?«

»Die Wahrheit.«

Ich habe mir schon eine Grube gegraben, aber ich grabe tiefer. »Heißt das, du hast das Geld nicht genommen?«

Der Schmerz, den ich auf seinem Gesicht sehe, lässt mich bedauern, dass ich die Frage überhaupt gestellt habe. »Natürlich habe ich das Geld nicht genommen«, sagt er leise.

»Nein«, hauche ich und weiß plötzlich, dass es die Wahrheit ist. »Entschuldige.«

Er sieht mich einen Moment an, dann schüttelt er den Kopf. Der Rest des Teams hat ihn den ganzen Tag lang unermüdlich unterstützt, seinen Namen reinzuwaschen, und offenbar hat niemand an ihm gezweifelt. Ich bin entsetzt, dass ich die Einzige bin, die dieses Vertrauen nicht hatte. Ich gehe quer durchs Zimmer und lege einen Arm um seine Schultern. Aber bei meiner Berührung versteift er sich. Ich ziehe meinen Arm zurück.

»Luke, du hast gesagt, du wüsstest, woher die Geschichte kommt. Gibt es etwas, was du mir nicht gesagt hast?«

Lukes verächtlicher Blick weist mich in die Schranken. Ich erinnere mich an meine Position: Ich bin das Büromädchen, das kleine Ding, das nichts zu wissen braucht.

»Es gibt eine Menge, wovon ich dir nichts gesagt habe.«

»Ja, stimmt.«

»Nun, heute können wir nicht mehr tun. Du kannst ruhig gehen«, sagt er und greift nach einem Papier auf seinem Schreibtisch, um mir noch deutlicher zu machen, dass ich nicht länger gebraucht werde.

»Ja. Kommst du zurecht?«

Als er mich wieder ansieht, glänzen seine Augen unnatürlich hell. »Ja.« Er atmet tief ein, aber es hört sich ein bisschen zittrig an.

»Du siehst nicht okay aus.«

»Nun, es war kein guter Tag für mich. Wie soll ich da gut aussehen?« Ja, stimmt.

»Wenn ich irgendwas für dich tun kann ...«

»Bitte, Cassandra, bitte geh jetzt.«

Neuntes Kapitel

Cassandras Geschichte

Später, auf der Party von Simon und Fiona Moore, fühle ich mich miserabel. Ich sitze auf der Treppe, die in Simons angestrahlten Hofgarten führt, und zünde mir eine Zigarette an. Ich atme den Rauch tief ein und schaue mir seufzend das schöne Stückchen London an, das dem Ehepaar gehört.

Ich kann meine schlechte Laune nicht auf die Party schieben. Fiona hat gelernt, wenn man eine wichtige Arbeit vor sich hat, dann soll man jemanden gut bezahlen, der sie besser erledigen kann als man selbst. Ein Team erfahrener Caterer, Musiker und Dekorateure war für den Erfolg der Party aufgeboten.

Eine Politikerfrau des neuen Stils, so intelligent und erfolgreich wie ihr Mann, arbeitet sich Fiona durch ihre Gäste, plaudert witzig, unterhält sich angeregt und ist bemüht, dass sich alle wohl fühlen, auf die es ankommt. Sie hat sich nicht die Mühe gemacht, mit mir zu reden. Aber nach einer halben Dekade Ehe mit Simon hat sich Fiona meine Sympathie verdient und nicht meine Verachtung.

Ich bin sonst der Mittelpunkt vieler Partys, aber heute Abend hänge ich wie benommen herum. Ich kann Luke nicht aus meinen Gedanken verbannen. Das Bild seines aschfahlen Gesichts hat sich in mein Bewusstsein gebrannt.

Schritte dringen in meine Gedanken. Ich drehe mich um und sehe William, der auf mich zukommt. In einer Hand hält er eine Flasche Champagner. Er setzt sich neben mich und hält mir die Flasche hin.

»Willst du deine Sorgen ertränken?«

»Ja, William, gern.« Ich nehme einen Schluck aus der Pulle

und biete ihm einen Zug aus meiner Zigarette an. Eine Weile sitzen wir schweigend nebeneinander, dann frage ich: »Glaubst du, er hat es für heute geschafft?«

»Ja. In den Frühausgaben steht nichts.«

»Wie hat er es geschafft?«

William lacht. »Zauberhand. Die Leute müssen ihm glauben, auch wenn sie es nicht gern tun.«

Es ist mir unbehaglich, es zu erwähnen, aber ich will Williams Ansicht auskundschaften. »Ich glaube, er muss Greg etwas anderes angeboten haben.«

William sieht mich verdutzt an. »Was denn, zum Beispiel?«

Ich hebe die Schultern. »Irgendeine Sache, die bisher unter den Teppich gekehrt worden ist.«

Williams große Augen zeigen mir, dass er meinen Argwohn nicht teilt. Jetzt fühle ich mich noch dreckiger. »Aber doch nicht Mister Weißer-als-weiß-Weston. Er hält sich streng an die Regeln, dieser dumme Bastard.«

Ich versuche ein Lächeln, aber es misslingt. »Ich würde ihn nicht dumm nennen, aber bei dem Bastard stimme ich dir zu.«

»Ah«, sagte William. »Die Dinge laufen wohl nicht so gut zwischen dir und dem herrlichen Luke?«

»Alles ist bestens.« William wirft mir einen skeptischen Blick zu. »Nein, nicht wirklich. Eine Minute ist alles großartig, und in der nächsten behandelt er mich wie ein Schweinekotelett am Sabbat. Ich weiß einfach nicht, was mit ihm los ist.«

»Nun, wenn es dir ein Trost ist – ich glaube, er weiß es auch nicht.«

»Nein, das ist kein Trost. Ich stehe nicht auf dem launischen Helden aus den Brontë-Büchern. Wenn du mich fragst, so benimmt er sich wie ein Wichser.«

»Ha! Und das sagst du! Dabei willst du ihm immer noch das Gehirn aus dem Leib vögeln.«

Ich sehe ihn an und lache. »Ja, stimmt.«

»Aber er ist kein Wichser«, sagt William nachdenklich. »Er hat nur eine Menge Gepäck geladen.«

Was für Gepäck? Falls ich Luke je verstehen will, muss ich das wissen. Ich setze mich herum und sehe William ins Gesicht. Ich nehme meinen ganzen Mut zusammen und frage: »William, wer ist das Mädchen im Silberrahmen in seiner Wohnung?«

»Er hat dir nichts über sie erzählt?«

»Nein.«

»Und du hast ihn nicht nach ihr gefragt?«

»Nein. Ich dachte, wenn er mir von ihr erzählen will, dann wird er es tun.«

»Oh, Mann.«

»Sage es mir, William.«

»Sie hieß Elizabeth. Sie war seine Frau.«

»Luke war verheiratet!«, platzt es aus mir heraus, und ich nehme einen Mund voll Champagner. »Was ist geschehen? Ist er geschieden?«

William schüttelt den Kopf. »Sie ist gestorben.«

»Oh, Himmel. Wie?«

»Überdosis Heroin. Luke hat sie tot im Bad gefunden.«

»Mein Gott, wie schrecklich. Als du mir gesagt hast, dass er eine schlimme Zeit hinter sich hast, hatte das nichts mit dem Attentat zu tun?«

»Nein.«

»Wie ist er damit fertig geworden?«

»Ganz gut.« William kann mir nicht in die Augen sehen, und ich ahne, dass er mir nicht die Wahrheit sagt. »Er ist eine Weile fortgegangen, wie du weißt, und ich schätze, dass ihm das geholfen hat.« William nimmt einen tiefen Schluck aus der Flasche. »Ich nehme an, es ist dir aufgefallen. Du siehst ihr sehr ähnlich.«

»Ja«, sage ich, »ich habe es gesehen.« Die Geschichte hat

mich traurig gestimmt, aber sie erleichtert mich auch. Wenigstens habe ich eine Erklärung für Lukes ambivalente Haltung mir gegenüber. »Hast du mich deshalb vor ihm gewarnt?«

»Ich will nur vermeiden, dass er erneut verletzt wird. Ich weiß, dass er eine Schwäche für Mädchen mit langen hellen Haaren und einem Privatschulakzent an.«

Ich lächle. »Und mit großen Titten.«

Eine Gruppe der Young New Spectrum Party stolpert an uns vorbei in Simons Garten, zweifellos auf dem Heimweg von einem Gelage in einer teuren Bar. Sie stimmen mit ihren trunkenen, heiseren Stimmen ein unanständiges Rugbylied an. Die Jungs haben ihren Spaß.

Ihre ausgelassene Stimmung lässt mich an den lebenslustigen, sorgenfreien Scott denken, der auf dem Surfbrett zu Hause ist, und an den süßen, unschuldigen Toby. Beide sind gerade den Teens entwachsen und haben noch keine Vergangenheit. Heute Abend erscheinen sie mir wie eine appetitliche Alternative zu einem erwachsenen Mann mit ausgewachsenen Problemen. Aber meine Situation ist hoffnungslos. Ich zapple an der Angel. Ich brauche dringend einen Rat.

»Was soll ich tun, William?«

»Ich weiß es nicht. Ich weiß es wirklich nicht.«

»He, nun rede. Du willst doch sein bester Freund sein. Gib mir eine Richtung vor.«

»Ich bin der am wenigsten geeignete Mensch, dir irgendeinen Rat zu geben.«

»Aber ich brauche Hilfe. Ich kann ihn nicht einfach aus meinen Gedanken verdrängen. Ich bin versessen auf den verdammten Kerl. Ich kann nicht auf seine Hände blicken, ohne sie mir auf meinem Körper vorzustellen. Ich kann nicht vergessen, wie seine Augen funkeln, wenn er lächelt. Und wie er sich auf die Unterlippe beißt, wenn er sich konzentriert.«

»Und wie gut ihm seine Anzüge stehen?«, ergänzt William.

»Und wie sexy er hinter dem Steuer seines Aston Martin aussieht.«

William nickt zustimmend. »Wie er über seine eigenen Witze lacht«, sagt er. »Wie er riecht.«

Ich starre William einen kurzen verdutzten Moment an. »William?« Er lächelt. Bei mir fällt der Penny mit lautem Getöse. »Oh, mein Gott!«

Ich erinnere mich an die Hysterie in Williams Stimme, als er mich wegen der schlechten Nachrichten anrief. Ich erinnere mich, wie er Luke an diesem ersten Abend in Westminster ein bisschen zu lange gehalten hat.

»Ja, richtig«, sagt er. »Du hast es erraten.«

»Du? Du und Luke?« Ich glaube, mich tritt ein Pferd.

William schüttelt wieder den Kopf. »Nein, leider sind es nicht ich und Luke. Nur ich.«

»Ich hatte keine Ahnung. Wie lange schon?«

»Wie lange ich schon schwul bin? Oder wie lange ich schon in Luke verliebt bin?«

»Beides.«

»Ich bin mein ganzes Leben lang schwul. Und seit ich ihn kenne, bin ich in ihn verliebt.«

»Himmel. Zeit für die nächste Zigarette, glaube ich.« Ich fummle in meiner Tasche herum und zünde diesmal gleich zwei Zigaretten an. »Bei unseren E-Mmails, als ich dir schrieb, was in Brighton abgegangen war, bist du also auf Luke abgefahren und nicht auf mich.«

William war wenigstens so höflich, rot zu werden. »Ich fürchte, ja.«

»Aber Luke ist nicht ... oder?«

»Nein. Das ist doch mein Problem. Luke hat keine schwule Zelle in seinem Körper. Es ist mein verdammtes Pech, mich in einen Hetero zu verknallen.«

»Aber weiß er, was du für ihn empfindest?«, frage ich und reiche William die Zigarette.

William lacht trocken auf. »Nein. Es ist schwierig, deinem besten Freund zu sagen: ›Ich bin schwul. Und ich möchte gern mit dir schlafen.‹«

»Aber du solltest es ihm trotzdem sagen. Wie kannst du eine ehrliche Freundschaft mit ihm haben, wenn du es ihm nicht sagst?«

»Nein. Ich bin glücklich mit der Situation, wie sie ist, aber ich glaube nicht, dass Luke davon angetan wäre. Ehrlichkeit ist nicht immer die beste Politik.«

»Aber du weißt nicht ...«

»Doch«, unterbricht mich William mit einem Ungestüm, wie ich es bei ihm noch nie erlebt habe. »Doch. Vor acht Jahren habe ich es meinen Eltern gesagt. Mein Coming-out, wie es so schön heißt. Nachdem ich meine sorgsam vorbereitete Rede gehalten habe, dass ich immer noch ihr Sohn bin und dass meine Gefühle ihnen gegenüber sich nicht geändert haben, hat sich meine Mutter drei Tage lang im Schlafzimmer eingeschlossen. Sie hat viel geweint und sich geweigert, darüber zu reden. Mein Vater ging offener damit um. Er hat mich eine verdammte Schwuchtel genannt und mir eine geknallt. Er hat gesagt, dass er mich nie wieder sehen will, und da er letztes Jahr gestorben ist, konnte ich ihm den Wunsch erfüllen. So etwas könnte ich mit Luke nicht ertragen.«

»Ich bin sicher, dass er dich verstehen würde.«

»Cassandra, er ist ein Junge aus der Arbeiterklasse des Nordens. Glaube mir, von dieser Sorte siehst du nicht viele auf der Schwulen- und Lesbenparade.«

»Jetzt bist du es, der voreingenommen ist. Er würde dich vielleicht überraschen.«

»Es ist das Risiko nicht wert.«

Ich seufze. Vielleicht hat William Recht. Aber es scheint so ungerecht, dass er gezwungen ist, mit einer Lüge zu leben. »Wie wirst du damit fertig? Schmerzt es dich nicht, ihn mit Frauen zu sehen?«

»Es schmerzt höllisch. Aber da muss ich durch. Ich war sogar sein Trauzeuge. Sein Hochzeitstag war der schlimmste Tag in meinem Leben.«

»Oh, verdammt«, sage ich. »Was für ein elendes, schreckliches Durcheinander.«

»Das Leben ist kein Wunschkonzert«, sagt William. »Aber ich habe mich daran gewöhnt. Da er nicht schwul ist, brauche ich die Zurückweisung nicht persönlich zu nehmen. Und wenn ich mit einem anderen Mann zusammen bin, schließe ich die Augen und stelle mir vor, dass er es ist.«

»Das habe ich auch versucht. Aber das funktioniert nicht, nicht wahr?«

William sieht mich an und lacht wieder. »Nein«, sagt er, »aber man kann es immer wieder versuchen.«

Lukes Geschichte

Allein in meinem Bett um ein Uhr in der Früh, lege ich mich seufzend auf den Rücken. Es ist nicht heiß im Zimmer, aber auf meiner Haut liegt ein Schweißfilm. Ich will verzweifelt einschlafen, aber in meinem Kopf rasen die Gedanken. Albträume halten mich wach. Ich blinzle in die Dunkelheit und denke an eine ungeöffnete Wodkaflasche in der Küche. Als ich sie kaufte, sagte ich mir, dass ich sie nicht brauche. Dass es keine Lösung ist, sich zu besaufen. Aber im Moment fällt mir dazu keine Alternative ein.

In letzter Zeit habe ich viel getrunken. Nicht so viel wie früher, aber zu viel, und ich weiß, wie schnell aus einer Flasche pro Woche eine Flasche pro Tag werden kann, wie schnell es dazu führt, dass man einen Schluck braucht, um morgens überhaupt aus dem Bett zu kommen.

Wenn ich angespannt und aufgedreht bin, brauche ich eine

Frau. Es gibt eine Reihe von Frauen, die mehr als bereit wären. Neue Frauen, die ich durch meine Arbeit kennen gelernt habe, oder alte Bekannte aus der Zeit, bevor ich in die Staaten gegangen bin. Aber jetzt brauche ich mehr als eine schnelle Nummer. Ich weiß, was ich will. Wen ich will.

Ich lange hinüber in die Schublade und nehme die Fotos von Elizabeth heraus. Aber die Vorstellung, die sie einmal in mir ausgelöst haben, ist mir längst zu vertraut geworden, und als ich die Bilder betrachte, fühle ich nichts. Die attraktive lächelnde Frau auf den Fotos hat nichts mehr mit der Frau zu tun, die meine Frau gewesen war. Ich schließe die Augen, aber ich sehe nicht mehr die genaue Farbe ihrer Haare. Ich kann mich nicht mehr an den Geschmack ihrer Haut erinnern.

Als Lizzy starb, bot Sex ein Refugium vom Schmerz, und für ein paar Stunden konnte ich vergessen. Aber eine Serie von One-Night-Stands war kein Ersatz für die Liebe einer Frau, die ich verehrt habe. Also lernte ich, so zu tun als ob. Ich benutzte Sex, um mich in meine Gedankenwelt einzuschließen, in der sie noch lebte.

Anfangs überrascht mich meine Fähigkeit, sie in meinem Kopf wieder lebendig werden zu lassen. Im Bett mit einer der vielen Frauen, deren Namen zu merken mir der Mühe nicht wert war, sah ich unzusammenhängende Bilder vor mir, Bilder von Lizzy, die mir Lust auf einem unvorstellbaren Plateau vorgaukelten. Sex befriedigte mich das erste Mal seit Monaten.

Dann begab ich mich auf eine systematische Suche. Ich wählte die Partnerinnen sorgsam aus, suchte nach dem bestimmten Klang der Stimme, nach gewissen Manierismen, nach allem, was mir erlaubte, verbotene Erinnerungen zu plündern. Ich wandte Tricks an, ließ hier ein Wort fallen, zeigte dort eine Geste, um Szenen wiederzubeleben, die längst hätten vergessen sein sollen. Ich wurde ein Meister dieser Kunst und schaffte es immer wieder, die Welt der Phantasie in die Wirklichkeit zu retten. Gleichgültig schloss ich die Augen und beging den ultimativen Akt des Verrats.

Aber nach den kurzen Höhen kamen die Tiefen. Sobald ich mich in eine namenlose, gesichtslose Frau ergossen hatte, wurde ich von Eigenhass und Ekel erfasst.

Also habe ich mir diese Angewohnheit abgeschminkt. Langsam lernte ich, mich nicht länger an die Vergangenheit zu klammern. Ich lernte, in der Gegenwart zu leben. Statt sie zu suchen, mied ich Frauen, die mich an Lizzy erinnerten. Frauen wie Cassandra.

Es ist jetzt fünf Jahre her, dass Lizzy gestorben ist. Der Schmerz ist nicht tot, aber er hat nachgelassen, und manchmal erlaube ich mir Gedanken, dass ich endlich über sie hinweg bin. Aber heute Abend ist die Sehnsucht so groß und stark wie früher. Ich verlange nach ihr. Wütend und hilflos drücke ich die Fäuste gegen meine Augen. Ich werde nicht weinen. Verdammt, ich will nicht weinen.

Ich zwinge mich aus meinem zerwühlten Bett hoch und stolpere nackt ins Bad. Unter der Dusche drehe ich die Hähne kurz auf und erschauere unter den kalten Strahlen. Ich halte den Kopf ins Wasser, öffne den Mund und schlucke das kalte Nass, um meinen trockenen Hals zu lindern.

Während ich mich einschäume, verdutzt mich eine Erinnerung an andere Hände. Kräftige, manikürte Hände auf meinen Schenkeln, meinem Bauch, meinen Backen – sie kneten, streichen und kosen. Die Phantasie schickt ungebetene Lustwellen durch meinen Körper. Ich schlucke hart. Ich will nicht nachgeben und kämpfe gegen die Gedanken in meinem Gehirn. Tief grabe ich die Fingernägel in meine Haut, ein verzweifelter Versuch der Sühne. Aber er funktioniert nicht. Ich lehne mich gegen die Wand, presse die Schultern gegen die kalten Fliesen und stöhne laut auf. Himmel, was ist mit mir los?

Ich trete aus der Kabine, und noch nass von der Dusche gehe ich ins Schlafzimmer und werfe mich auf die durchgeschwitzten Laken. Das warme Leinen scheint sich in meine Haut zu brennen. Eine Weile bleibe ich still liegen. Es ist eine Zeit her, dass ich masturbiert habe, aber heute Abend wirbeln die Phantasien unwiderstehlich in meinem Kopf, und die nagenden Schmerzen der Sehnsucht können nicht länger ignoriert werden. Mit einem resignierenden Seufzer wälze ich mich auf den Bauch.

Gemächlich drücke ich mich in die Matratze. Sie fühlt sich weich und glatt an, anschmiegsam wie eine Frau. Ein gutes Gefühl. Ich seufze vor Lust, und ich werde langsam hart. Meine Gedanken treiben, und schließlich beginne ich zu entspannen.

Eine lange Zeit genügen mir diese sanften Bewegungen, aber dann wachsen meine Bedürfnisse. Ich hebe mich leicht vom Bett hoch und fahre mit einer Hand über den Bauch. Die Finger greifen nach der schmerzenden Erektion. Die Lust dieser ersten Berührung ist wahnsinnig intensiv. Stöhnend schließe ich die Augen.

Unwillkürlich bewegt sich die Faust und gleitet auf und ab. Ich werde noch härter, und unter meiner Hand spüre ich den Fluss des Blutes. Mit der ganzen Kraft meiner Konzentration widerstehe ich dem Verlangen, schneller zu reiben; ich zwinge mich, einzuhalten und das Gefühl des harten Schwanzes in meiner Hand auszukosten. Meine Hüften gehen in einen stärkeren Rhythmus über, mahlen und reiben, schieben und drücken.

Aber diesmal bin ich nicht allein. Sie ist da, dringt in meine Gedanken ein, wie sie es so oft getan hat. Sie liegt unter mir, und ich husche mit den Lippen über ihre weiche Kehle und atme den süßen Duft ihrer langen seidenen Haare ein. Die zarte Wäsche schmilzt unter meinen Fingern. Ich kann ihre Satinhaut fühlen, als sie die Beine um mich schlingt. Ihre Hüften drücken sich hoch zu meinen. Ihre Brüste werden von meinem Oberkörper gequetscht. Ich höre sie stöhnen, dann schreien. Ich kann ihre zitternde Lust spüren.

Ich versenke mich tief in ihr Geschlecht. Dann in ihren Mund. Sie ist eng und nass und heiß.

Nichts ist verboten. Dunkle Halluzinationen spielen sich in meinem Kopf ab. Heiße Schauer laufen mir über den Rücken. Ich spüre ihre Zähne. Sie kann hart zubeißen, bis ich zu schluchzen beginne. Agonie und Ekstase vermischen sich.

Mein Verlangen gibt ihr Kraft, deshalb ist es leicht für sie, mich zu dominieren. Sie zwingt mich, den Atem anzuhalten, und mein sauerstoffarmes Gehirn beginnt zu pochen, ein Widerhall des Pulses in meinen Genitalien. Ihre Kontrolle über mich ist absolut. Meine Lust, mein Leben liegen in ihrer Hand, in ihren Fingerspitzen. Meine Kapitulation ist komplett.

Es ist fast zu gut, das Gefühl fast zu intensiv. Ich will nicht, dass es vorbeigeht, aber meine Gier nach Erleichterung ist überwältigend. Ich brauche einen Orgasmus, spreize die Beine weiter und drücke ein Knie gegen die Matratze. Ich stoße hart zu, und mein ganzer Körper giert nach Erleichterung. Meine Hand bewegt sich immer schneller, meine Lust steigt, und dann zählt nichts anderes mehr. Es wird nicht mehr lange dauern. Ich muss es beenden. Jetzt.

Ich fühle die aufsteigende Hitze, und endlich kann ich mich still halten. Jeder Muskel meines Körpers verkrampft sich, während ich warte, und dann weiß ich plötzlich, dass ich den Punkt erreicht habe, an dem eine Umkehr unmöglich ist.

Die ersten Zuckungen erfassen mich. Ich komme. Ich stütze mich auf einen Ellenbogen auf, damit ich sehen kann, wie ich mich über die Laken ergieße – ein Sprühen nach dem anderen, bis ich völlig erschöpft bin.

Als es vorbei ist, sacke ich zusammen, ich hechle matt und

falle zurück auf die Matratze. Langsam erhole ich mich, und allmählich findet mein Geist in eine Art Wirklichkeit zurück.

Während ich still und reglos daliege, drängt sich die Realität langsam durch. Diesmal war es anders gewesen. Als ich diesmal kam, habe ich Cassandras Namen gerufen.

Zehntes Kapitel

Cassandras Geschichte

Als ich von der Party nach Hause komme, sehe ich den Aston Martin sofort, als ich vor meiner Wohnung anhalte. Selbst unter den schlanken Porsches und BMWs auf den Straßen von Chelsea ist so ein Schlitten nicht zu übersehen. Ich schaue auf meine Uhr. Was zum Teufel ist mit ihm los?

»Cassandra!«, ruft er. Seine Stimme zerschneidet die Stille der Nacht.

Ich ignoriere ihn.

»Cassandra, warte!«

Himmel, will er die ganze Nachbarschaft aufwecken? Ich drehe mich um und sehe ihn über die Straße laufen.

»Cassandra, bist du in Ordnung?«

Ich betrachte ihn kalt. Nach der Zurückweisung in seinem Büro denke ich nicht daran, ihn fröhlich zu begrüßen. »Natürlich bin ich in Ordnung.«

Er folgt mir durch die Eingangshalle und die Treppe hoch zu meiner Wohnung. Ich schließe die Wohnungstür auf und drehe mich zu ihm um. Er sieht aufgebracht aus. Seine Kleider sind zerknautscht, und er atmet schwer.

»Gut. Ich war mir nicht sicher.« Er hebt eine Hand und hält sich am Türrahmen fest.

»Ja, danke, es geht mir gut.«

Wir starren uns an. Er dreht sich halb um, als ob er gehen will, dann hält er in der Bewegung inne. Er sieht mich nicht an, als er fragt: »Hat er mit dir geschlafen?«

Die Frage erwischt mich kalt.

»Wer hat mit mir geschlafen?«

»Simon natürlich.«

»Das geht dich nichts an. Ich kann schlafen, mit wem ich will.«

»Aber nicht mit ihm.« Seine Stimme klingt merkwürdig gequetscht. »Nur nicht mit ihm.«

»Warum? Was hat das mit dir zu tun?«

Er lacht, es ist ein trockenes, rasselndes Lachen. »Viel hat es mit mir zu tun. Sage es mir. Hat er mit dir geschlafen?«

In mir reißt ein Geduldsfaden. »Ja!«, rufe ich. »Natürlich haben wir gevögelt! Was glaubst du denn, was wir zusammen tun? Übers Wetter reden?«

Einen Moment lang schweigt er, dann: »Bevor du mich kennen gelernt hast oder danach?«

»Das weiß ich doch nicht. Vorher und nachher. Was willst du? Die genauen Daten und Uhrzeiten?« Sofort könnte ich mir auf die Zunge beißen. Ich sehe, wie sich sein Gesicht verzieht, aber sein Schmerz stellt mich nicht zufrieden. Ich fühle nichts als Mitleid.

»Luke ...« Ich will seine Hand berühren, aber er weicht zurück. »Sag mal, willst du nun hereinkommen oder nicht? Kann ich dir einen Drink anbieten?«

»Nein danke.« »Ich muss gehen.«

»Ja, gut«, sage ich, und ohne einen weiteren Blick auf ihn schlüpfe ich in die Wohnung und schließe die Tür.

Ich gebe ihm zehn Minuten.

»Neun«, sage ich, als ich die Schuhe abstreife.

»Acht.« Ich schlendere in die Küche und hole zwei Gläser aus dem Schrank.

»Sieben.« Ich öffne den Kühlschrank und hole einen australischen Weißwein heraus.

»Sechs.« Der Wein ist schön gekühlt, und als ich ihn die Gläser schenke, beschlagen sie.

»Fünf.« Es klingelt. Ich gehe langsam in den Flur. Absichtlich langsam. Er soll warten. Ich halte die Gläser in einer Hand, während ich die Tür aufschließe.

Aber mit dem, was dann passiert, habe ich nicht gerechnet. Die Tür kracht weit auf und knallt gegen die Wand, und die Gläser schmettern zu Boden und zersplittern.

»Luke!«, rufe ich. Er steht in der Tür, schwankt ein wenig, und zum ersten Mal fällt mir auf, dass er völlig abgefüllt ist. Ich will einen Schritt zurück, aber er ist schneller. Er greift nach meinen Handgelenken.

Er zieht mich in seine Arme und quetscht mich gegen seinen Körper. Ich atme seinen Moschusgeruch. Ohne es zu wollen, erregt mich seine Nähe.

»Luke, was soll ...«

Er bringt mich mit einem Kuss zum Schweigen, presst seinen Mund hart auf meinen. Seine Zähne schrammen über meine Lippen, während er mir mit der Zunge Gewalt antut. Die Zärtlichkeit, die ich sonst bei seinen Küssen gespürt habe, wird durch eine ungezügelte Leidenschaft ersetzt, die mir den Atem raubt. Ich kann nichts unternehmen, ich muss seine Küsse hinnehmen. Er schmeckt nach Wodka und Zigaretten. Er schmeckt nach Luke. Er macht mich an, als hätte er einen Schalter herumgelegt.

Als er zum Luftholen absetzt, schlängele ich mich aus seinem Griff. Ich will mich von ihm wegdrücken, gerate aber ins Stolpern und falle über die Sofalehne, das Gesicht in den Kissen. Er fällt auf mich und landet auf meinem Rücken. Wütend trete ich mit den Beinen um mich, setze die Arme wie Dreschflegel ein, aber ich kann ihn nicht abschütteln.

Meine Proteste irritieren ihn, schlagen ihn aber nicht zurück. Er zieht einen Arm auf meinen Rücken, wodurch meine Bewegungsfähigkeit stark eingeschränkt ist. Er drückt sich gegen meinen Po. Ich spüre seine Erektion. Meine Schenkel werden auseinander gedrückt, und der raue Hosenstoff kratzt an meiner Haut oberhalb der Strümpfe. Seine Lippen pressen sich in meinen Nacken. Ich kann seinen Atem auf meiner Haut spüren. Er hechelt vor Lust.

»Himmel«, ächze ich, »das ist ja barbarisch.«

»Ja«, stöhnt er, »ja, das ist es.«

Er richtet sich hinter mir auf, zieht meinen Rock mit einer Hand hoch und streicht mit der Handfläche über meine Backen. Er reibt sich an mir, und ich spüre pulsierendes Verlangen in meiner Pussy, als er sie durch den dünnen Stoff des Höschens fingert.

Ich spüre, wie er mir das Höschen abstreifen will, aber ich lasse nicht zu, dass er mich auf diese Weise nimmt. Mit meiner ganzen Kraft gelingt es mir, unter ihm wegzurollen, und dann landen wir beide auf dem Boden. Ich komme auf die Füße und trete hastig aus seiner Reichweite. Durch den Alkohol ist er langsam geworden, und als er sich aufrichtet, schwankt er. Ich bin durchs halbe Zimmer gerannt, ehe er mich einholt. Er hält mich in einer ungestümen Umarmung fest.

»Luke, verdammt! Was ist denn los?«

»Wieso? Gefällt es dir nicht? Magst du es nicht, wenn er sich so über dich wirft?« Der Druck seines Körpers verstärkt sich noch.

»Wovon sprichst du?« Meine Frage verärgert ihn noch mehr. Er schüttelt den Kopf.

»Ich kenne den Bastard. Ich weiß, wie er mit Frauen umspringt.«

Er hält mich im Schwitzkasten und geht mit mir an die Wand. Er drückt mich dagegen, dann greift er meine rechte Hand und presst sie gegen seine Erektion.

»Begehrt er dich genauso?«, fragt er und zwingt meine Handfläche an seinem Schaft auf und ab. »Wird er auch so hart?« Während er meine Hand über seinen schönen Schaft reibt, bettelt mich mein Instinkt an, seine Hose aufzureißen und mich auf ihm zu pfählen. Ich schmachte nach ihm.

Aber das soll er nicht wissen. Ich will mich aus seiner

Umarmung winden, stoße meine Hände gegen ihn und will mich befreien. Aber während ich kämpfe, schockiert mich seine Größe. Ich bin zu sehr im Nachteil.

Während er mich mit den Hüften gegen die Wand pinnt, reißt er von hinten meine Bluse auf – wie ein irrer Held in einem schlechten Liebesroman. Ich höre, wie ein paar Knöpfe über den Boden kullern. Er schiebt seine Finger unter den BH und holt meine Brüste heraus. Er packt sie, und seine Hände quetschen meine Brüste.

»Sei vorsichtig, du tust mir weh«, rufe ich, aber er stört sich nicht an meinen Protesten. Die Wut hat ihn zu etwas gemacht, was ich nicht kenne. Er sieht mich mit Augen an, die nicht sehen, und ich weiß, dass es keinen Sinn ergibt, vernünftig auf ihn einreden zu wollen.

Er schiebt meinen BH hoch und bückt sich, um meine Brüste zu küssen. Er nimmt die zarten Hügel in die Hände und reibt die geschwollenen Warzen gegen seine Lippen und gegen die Zähne, ehe er sie tief und gierig in den Mund saugt. Plötzlich beißt er zu – dicht unterhalb des Nippels. Ich höre mich aufschreien. Ich weiß selbst nicht, ob es Schmerz oder Lust ist.

Ich greife in seine Haare und ziehe mit meiner ganzen Kraft daran. Aber es hilft nicht. Er hebt einen Arm und packt meine Hand so fest, dass ich loslassen muss.

Aber ich gebe noch nicht auf. Ich kann ihn nicht niederringen, also muss ich schmutzige Tricks anwenden. Als er sich wieder bückt, um meinen Hals mit Lippen und Zähnen zu malträtieren, schiebe ich sein Hemd von den Schultern. Ich packe ihn an den Armen, verdrehe den Hals und presse den Mund gegen seine nackte Haut. Dann grabe ich meine Zähne so tief, bis ich Blut schmecke. Er schreit voller Schmerz auf, aber er hört immer noch nicht auf.

»Luder«, zischt er und drückt meinen Kopf mit einer starken Hand zur Seite.

Ich schreie frustriert, dann unternehme ich einen letzten Versuch, ihn zur Vernunft zu bringen. Ich schlage ihm ins Gesicht. Er ist für den Moment so verdutzt, dass er einen Schritt zurückweicht. Er bleibt still stehen, und sein Brustkorb hebt und senkt sich, weil Luke nach Atem ringt. Einen schrecklichen Augenblick lang glaube ich, dass er zurückschlägt. Aber dann drückt er mich nur wieder gegen die Wand.

Ich begreife. Ihm ist es egal, ob ich ihm sein Vorhaben erschwere oder nicht, das Resultat wird dasselbe sein. Ich will etwas sagen, aber ich kann die Worte nicht finden. Es gibt nichts zu sagen, also weine ich. Ich kann meine Schluchzer nicht zurückdrängen, die aus meinem belagerten Körper herausgepresst werden.

Er ignoriert meine Tränen, packt meine Gelenke in eine Hand und drückt sie hoch über meinem Kopf gegen die Wand. In dieser Position bin ich absolut hilflos und grausam entblößt. Einen kurzen Moment hält er inne, aber nur, um auf meine Brüste zu starren. Sie heben und senken sich zitternd, während ich vor Erschöpfung keuche.

Mit der freien Hand schiebt er meinen Rock die Schenkel hoch und zerrt den nassen Schritt meines Höschens auf eine Seite. Ich fühle, dass ich rot werde, als er meine Wäsche berührt, denn jetzt wird er wissen, wie erregt ich bin, wie sehr ich ihn begehre.

Er stößt zwei Finger in mich hinein und reibt mich grob. Meine Nässe rinnt in seine Hand. Ich fühle die Muskeln meiner Pussy, die sich um seine Finger spannen. Aber es kümmert ihn nicht – meine Lust zu befriedigen steht nicht auf seiner Agenda. Er weiß, dass ich bereit für ihn bin, und nur das ist es, was er will. Im nächsten Moment zieht er die Finger heraus.

Einhändig versucht er, seinen Hosenstall zu öffnen, aber er zittert so sehr, dass es ihm nicht gelingt. Er tritt einen halben

Schritt zurück, setzt beide Hände ein und streift auch die Boxershorts ab. Dies wäre der Augenblick, ihm zu entkommen, aber ich traue mich nicht, ich will auch nicht wirklich, und außerdem zittern meine Beine. Ich warte. Ich habe keinen Funken Kampfgeist mehr in mir.

Er nähert sich wieder, legt eine feste Hand auf meine Schulter und drückt mich zurück gegen die Wand. Er stößt meine Füße auseinander und zwängt sich zwischen meine Beine. Als ich in sein Gesicht blicke, jagt er mir Angst ein. Ich sehe die Härte in seinem Ausdruck, ich sehe die Brutalität, die seine Augen bewölkt. Und doch bin ich nicht auf seinen Ansturm vorbereitet. Er hält seinen Schwanz wie ein Messer in der Faust, dann pflügt er hinein und penetriert mich so heftig, dass meine Füße den Kontakt mit dem Boden verlieren. Ich halte entsetzt die Luft an.

Seine Lippen berühren mein Ohr, als er schnarrt: »Da, das ist ein richtiger Männerschwanz. Das ist es, was du brauchst. Nicht seinen schlaffen Hahn.«

Ich habe keine Luft, um ihm zu antworten.

Auf einer Seite verheddert er sich in meinem Höschen, das auch gegen meine Labia scheuert. Er muss sich noch viel mehr wund reiben am Stoff, aber er lässt sich von nichts aufhalten. Er holt zu kräftigen Stößen aus. Sein harter Bauch klatscht gegen mich, und sein Brustkorb quetscht meine Brüste. Seine Lust raubt ihm die Rücksicht. Er ist rau und potent, und er nimmt sich, was er braucht. Himmel, das wäre eine Vergewaltigung, wenn ich es nicht so sehr liebte.

Verlangen ersetzt meinen Ärger, und ich drücke meine Arme gegen die Wand, um mich bei seinen unerbittlichen Stößen ein bisschen abzufedern. Als ich spüre, wie die Lust mich umfängt, schließe ich die Augen. Mir ist, als würde ich von mehreren Männern genommen. Meine Gedanken entsetzen mich, und rasch öffne ich wieder die Augen, damit ich meine obszöne Phantasie begraben kann.

Ich schlinge meine Schenkel um seine Taille, wobei ich die Beine so weit spreize, wie es nur geht. Er hämmert so hemmungslos in mich hinein, dass ich für einen Moment fürchte, dass er mich in Stücke reißt. Ich reagiere jetzt auf seine Stöße und lasse mein Becken kreisen, und dazwischen rucke ich ihm entgegen, genauso brutal wie er.

Bei diesen ruckartigen Bewegungen schrammt er mit der Wurzel an meiner Klitoris vorbei. Ich setze den Zug meiner Beine ein, um ihn tiefer in mich hereinzuziehen. Ich umklammere seinen Schaft mit meinen inneren Muskeln und reite auf der Länge seines Stabs. Ich kann mich aus eigener Kraft leicht anheben, um dann wieder machtvoll nach vorn zu rucken.

Ich kann es nicht verhindern – plötzlich komme ich. Ich klammere mich an ihn, als der Orgasmus meine Nervenenden zerfetzt und mein Körper in die köstlichsten Schwingungen versetzt wird.

Ich sehe zu ihm hoch. Seine Augen sind fest geschlossen, als er sich auf das bevorstehende Ende konzentriert. Worte der Wut und der Gewalt beginnen, sich auf seinen Lippen zu formen, aber sie verschwinden, bevor sie gehört werden. Er stößt und stößt, und ich sehe, wie sich sein Gesicht verzieht, und mit einem lauten Geheul ergießt er sich in mich. Ich halte ihn fest umschlungen und fühle die unglaubliche Anspannung in ihm, die sich erst löst, als er in mich hineinpumpt.

Als es vorbei ist, sackt er gegen mich. Sein Kopf stößt gegen die Wand. Sein Atem kommt in gekeuchten Schüben.

»Cas, entschuldige«, ächzt er. »Oh, Himmel, es tut mir Leid.«

Ich spüre, wie er kleiner wird, und dann rutscht er langsam aus mir hinaus.

»Das ist nicht nötig«, sage ich leise. »Wirklich, es ist alles gut.« Aber er scheint mich nicht zu hören. Ich streiche über sein Gesicht, aber er weicht zurück und schiebt meine Hand weg.

»Ich muss gehen. Ich muss weg.«

»Aber in deinem Zustand kannst du nicht nach Hause fahren.«

»Ich muss.« Er zieht seine Hosen hoch, schließt den Reißverschluss und wendet sich zur Tür. Ich versuche, mich ihm in den Weg zu stellen, aber er schiebt mich zur Seite und rennt hinaus in den Flur, wobei er noch seine Hemdschöße in die Hose steckt.

Polly, meine Nachbarin, kommt die Treppe hoch und kramt in ihrer Handtasche nach dem Wohnungsschlüssel.

»Luke!«, rufe ich, »bleibe wenigstens, bis du etwas nüchterner geworden bist. Ich will dir einen Kaffee brühen.« Aber er rennt die Treppe hinunter und lässt sich auch nicht von Polly aufhalten, gegen die er prallt.

»Wow«, sagt Polly und sieht ihm nach. »Ich schätze, das soll ›nein‹ bedeuten.«

Ich versuche zu lachen, aber das gelingt nicht. »Oh, Polly, hasst du die Männer auch?«

»Nicht wirklich, aber ich mag sie auch nicht sehr.« Polly lächelt auch nicht. »Soll ich dir davon ein anderes Mal erzählen?«

»Ja«, sagte ich müde. »Das wäre schön.«

Elftes Kapitel

Lukes Geschichte

»Toby!«, brülle ich. »Toby, verdammt, wo sind Sie?« Toby rennt den Flur entlang.

»Luke?«

»Warum sind diese PresseInformationen noch nicht korrigiert?« Ich zeige mit meinem Finger auf einen Packen von Blättern auf meinem Schreibtisch. Mein roter Stift hat tiefe Narben auf den einzelnen Seiten hinterlassen.

»Ich wusste nichts von Korrekturen«, antwortet Toby. Eine tiefe Röte breitet sich auf Gesicht und Nacken aus.

»Aber ich habe Ihnen gestern gesagt, dass es Änderungen sind, die der PM haben möchte. Wie soll ich diese Abteilung führen, wenn niemand das tut, was er tun soll?« Ich spucke die Worte nur so heraus, und mit jedem Wort steigt meine Wut. Aus den Augenwinkeln nehme ich wahr, dass sich die anderen Mitglieder meines Teams an ihren Schreibtisch schleichen, um meiner Rage nicht ausgesetzt zu sein.

»Aber Sie haben mir nichts davon gesagt.«

»Natürlich habe ich das!«

»Nein.« Toby zittert vor Angst, aber er gibt nicht nach. Und plötzlich erinnere ich mich, dass es Camilla war, der ich den Auftrag gegeben habe, und Camilla ist heute nicht da. Ich habe mich geirrt.

»Sie haben Recht, Toby. Ich habe mit Camilla über die Korrekturen gesprochen, nicht mit Ihnen.« Toby hebt die Schultern und wendet sich ab. »Entschuldigen Sie«, rufe ich ihm nach, aber Toby reagiert nicht darauf. Ich bin erst seit ein paar Wochen hier, und wenn ich nicht aufpasse, dann stehe ich noch vor dem Ende der Legislaturperiode ohne Mannschaft da.

Die anderen Mitarbeiter wenden sich wieder ihrer Arbeit zu, und auch ich gehe zurück an meinen Schreibtisch. Aber ich kann mich nicht konzentrieren. In meinem Kopf toben noch die Ereignisse der letzten Nacht.

Ich kann nicht glauben, was ich getan habe. Ich kann diese kranken Dinge nicht glauben, die ich gesagt habe. Wenn ich daran denke, wie sie aufgeschrien hat, als ich sie gegen die Wand knallte, wird mir ganz übel. Die Wut, die so gewaltsam in mir raste, erschreckt mich.

Aber ich kann nicht leugnen, dass ich noch nie so erregt gewesen bin, dass ich noch nie so sicher war, diese Frau zu brauchen, ganz egal, welche Konsequenzen es nach sich ziehen würde.

Ich gehe wieder aus meinem Büro und über den Flur zur Toilette. Ich schließe mich in der Kabine ein und schalte das geschäftige Treiben da draußen aus. Ich lehne mich gegen die Tür, atme langsam aus und schließe die Augen.

Ich habe heute schon masturbiert, heute Morgen in der Dusche. Und jetzt tue ich es wieder, mit dem Rücken gegen die Kabinentür, und ergieße mich rasch in meine Hand.

Aber Masturbieren bringt keine Erleichterung. Zurück im Büro hole ich eine Flasche Wodka aus dem Schrank. Ich schenke mir ein Glas ein, zwei Fingerbreit. Ich schlucke die Flüssigkeit in einem Zug und fühle, wie der Alkohol in meinem Schlund brennt, wie er sich warm und tröstend in meinem Bauch ausbreitet. Rasch schenke ich mir erneut ein und kippe auch den zweiten Wodka. Ich lasse mich wieder hinter dem Schreibtisch nieder, aber die erhoffte Ruhe setzt nicht ein.

Gegen Mittag brechen die meisten Leute zum Essen auf. Ich ziehe mich um und gehe joggen. Ich renne, bis der Atem meinen Brustkorb zum Platzen zu bringen scheint und meine rechte Schulter entsetzlich schmerzt. Meine Haut heizt sich auf, während ich den Alkohol ausschwitze. Aber der pochende

Rhythmus meiner Füße auf den Gehwegen bringt nicht die gewohnte Zufriedenheit. Ich kann von meinen Gedanken nicht lassen.

Unter der Dusche reibe ich meinen Körper mit billiger Seife ein und ziehe mir frische Sachen an. Am Nachmittag arbeite ich hart, bis mein Kopf schmerzt. Wenn ich so intensiv beschäftigt bin, habe ich die Illusion der Kontrolle. Ich führe unzählige Telefongespräche, lese jeden Brief und antworte auf jede E-Mail, bis ich aufstehen muss, um das Licht einzuschalten.

Schließlich gehe ich nach Hause und falle ins Bett, wund und erschöpft.

Aber schlafen kann ich trotzdem nicht.

Cassandras Geschichte

Ich liege in der Badewanne und nippe an einem Glas Champagner. Ich bin so nervös wie ein Teenager vor der ersten Verabredung. Als Polly mich in ihre Wohnung einlud, sagte sie »zum Abendessen«, aber als ich zusagte, wusste ich, dass ich nicht nur einem Essen zugestimmt hatte. Die Lust in den Augen der Frau war nicht zu übersehen, deshalb kann ich mich nicht damit herausreden, dass ich von nichts eine Ahnung hatte.

Ich schaue auf meinen nackten Körper. Meine Nippel, schon steif vor Erregung, lugen durch die Oberfläche des warmen Wassers. Träge reibe ich mit der flachen Hand über die Warzen, und ich zucke zusammen, weil ich einen Stromstoß in der Klitoris spüre.

Vorsichtig lasse ich meine Hände über den Bauch gleiten. Ein Zeigefinger kriecht tiefer. Unter dem Wasser kann ich die ölige Nässe meiner Erregung fühlen. In meinem Kopf bin ich nicht ganz sicher, ob ich zu Polly gehen soll, aber mein Körper ist mehr als bereit. Ich überlege, ob ich es mir bis zum Ende besorgen soll, aber dann denke ich, dass mein gereizter Zustand quasi die Würze des Abends sein wird.

Ich richte mich in der Wanne auf und laufe nackt ins Schlafzimmer. Es kitzelt meine Haut, wenn die warmen Wassertropfen hinunterrinnen. Ich schlinge ein Badetuch um mich und setze mich vor den Frisiertisch. Feuchtigkeitscreme für Gesicht und Hals. Das ist der Augenblick, in dem ich den Mut vor der eigenen Courage verliere. Himmel, was mache ich? Eine andere Frau hat mir Sex angeboten, und ich will zu ihr. Werde ich jetzt auch noch – lesbisch?

Andere Frauen habe ich schon immer attraktiv gefunden. Im FitnessClub oder am Strand werfe ich schon mal einen verstohlenen Blick auf hübsche Brüste. Da ist doch nichts dabei. Ich gebe sogar zu, dass der Anblick einer Frau mich manchmal erregt. Ich habe mal ein Pornomagazin gefunden, das meinem Bruder gehörte, und beim Durchblättern sah ich eine Frau mit pfirsichzarter Haut und einem nass glänzenden vollen Mund. Ich weiß nicht, was mich so heftig angesprochen hat, aber die Fotos machten mich sofort ungeheuer an, wie es manchmal geschieht, wenn man ein Teenager ist. Ich habe das Magazin mit auf mein Zimmer genommen und masturbiert, während ich auf die aufgerichteten Nippel der Frau starrte.

Gewiss haben Camilla und Lucy mich auf der DVD ebenso erregt wie Luke. Ich bin neugierig, wie sich eine Frau unter meinen Händen anfühlt.

Aber ich bin nicht lesbisch. Ich ziehe mich an, und dann sage ich Polly unter irgendeinem Vorwand ab.

Als das Badetuch von meinen Schultern fällt, beginne ich, mich mit einer Körperlotion einzureiben, und es überrascht mich, wie schnell meine Hände das warme Glühen wieder hervorrufen, das ich in der Badewanne empfunden habe. Seit dem ersten Mal mit Luke habe ich mich nicht mehr so sehr auf eine neue Erfahrung gefreut.

Luke. Meine Erfahrungen mit ihm haben mich desorientiert und unsicher zurückgelassen, und das gefällt mir nicht. Ich muss wieder die Kontrolle gewinnen. Ich weiß auch schon wie – indem ich zu Polly gehe, beweise ich mir, dass ich nicht von ihm abhängig bin. Ich muss gehen.

Mit neuem Enthusiasmus öffne ich meine Schminktasche und trage die *foundation* auf. Sorgfältig färbe ich die Wangen rot und frage mich, ob Polly es lieber üppig oder dezent hat. Ich gehe spärlich mit der Mascara um, dann lege ich durchsichtiges Gloss auf die Lippen.

Jetzt zur Wäsche. Ich entscheide mich für ein wahnsinnig teures Set, lila und cremefarben, Seiden-BH und G-String, dazu den passenden Strumpfhalter. Fleischfarbene Strümpfe komplettieren die Wäsche.

Ich ziehe ein kurzes, enges rotes Kleid an und glätte es über den Hüften. Im Spiegel überprüfe ich mein Aussehen. Enttäuscht bin ich nicht. Mein Körper sieht gut aus unter dem teuren Kleid. Die Umrisse der Unterwäsche sind zu sehen, und wenn ich mich bewege, lugt schon mal die Spitze des BHs heraus. In diesem Aufzug würde ich nie auf die Straße gehen, aber für eine Nacht mit Polly ist die Schlampenwirkung perfekt.

»Du bist nicht entspannt.«

Nach einem köstlichen Hummeressen und viel mehr Champagner, als vernünftig ist, sitze ich vor Pollys offenem Kamin auf dem Boden. Polly sitzt neben mir. Dicht neben mir. Ja, ich bin verkrampft. Eine Frau will Liebe mit mir machen. Klar bin ich verkrampft.

»Ist alles in Ordnung?«, fragt sie.

»Mir geht es gut«, antworte ich. »Es ist nur, dass ich noch nie ...«

Pollys Hände streichen wie durch Zufall über meine Schultern. »Ich weiß. Aber es ist wirklich nicht schwer.« Unter den Haaren streichelt sie meinen Nacken. Es fühlt sich gut an, und mein Gesicht entspannt sich zu einem Lächeln. Der Wein und Polly tun mir gut. Im Hintergrund läuft ein Band mit verführerischen Jazzrhythmen. Polly hat Recht; es wird mir nicht schwer fallen. »Lass dich gehen, und lass dich von mir verwöhnen. Du willst doch von mir verwöhnt werden?«

Ich atme tief ein. »Ja«, sage ich.

Polly beugt sich zu mir und küsst mich; es ist ein langes, sehnsüchtiges Küssen. Trotz meiner Nerven öffnet sich mein Mund, um ihre Zunge einzulassen. Es macht mich mehr an, als ich für möglich gehalten habe. Meine Hemmungen schwinden, und als Polly auf den Rücken greift, um den Reißverschluss meines Kleids zu öffnen, protestiere ich nicht. Das Kleid fällt auseinander und gleitet an meinen Armen hinunter.

»Das ist besser«, sagt Polly und streift das Kleid bis zur Taille ab. »Jetzt wirkst du schon viel entspannter.« Sie sieht in meinen BH, und ein lüsternes Lächeln umspielt ihre Lippen. Sie zieht die Spitze nach unten, bis die Nippel hervorlugen. Wir schauen beide nach unten und sehen zu, wie sie hart werden. Ich bin tatsächlich nicht mehr verkrampft, ich bin nur entzückt, dass ich bewundert werde.

»Du hast wunderschöne Brüste, Cassandra.«

»Du kannst sie anfassen, wenn du möchtest.« Die Worte sprudeln heraus, bevor ich sie zurückhalten kann, aber ich lechze danach, die Hände einer Frau auf mir zu spüren.

»Oh ja, nur zu gern.« Ich höre ein Lachen in Pollys Stimme. »Alles zu seiner Zeit.«

Ich zittere vor Spannung auf Pollys nächsten Schritt. Sie spielt mit mir, neckt mich, verführt mich, und als sie endlich beginnt, mich zu streicheln, ist die Lust beinahe zu intensiv. Wimmernde Laute dringen aus meiner Kehle. Ganz zart fährt

Polly mit einem Finger über den einen Nippel, dann über den anderen. Sie quält mich eine Ewigkeit lang, so scheint es mir, und meine Brüste werden schwer vor Sehnsucht.

Meine Augen schließen sich in verträumter Glückseligkeit. Ich sinke auf Pollys Boden und lasse mich gehen, wie sie geraten hat. Ich nehme kaum wahr, wie sie meinen BH auszieht und den G-String abstreift. Aber dann schließt sie die Lippen um eine Warze, und das gewahre ich sofort. Sie saugt mich tief in den Mund.

Ich dämmere in einer Trance voller Sinnlichkeit und schaue durch verhangene Augen zu, wie sie aufsteht und sich aus dem eigenen Kleid schlängelt. Darunter trägt sie ein weißes Spitzenmieder. Sie sieht unglaublich sexy aus. Unsicher strecke ich die Hände aus und gleite an den Seiten des Mieders entlang, über die Taille bis zu den runden Hüften.

Polly seufzt und wiegt sich unter meinen Berührungen. Ich werde durch ihre Reaktion mutiger und streiche über die Körbchen ihrer Brüste. Das Unvertraute der Weichheit einer Frau erhöht meine Lust. Pollys Brüste fühlen sich wunderbar an, ich mag meine Hände gar nicht mehr wegnehmen.

Sie rückt näher zu mir, klettert über mich, senkt ihren Oberkörper über meinen, und ich sehe zu, wie der Raum dazwischen immer kleiner wird. Der Anblick ihrer Brüste, so dicht über meinen, jagt kleine lustvolle Schauer über meinen Rücken. Ich kann den Blick nicht von ihren Brüsten wenden.

Sie umschlingt mich mit den Armen, und dann liegen wir aufeinander, Brust auf Brust, Pussy auf Pussy. Ich hebe mich ein wenig an und genieße das Gefühl, ihren Körper auf meinem zu spüren. Und sie genießt es auch, sie reibt sich an mir und erschauert wohlig dabei.

Sie greift hinter sich und öffnet ihr Mieder, aber ich möchte, dass sie es noch ein bisschen länger anbehält. Kühner, als ich mir geträumt habe, hebe ich eine Hand, um sie daran zu hindern.

»Nein«, sage ich, »behalt es noch ein bisschen an. Du siehst so ... so weiblich darin aus.«

Polly lacht. »Nicht nur Männer sehen Frauen gern in schönen Sachen.«

Sie gleitet mit einer Hand über meinen Bauch und streicht zart über mein Delta. Sie lächelt, während die Finger leicht über die nasse Pussy streicheln. Ich bin ein wenig verlegen, aber zugleich auch stolz, dass meine Erregung so offensichtlich ist.

»Oh, was für eine Frau«, sagt sie. »Es macht dir großen Spaß, nicht wahr?« Sie streichelt mich weiter, und ich fühle, wie meine Erregung mich zu verschlingen droht. Ihre Berührungen sind so geschickt, sie foltert meine Klitoris so gekonnt, dass ich schon dicht vor einem Orgasmus stehe. Aber Polly hat keine Eile, mir den ersten Orgasmus zu besorgen.

»Sollen wir duschen?«, fragt sie plötzlich.

»Ja, prima.«

Ich folge ihr ins Bad. Es ist mädchenhaft eingerichtet, viel Zierrat und alles in Pink oder Weiß. Ideal für lesbischen Sex, schießt es mir durch den Kopf. Als das Wort »lesbisch« in mein Bewusstsein dringt, schrecke ich nicht mehr davor zurück. Ich bin nur scharf.

Polly bückt sich, um die Strapse zu öffnen, und ich helfe ihr, den anderen Strumpf zu lösen, aber sie hält mich zurück. »Lass mich. Wir haben keine Eile.«

Ich bleibe reglos stehen, während Polly mit einer Fingerspitze meine Strümpfe aufrollt. Dann schlüpft sie aus ihrer eigenen Wäsche, nimmt mich bei der Hand, und zusammen steigen wir in die Wanne.

Polly nimmt die Brause aus der Halterung und besprüht uns beide mit den warmen Strahlen. Dann schäumt sie ihre Hände ein und massiert meinen Rücken. Ich lehne mich gegen sie und seufze leise, aber bald schon will ich mehr.

Ich schäume meine Hände auch ein, drehe mich Polly zu

und reibe meine Hände über ihre Brüste. Ich werde mutiger, hebe sie an, knete und massiere sie; ich bin wie ein schmutziger alter Mann, der ein junges Mädchen abgreift. Ich will gar nicht mehr aufhören, mit den faszinierenden Spielsachen zu spielen, aber ich höre an Pollys tiefen Atemzügen und sehe an ihren flatternden Lidern, dass sie meine Berührungen an anderen Stellen braucht.

Mit einer Kühnheit, die ich kaum glauben kann, schiebe ich einen Finger in ihren Spalt. Ich habe mich vorher gefragt, ob ich das tun könnte. Aber es ist reiner Instinkt, und so beschere ich Polly Lust, wie ich mir selbst Lust beschere. Ich reibe sie jetzt härter, und einen Finger stelle ich für die Klitoris ab, während zwei andere in ihre Pussy stoßen. Polly stößt meiner Hand rhythmisch entgegen, und ich spüre die sich zusammenziehenden Muskeln tief in ihrem Körper.

Sie stößt kleine schluchzende Laute aus und greift hinunter, um meine Hand festzuhalten. Einen kurzen Moment frage ich mich, ob ich etwas falsch gemacht habe, aber dann fühle ich es. Zuerst ist es nur ein leichtes, kaum wahrnehmbares Zucken um meinen Finger, dann wird es schneller, baut sich auf, und ich spüre jede innere Erschütterung, die ihren ganzen Körper ergreift und sogar meine Hand erfasst.

»Oh, Polly, das ist so schön.«

Gerötet von der Hitze des Orgasmus lächelt Polly. »Ich weiß. Es geht nichts darüber, eine Frau kommen zu fühlen. Und jetzt bist du dran.«

Polly hebt die Brause wieder an und richtet sie auf meinen Körper. Das Wasser spielt mit meinen Brüsten und lässt mich voller Lust aufstöhnen. Dann richtet sie die Strahlen weiter nach unten und hält sie zwischen meine geöffneten Beine. Ich gehe ein wenig in die Hocke und strecke den Unterleib vor, damit ich die Strahlen aus nächster Nähe spüre. Sie konzentrieren sich auf meine Klitoris. Ich winde mich hin und her, lasse mein Becken tanzen und öffne meine Lippen. Polly sieht zu, wie meine Klit unter der Dusche zu zittern anfängt.

Ich will mir nicht mehr Zeit lassen. Sie muss mich jetzt schnell zum Höhepunkt bringen. Ich rufe ihr das zu, rufe schmutzige Dinge, die wie von selbst aus meinem Mund kommen. Mein Kopf ist voller unanständiger Gedanken und Bilder, ich bin so geil, dass ich mich in diesem Moment von einer anderen Frau masturbieren lasse. Ich würde es überall tun, sogar in der Öffentlichkeit, in der Dusche meines FitnessClubs, die Beine schamlos weit geöffnet.

Polly lehnt sich über mich. Ihre herrlichen Brüste schwingen auf mein Gesicht zu. Ich beuge mich vor, um sie zu küssen. Nacheinander sauge ich Pollys Nippel in den Mund, ich lecke und sauge und nehme alles in den Mund, was ich fassen kann.

Ich sacke immer tiefer in der Wanne, die warmen Strahlen attackieren immer noch meine glühende Pussy, und während eine andere Frau ihre Brüste in meinen Mund drückt, setzt mein Orgasmus ein.

Aber später in der Nacht träume ich von Luke. Ich fühle seinen Körper auf meinem. Ich fühle sein Gewicht, das auf mich presst. Ich spüre, wie er mich öffnet, wie er mich durchflutet, wie er Wellen der wahren Lust in mir auslöst.

Ich wache auf, als es mir kommt, und ich liege ganz still, nur mein Herz schlägt ganz schnell.

Dann kommen die Tränen. Als sie einsetzen, kann ich sie nicht mehr zurückhalten. Mächtige Schluchzer schütteln meinen Körper.

Bastard. Bastard. Bastard.

Zwölftes Kapitel

Lukes Geschichte

»Wie verstehst du dich mit Cassandra?«

William sitzt mir in der kleinen Bar in der Nähe seines Büros in der Fleet Street gegenüber, als er mir die Frage stellt und mich dabei gründlich mustert. Seine Frage zeigt mir, wie gut sein Gespür ist. Ich weiß, ich habe steif und förmlich geklungen, als ich ihn anrief und fragte, ob wir uns auf einen Drink treffen könnten. Er konnte sich denken, dass mir etwas unter den Nägeln brannte.

»Cassandra?«

»Ja, ich hatte den Eindruck, dass ihr euch nahe gekommen seid, deshalb frage ich, ob ihr auf einem guten Weg seid.«

Ich schüttle den Kopf. »Wir sind auf gar keinem Weg.«

»Warum? Was ist passiert?« Die Fragen sind leicht, die Antworten schwierig.

»Vorige Woche tauchte sie nachts bei mir auf, völlig zugedröhnt mit Koks. Vor ein paar Tagen sah ich sie mit Hugo Wrighton im ›Ship and Anchor‹.« Ich hatte mich bemüht, ganz gelassen zu bleiben. Ich hatte Hugo erst eine Woche vorher kennen gelernt und sofort die dumpfen Augen erkannt und den überdrehten Eindruck. Er ist schon verdammt weit fortgeschritten. »Sie wussten nicht, dass ich sie beobachtete, aber ich habe gesehen, dass sie ihm Geld gegeben hat. Viel Geld.«

»Und was hat das zu bedeuten?«

»Will, dieser Mann ist mit seinem Heroinkonsum mehr tot als lebendig. Es ist klar, wofür sie ihn bezahlt hat.« Ich nehme einen letzten Zug aus der Zigarette und zünde sofort eine neue an. Ich habe den ganzen Tag geraucht, und mein Mund fühlt sich wie Gosse an.

»Du ziehst voreilige Schlüsse. Es könnte Geld für alles Mögliche gewesen sein. Vielleicht putzt er ihre Fenster. Vielleicht finanziert sie die Reise seiner Mutter nach Disneyland.«

»William – sie – ist – auf – Drogen.«

»Na und? Da steht sie nicht allein. Ich auch.«

»Ja, aber ich ...« Ich zögere und wähle meine Worte mit Bedacht. »Aber bei dir bin ich nicht involviert.«

»Und bei ihr bist du *involviert?*«

»Ja. Nein. Oh, Gott. Ich weiß es nicht.« Ich lasse es so stehen, weil es mir unmöglich ist, meine komplexen Gefühle für Cassandra auszudrücken. »Aber ich weiß, dass ich damit nicht umgehen kann.«

»Luke, da gibt es noch etwas anderes, was du mir nicht sagst.«

William sieht mir in die Augen, und ich begreife, warum er als Interviewer gefürchtet ist. Ich mag ihn nicht anlügen. Ich atme tief ein. »Ich habe sie vergewaltigt.«

»Du hast was getan?«, explodiert William.

»Ich habe sie vergewaltigt.«

»Himmel, Luke. Wie konnte das passieren?« Ich sehe, wie William auf Journalist umschaltet, als ihm der Ernst dessen bewusst wird, was ich gesagt habe.

»Nun, wie so etwas eben passiert.«

»Aber was hast du getan?«

»Du warst lange genug beim Boulevard. Du solltest wissen, wie es bei einer Vergewaltigung zugeht.«

»Ja, sicher, aber ... Hat die Polizei dich schon befragt?«

»Nein.«

»Glaubst du, sie ist zur Polizei gegangen?«

Ich spüre eine Gänsehaut. »Ich weiß es nicht.«

»Aber wenn, dann ...«

»Ich weiß es nicht.«

»Sagst du mir jetzt, was passiert ist?«

William jagt mir einen gewaltigen Schrecken ein, als er ein kleines Notizbuch aus seiner Tasche nimmt und zu schreiben beginnt. »Was machst du da?«

»Ich will ein paar Notizen festhalten. Es ist immer gut, für Fakten zu sorgen. Sage mir, was du getan hast.«

»Ich bin zu ihrer Wohnung gefahren. Ich habe sie gegen die Wand gepresst, ihren Rock hochgeschoben und habe sie zum Sex gezwungen.« Ich muss daran denken, wie der Sex vorher zwischen mir und Cassandra abgelaufen war. Manchmal exotisch, manchmal wild. Aber es war immer Respekt dabei gewesen. Der schändliche Akt in Cassandras Wohnung hatte mich zu einem neuen Tief gezogen. Zum ersten Mal in meinem Leben war ich entsetzt über mich selbst, und das zu gestehen und zu beschreiben fügt mir Schmerzen zu.

»Hat sie gesagt, dass sie es nicht will?«

»Nicht genau.«

William lässt den Bleistift flitzen. Seine Kurzschrift ist perfekt. »Hat sie gesagt, du sollst aufhören?«

»Nein.«

William schlägt sein Notizbuch zu und lehnte sich auf dem Stuhl zurück. »Hast du geglaubt, dass es ihr gefällt?«

»Das weiß ich nicht. Aber es ist ihr gekommen.«

»Und was ist danach geschehen? War sie aufgelöst?« Williams Lächeln irritiert mich.

»Nein. Doch, ja, sie hat sich aufgeregt, weil sie nicht wollte, dass ich ging. Sie wollte mich in der Wohnung behalten, weil ich betrunken war. Aber ich bin trotzdem gegangen und zurück zu mir gefahren.«

»Ich verstehe.«

»Lach nicht über mich, William. Das ist eine ernste Sache. Hör auf zu lachen.«

»Luke, das war keine Vergewaltigung.« William winkt den Kellner heran. »Das war etwas ganz anderes.« Der Kellner bringt die Rechnung, und William schiebt sie mir zu. »Du übernimmst das, glaube ich.«

Als ich in die Parteizentrale zurückkehre, ist nur Cassandra noch da. Sie telefoniert und hat mir den Rücken zugewandt, als ich auf ihren Schreibtisch zugehe.

»Nein, Julian«, höre ich sie sagen, »ich sage dir doch, ich bin verzweifelt.« Ihre Stimme hob sich wütend, wie ich das von ihr kenne. »Nein, Mittwoch reicht nicht. So lange kann ich nicht warten. Ja, ich weiß, ich habe zu lange gewartet, aber ich dachte, ich würde bis nächste Woche okay sein. Bin ich aber nicht.« Kurze Pause, dann: »Du weißt, was ich brauche. Ich will ...«

Als sie mich sieht, springt sie auf, Schuldbewusstsein im Blick. Dann weicht die Schuld und wird von Wut ersetzt.

»Himmel, Luke«, sagt sie und bedeckt die Telefonmuschel mit der Hand, »ich dachte, du wärst längst nach Hause gegangen.«

»Ja, ich war auch schon weg, aber nun muss ich den Autoschlüssel holen.« Sie setzt ihr Telefongespräch nicht fort, sondern sieht zu, wie ich in mein Büro gehe und die Tür hinter mir schließe.

Williams Worte klingen in meinem Kopf nach. Ich sage mir, dass ich keine voreiligen Schlüsse ziehen soll. Ich sage mir aber auch, dass ich mich nicht gern für dumm verkaufen lasse. Ich hole die Schlüssel aus der Schublade, aber dann wollen meine Beine mich nicht länger tragen. Ich lehne mich an die Wand, rutsche langsam hinunter und setze mich auf den Boden. Mein Kopf sinkt zwischen meine angezogenen Knie. Ich warte, dass mein Schütteln nachlässt.

Am nächsten Abend verlasse ich das Büro spät wie gewöhnlich, trete auf die Straße und winke ein Taxi heran. Ich habe Glück, ein leeres Taxi hält neben mir an. Aber als ich die Tür aufziehen will, legt sich eine weibliche Hand über meine. Mir fällt ein teures Kostüm auf, dann sehe ich hellblonde lange Haare.

»Cas?« Dieses eine Wort rutscht mir heraus, bevor ich es verhindern kann.

»Was?« Die Frau neben mir sieht mich an, und ich blicke in dunkelbraune Augen. Meine Rivalin um das Taxi ist sehr attraktiv.

»Nichts, entschuldigen Sie.« Ich zeige aufs Taxi. »Bitte«, sage ich, »nehmen Sie es. Um diese Zeit dauert es nicht lange, bis der nächste Wagen kommt.«

»Nein, das möchte ich nicht. Aber wir können uns die Fahrt doch teilen. Meine Wohnung liegt gleich um die Ecke. Sie sind Luke Weston, nicht wahr?«

»Ja, stimmt.«

»Dann müssen Sie das Taxi mit mir teilen. Ich bin ein großer Fan von Ihnen.«

Ich lache. »Wie soll ich Ihrer Schmeichelei widerstehen?«

Als ich die Tür für sie offen halte, lässt sie ihre Hand eine Weile auf meiner liegen. Unsere Blicke begegnen sich. Sie hat ein süßes Lächeln.

Im Taxi lehnt sie sich vor und zieht ihre Jacke aus. Ihre Brüste berühren meinen Arm. Ich atme ihr Parfum ein und den Duft der frisch gewaschenen Haare. Sie sitzt da und glättet den Rock. Als sie sich mir zuwendet, öffnen sich ihre Schenkel, und es fällt mir schwer, nicht zwischen ihre Beine zu schauen.

Wir unterhalten uns, und sie sagt mir, dass sie Lizzy heißt. Sie arbeitet im Unterhaus, sagt sie, lässt aber im Unklaren, was sie dort tut. Mir ist es egal. Ich lehne mich im Sitz zurück und lausche ihrer weichen, akzentfreien Stimme. Irgendwie habe ich das Gefühl, reingelegt zu werden.

Ich wache in einem leeren Bett auf, bleibe ein paar Sekunden ganz still liegen und lasse meinen Kopf daran arbeiten herauszufinden, wo ich eigentlich bin. Wir waren in ihrer Wohnung gelandet und betranken uns mit dem unerschöpflich scheinenden Vorrat an gekühltem Champagner. Unvermeidlich führte unser Weg ins Schlafzimmer. Sie packte mich an den Handgelenken, warf mich aufs Bett und bedeckte mich mit Küssen. Ihre Zunge zwängte sich in meinen Mund.

Der Kuss wurde härter, bis ich ihre Zähne auf meinen Lippen fühlte und mein eigenes Blut schmeckte. Ein schlankes Bein schlängelte sich um meine Taille. Es ist eine spontane Bewegung, die mich wild erregt. Als sie ihren Schritt gegen meine Erektion rieb, war ich schon hart.

Sie küsste mich weiter, während sie über mich grätschte. Sie schlug ihren Rock hoch, zog das weiße Seidenhöschen zur Seite, nahm meine Hand und schob meinen Finger in sich hinein. Dann rutschte sie an mir hoch, meinem Gesicht entgegen. Sie hob ihren Rock zwischen Daumen und Zeigefinger, damit sie zusehen konnte, wie ich mit Zunge und Lippen ihre Klitoris verwöhnte. Es dauerte nicht lange, bis sie zu stöhnen begann. Die Laute kamen aus immer tieferen Lagen, ihre Hüften ruckten vor und zurück, und sie hechelte wie ein Hündchen, als es ihr kam.

Ich fühlte mich angegriffen, auch ein bisschen erniedrigt, aber am meisten fühlte ich die eigene Geilheit. Meine Erektion drohte zu bersten. Ich brauchte so rasche Erleichterung, wie sie sie gebraucht hatte. Als sie sich neben mich auf den Bauch legte, kniete ich mich zwischen ihre gespreizten Beine, öffnete den Hosenstall und nahm meinen Schaft in die Hand.

Mit einem Arm unter ihren Hüften hob ich sie mir entgegen, und im nächsten Augenblick drang ich in ihren biegsamen Körper ein. Es war ein einziger Schub, der mich bis zum Anschlag in sie hineinführte. Es sollte ein schneller Akt werden, wie ein lässiges Masturbieren am Ende eines stressigen Tages. Mein Orgasmus war unverzichtbar. Ich hielt sie an den Schultern fest und war sehr angetan von ihrer Willfährigkeit. Sie sagte nichts und ließ mich das tun, was nötig war.

Mein Fokus war auf meine Befriedigung ausgerichtet. Ich genoss die anonyme Nässe, in der mein Schwanz badete. Dieser Akt hatte nichts mit Geben zu tun – ich nahm nur. Und es war gut. Ich bohrte in sie hinein und erreichte den Höhepunkt; es war ein tiefer, köstlicher Orgasmus, und fast nebenbei nahm ich wahr, dass auch sie noch einmal kam. Ich hielt sie an mich gepresst, bis die Zuckungen abklangen.

Sie war wie eine Phantasiefrau aus einem Pornomagazin. Als Junge hatte ich die Briefe in dem Magazin oft gelesen und brannte danach, so unglaublich bereitwillige Frauen kennen zu lernen. Ich hatte mir ungezählte Orgasmen besorgt, während ich von unersättlichen Frauen träumte, die sich mir aus lauter Lust zur Verfügung stellten.

Aber im Gegensatz zu den perfekten Frauen aus den Magazinen war diese Frau echt. In der vergangenen Nacht hatte ich die Masturbationsträume meiner Jugend Wirklichkeit werden lassen.

Wir stehen zusammen unter der Dusche, trocknen uns gegenseitig ab und beginnen, uns anzuziehen. Ich steige gerade in mein Jackett, als ein lautes Klopfen an die Wohnungstür die Stille durchbricht. Hastig wirft sich Lizzy ein T-Shirt über die nackten Brüste und läuft in den Flur. Ich gehe hinter ihr her und sehe, wie drei Polizisten in die Wohnung dringen.

Lizzy und der Sprecher des Teams kennen sich offenbar.

»Alles in Ordnung, Darling?«, fragt er, dann gibt er seinen Kollegen ein kurzes Zeichen mit dem Kopf. Sie drücken Lizzy zur Seite und gehen direkt ins Wohnzimmer.

»Was willst du, Blackley? Er ist ein Freund.« Sie zeigt mit dem Finger auf mich.

»Wir sind nicht hier, um deine professionellen Interessen zu wahren, Kleine.« Blackley mustert mich ausgiebig. »Aber ich muss schon sagen, er ist nicht so hässlich wie deine üblichen Freier. Du hast dich hochgearbeitet, was?«

»Ich sagte doch, er ist ein Freund.«

»Das weiß ich doch, Darling.«

»Was also machst du in meiner Wohnung?« Sie geht rückwärts auf mich zu, und ihre Finger greifen nach meiner Hand. Hinter mir werden Kissen vom Sofa geworfen, und der Inhalt von Schubladen wird auf den Boden gekippt.

»Ah, weißt du, jemand hat mir geflüstert, dass du mehr hier hast als nur einen Freier.«

Langsam erhält alles seinen Sinn. Es hatte nicht wirklich einen Streit um das Taxi gegeben. Die langen blonden Haare und ihr Name waren keine Zufälle. Für meine Lust war bezahlt worden. Ein Polizist tritt aus der Küche. An einem ausgestreckten Finger baumelt ein kleiner Beutel mit einem weißen Pulver. Nicht genug für eine Party, aber mehr als genug für eine Nacht.

»Bingo«, sagt er.

»Sehr gut, Mathews«, lobt Blackley mit einem zufriedenen Grinsen.

»Du Bastard!« Die Frau stürmt auf Blackley zu, aber ich halte sie zurück, bevor sie ihm die Nägel durchs Gesicht ziehen kann. »Er hat mir das Zeug untergeschoben, Luke! Es war nicht da! Er hat es mir untergeschoben.«

Aber sie täuscht sich. Blackley und seine Leute haben ihr nichts untergeschoben. Meine Welt fällt in sich zusammen. Ich fühle mich wie in einem Schachspiel, bei dem mir die

Figuren um die Ohren gehauen werden, und ich kann nichts dagegen unternehmen.

Im Kopf gehe ich schnell meine Optionen durch. Es gibt Erklärungen, aber sie sind nicht glaubwürdig. Ich will schreien, treten, fliehen. Aber diesmal weiß ich, dass der Kampf nutzlos sein wird. Blackley sieht mich an, als wollte er einen Widerspruch aus mir herauskitzeln.

»Es gehört mir«, sage ich leise. Lizzy starrt mich ungläubig an. Sie weiß, dass ich gar nicht in ihrer Küche war.

»Luke, was sagst du denn da?«

In diesem Moment erkennt mich Blackley. »Oh, verdammt«, sagt er. »Du bist Luke Wilson.«

»Ich heiße Luke Weston.«

Ich sehe, dass Blackley verzweifelt überlegt, in was er da hineingeraten ist. Er gerät ins Schwimmen.

»Aber da muss noch mehr, oder?«, fragt er Mathews. »Sucht weiter, bis ihr den Rest findet.« Backley und sein Team würden nicht für ein paar Gramm losgeschickt worden sein. Offenbar hatte man ihm gesagt, dass es um viel mehr ging.

»Es ist nicht nötig, die ganze Wohnung zu zerlegen«, sage ich, als sie mit einer einzigen Handbewegung ein ganzes Bücherregal abräumen. »Mehr ist nicht da.«

»Nun, es genügt, um dich zu beerdigen«, knurrt Blackley.

Mir ist, als hielte jemand einen Revolver an meine Schläfe und als könnte ich nur noch darauf warten, dass jemand abdrückt.

»Und du hängst auch mit drin, Natascha«, fährt Blackley fort. Die Frau hält sich an mir fest. Sie zittert wie Espenlaub. Jetzt weiß ich wenigstens ihren richtigen Namen.

Dreizehntes Kapitel

Cassandras Geschichte

Ich weiß genau, was er tut. Wenn die Geschichte bekannt wird, ziert sie die Schlagzeilen aller Zeitungen. Sein Bild prangt auf allen Titelseiten. Er wird so schnell zurücktreten, dass diese Nachricht gleich mit verarbeitet wird.

Er gibt ein Interview nach dem anderen und erzählt haargenau die Geschichte seiner Verhaftung. Er antwortet auf jede bohrende Frage. Ja, das Kokain war für seinen privaten Gebrauch. Er war gelangweilt, einsam, und ja, er hatte für Sex bezahlt. Ja, es war ein Fehler. Ja, es war seiner Position nicht angemessen. Nein, der Premierminister wusste nichts davon.

Er hat alles einkalkuliert. Indem er die Presse in allen schmutzigen Einzelheiten schwelgen lässt, ist der Skandal nach drei, vier Tagen verraucht. Er spielt still die Rolle des Hofnarren. Er ist der große Verlierer. Verachtung wird kübelweise über ihn ausgeschüttet, aber nicht über die Partei. Er bringt sich mit allem Bedacht in eine Situation, in der man ihn von der Partei abschneiden kann wie ein Krebsgeschwür.

Sein letztes Interview gibt er für die Spätnachrichten. Ich sehe es, während mir die Tränen die Wangen hinunterlaufen. Seine Geschichte wird am nächsten Tag von den Titelseiten verdrängt, als die außereheliche Beziehung eines Fußballspielers aus der ersten Liga bekannt wird. Und nachdem die Sonntagszeitungen auch noch ihren Senf dazugegeben haben, ist für Luke alles gelaufen.

Ich weiß nicht, was vorgefallen ist, aber ich weiß, dass an der Geschichte einiges nicht stimmt. Ich will unbedingt die Wahrheit wissen. Viele Male versuche ich, ihn telefonisch zu erreichen, aber ich dringe nicht zu ihm durch. Am Tag nach dem letzten Interview sagt eine Stimme, dass die Nummer, die ich gewählt habe, nicht existiert.

Verzweifelt versuche ich es auf der Farm seiner Eltern in Yorkshire. Jemand hebt den Hörer ab.

»Hallo?«

Er klingt entsetzlich.

»Luke. Ich bin's.« Es klickt in der Leitung, dann habe ich keine Verbindung mehr. Ich rufe nicht mehr an.

Lukes Geschichte

Bevor ich London verlasse, suche ich Natascha. Schließlich finde ich sie in einem kleinen Café in der Nähe ihrer Wohnung. Sie freut sich nicht, mich zu sehen. Ich weiß, dass die Reporter ihr zugesetzt haben, und körnige Bilder von ihr wurden in jeder Zeitung gedruckt. Die anspruchsvolleren Zeitungen haben sie ein hochpreisiges Callgirl genannt. Am unteren Ende der Skala, in Artikeln mit Überschriften wie »WESTON BUMSPHALLERA«, ging man wenig zimperlich mit ihr um. Eins muss ich ihr lassen: Sie hat die ganze Zeit keine einzige Stellungnahme abgegeben. Ich bestelle uns zwei Espressos und setze mich ihr gegenüber.

»Es tut mir sehr Leid«, beginne ich, auch wenn ich weiß, dass ihr das ein schwacher Trost sein wird. Sie trägt kein Make-up, und ihr Haar ist streng zurückgebürstet. Sie sieht sehr jung und sehr verletzlich aus. Und überhaupt nicht wie eine Prostituierte.

»Das sollte es auch«, murmelt sie. »Nichts in meinem Leben war mir bisher so peinlich.«

»Ich bin reingelegt worden, Natascha.«

»Ich weiß. Ein Mann hat mich angerufen und mir gesagt,

wo Sie an diesem Abend sein würden. Er hat mir gesagt, es wäre Ihr Geburtstag und Sie bräuchten ein bisschen Aufmunterung. Er hat mich bar bezahlt. Ich hätte ahnen sollen, dass die Sache nicht koscher war.«

»Hat er seinen Namen genannt?« Obwohl ich diese Frage eigentlich nicht stellen muss.

»Simon und noch was. Nein, er hat mir seinen Nachnamen nie genannt. Ich habe nur am Telefon mit ihm gesprochen, deshalb kann ich Ihnen nicht mal sagen, wie er aussieht.« Sie nippt an ihrem Espresso und sieht mich mit ihren klugen Augen argwöhnisch an. »Warum haben Sie ihnen gesagt, Sie hätten mir Geld gegeben?«

»Weil ich nie beweisen könnte, was wirklich passiert ist. Und ich wollte Sie aus dem Fadenkreuz der Presse heraushalten. Mir selbst war ohnehin nicht mehr zu helfen, deshalb ergab es keinen Sinn, Sie noch mit in den Strudel zu reißen. Wenn ich alles abgestritten hätte, wäre nichts besser gewesen, also habe ich ihnen gesagt, was sie hören wollten.«

»Aber die Wahrheit ist, dass Sie nichts getan haben. Warum kämpfen Sie nicht um Ihren guten Namen?«

Ich schüttle den Kopf.

»Ich kann nicht. Wie bei den besten Lügen ist nicht alles unbegründet. Ich bin kein Heiliger. Ich bin ein paar alberne Risiken eingegangen, und in meiner Vergangenheit gibt es ein paar Dinge, auf die ich nicht stolz bin. Deshalb wäre es mir nicht angenehm, wie ein Unschuldslamm aus dieser Sache herauszukommen.«

»Und deshalb lassen Sie sich als Hurenbock und Kokser fertig machen?«

»Hurenbock vielleicht, aber kein Heuchler.« Ich schiebe einen braunen Umschlag über den Tisch.

»Was ist das?«, fragt Natascha.

»Das sind zehntausend Pfund.«

»Schweigegeld?«

»Verdammt, nein. Ich habe nichts mehr zu verbergen. Aber man wird Sie immer noch in die Mangel nehmen wollen, deshalb soll Sie das ein wenig entschädigen. Es ist noch nicht vorbei. Deshalb überlegen Sie sich eine gute Geschichte. Irgendwas Saftiges. Erzählen Sie ihnen, ich hätte mich am liebsten als Marie Antoinette verkleidet oder dass ich ›Halleluja‹ singe, wenn ich komme.« Ich gebe ihr eine Visitenkarte. Der Name darauf ist recht bekannt, und sie ist beeindruckt.

»Dieser Mann ist ein Publizist. Er ist auch ein Freund von mir, und ich habe ihm gesagt, dass Sie ihn anrufen werden. Er wird Ihnen helfen, dass Sie der Welt Ihre Geschichte erzählen können. Die Presse wird die Geschichte in jedem Fall schreiben, deshalb sollten Sie sicherstellen, dass man Ihre Seite der Ereignisse hört.« Ich drücke ihre Hände und zwinge sie, mich anzusehen. »Das ist nicht die tapferste Tat meines Lebens, aber es ist der einzige Weg, damit die Spekulationen endlich aufhören.«

Sie lacht. Was soll sie in dieser verrückten Situation auch sonst tun?

»Nein«, sagt sie schließlich. »Sie haben mit der Presse gesprochen, weil Sie keine andere Wahl hatten. Ich brauche diesen Hyänen nicht noch mehr Dreck vorzusetzen, denn er würde auf Sie zurückfallen.« Ich bin gerührt. Sie schuldet mir nichts, sie braucht keine Rücksicht auf mich zu nehmen. »Und Ihr Geld will ich auch nicht.«

»Nehmen Sie es. Es ist das wenigste, was ich für Sie tun kann.« Unsere Blicke treffen sich. »Nehmen Sie es, bitte.« Sie greift immer noch nicht nach dem Umschlag, deshalb nehme ich ihn und stecke ihn in ihre Handtasche.

Ich hatte in den eher zotigen Berichten unserer Geschichte etwas gelesen, was mich neugierig gemacht hatte, und nun wollte ich wissen, ob es stimmte, was ich in den Zeitungen gelesen hatte.

»Es heißt, dass Ihr Tarif bei zweitausend Pfund liegt. Verlangen Sie wirklich so viel?«

»Nicht ganz, aber weit weg waren sie nicht mit ihren Spekulationen.«

Ich stieß einen anerkennenden Pfiff aus. »Oh, verdammt. Kein Wunder, dass es so gut war.«

Sie lächelte leise.

Ich beschließe, die folgende Woche auf dem Bauernhof meiner Eltern in Yorkshire zu verbringen. Mein Dad und mein Bruder Ben sind voll mit den Herbstarbeiten beschäftigt, und ich helfe ihnen dabei und tue so, als würde es mich ablenken, wenn ich Traktor fahre oder die Saat ausbringe.

»Mach dir keine Sorgen, Junge«, sagt mein Dad. »Schließlich ist nichts gebrochen, oder?«

»Nur mein Herz«, antworte ich.

Dad schimpft mich einen Trottel und boxt mich in die Seite.

Am zweiten Abend meines Aufenthalts in Yorkshire nimmt Ben mich mit zum »Bull's Head«, dem Pub im Dorf, der Mittelpunkt unseres begrenzten Nachtlebens, als wir Teenager waren. Auf dem Parkplatz wirkt mein Aston neben all den schmutzigen Land Rovers völlig fehl am Platz. In diesen Tagen scheine ich nirgendwo dazuzugehören.

Landarbeiter in dicken Jacken und mit schweren Stiefeln blicken von ihren Gläsern auf, als Ben und ich die Kneipe betreten. Ganz offensichtlich ist meine Hoffnung, dass meine Verfehlungen längst vergessen sind, viel zu optimistisch gewesen. Auf einem leeren Tisch liegt eine Boulevardzeitung, und ich sehe den Namen »WESTON« in einer Schlagzeile. Blicke huschen von der Zeitung auf mich, als wir durch das Lokal schreiten.

Das Schweigen ist bedrückend, und in Erwartung irgendeiner lustigen oder beleidigenden Bemerkung halte ich den Atem an. Aber es kommt nichts. Dann höre ich, wie ein Stuhl über den Boden schabt.

Ein Mann, der mir vage bekannt scheint, kommt auf unseren Tisch zu. Er greift die Zeitung, faltet sie sorgfältig und wirft sie auf die Holzscheite, die im großen Kamin brennen. Ich danke ihm mit einem Lächeln, und er grunzt irgendwas zurück. Es beginnt eine gemurmelte Unterhaltung, bei der ich ignoriert werde. Wieder einmal bin ich der Weston-Junge und nicht der verrückte Kokser aus London, der mit blankem Schwanz bei einer Hure erwischt worden war.

Ben runzelt die Stirn, als ich zwei halbe Liter für ihn und mich bestelle. Ich starre ihn an, und er unterdrückt den Kommentar, der ihm auf der Zunge liegt. Die alte Hackordnung hat noch Bestand – mein kleiner Bruder tut immer noch, was ich ihm sage.

Die Frau hinter dem Tresen zieht die beiden Biere mit ihrem starken rechten Arm. Zwischen T-Shirt und Jeans gibt es eine nackte Stelle, und in ihrem Nabel glitzert ein kleines Juwel. Ihre Jeans hängen auf den Hüften. Die langen kastanienbraunen Haare sind in einem Pferdeschwanz zusammengefasst. Sie hat ein angenehmes Gesicht, und irgendwie kommt es mir auch bekannt vor. Ich reiche ihr einen Schein für die Biere.

»Du bist Laura, nicht wahr?«, frage ich. »Laura Holcolm.«

»Ja, aber ich heiße jetzt Laura Baxter.« Sie lächelt freundlich.

»Bist du verheiratet?«

»Ich war. Bis er mit einem der Barmädchen abgehauen ist. Aber immerhin habe ich den Pub behalten, deshalb will ich nicht klagen. Und du bist Luke Weston.« Die Erinnerung lässt sie lächeln. »Ich habe mich von dir mal küssen lassen.«

Ich lächle, und aus irgendeinem Grund werde ich verlegen. »Ja, du hast mir gesagt, ich wäre der bestaussehende Junge der ganzen Schule.«

Neben mir kichert Ben in sein Bier. »Du hast mir auch gesagt, dass ich der bestaussehende Junge der Schule bin«, protestiert er schelmisch.

»Nun, vielleicht muss ich euch nachher noch mal genau unter die Lupe nehmen, ehe ich mich festlege.«

Wir nehmen unser Bier und finden einen stillen Tisch. Ben bestreitet die Unterhaltung, und ich bin froh, dass ich nur zuhören muss. Er erzählt mir von einem Tuberkulosefall auf einem Nachbarhof, von den Schwierigkeiten, Ersatzteile für die Mähmaschine zu ergattern, und von den ständig fallenden Milchpreisen.

Irgendwie erleichtert es mich, dass er mich an seinen Problemen teilhaben lässt, weil es hilft, meine eigenen Probleme zu verdrängen. Er stellt mir keine Fragen. Er hat kein Interesse an meiner Karriere und will auch nicht darüber reden, was mit mir geschehen ist. Ich bin froh, dass ich nichts erklären muss.

Während wir reden, merke ich, dass Laura uns beobachtet, und als ich zurück zur Theke gehe, um neue Drinks zu bestellen, lächelt sie breit und sieht mir in die Augen, während sie sich einen großen Wodka mit Tonic einschenkt. Sie nimmt einen Schluck, wirft den Kopf zurück und drückt die Brüste heraus. Es ist eine Geste, die ihr vertraut ist, und als sie mich anschaut, sehe ich ein triumphierendes Glitzern in ihren Augen.

Der Abend vergeht schnell, und plötzlich sind wir die letzten Gäste im Pub. Wir stehen auf und wollen gehen, aber dann ruft Laura uns etwas zu, während sie die Gläser poliert.

»Wartet«, sagt sie, »ich habe noch nicht entschieden, wer von euch am besten aussieht.« Ben und ich sehen uns vergnügt an, während Laura hinter der Theke hervorkommt.

Laura stellt uns nebeneinander vor den Kamin. Wir stehen wie Schuljungen vor ihr, die wir mal gewesen waren. Ben und ich gleichen uns sehr: blonde Haare, grüne Augen. Aber es gibt auch Unterschiede. Dieser Wettbewerb kann noch sehr spannend werden.

»Weston und Weston«, stellt sie fest. »Ich habe mich zwischen euch immer schwer entscheiden können. Ich kann wirklich nicht sagen, wen ich vorziehe, wenn ihr noch eure Klamotten tragt. Zieht mal eure Hemden aus, dann fällt es mir vielleicht etwas leichter.«

Kichernd ziehen wir uns bis zu den Hüften aus. Wir werfen unsere Jacken und Hemden auf den Boden und warten auf ihr Urteil. Die Flammen im Kamin werfen tiefe, dunkle Schatten auf Bens hellere Haut. Meine Haut schimmert warm und golden. Ich frage mich, wen Laura bevorzugt. Bens Körper ist von der jahrelangen Arbeit auf den Feldern muskulöser, aber ich bin etwas größer als er.

»Mhm«, schnurrt sie. »Glatt?« Sie fährt mit einer Hand über meinen Brustkorb. Mein Bauch zieht sich bei der unerwarteten Intimität einer relativ fremden Frau zusammen. »Oder behaart?« Sie wendet sich Ben zu und zwickt in seine linke Brustwarze. Bens Augen weiten sich vor Wonne. Mein frivoler kleiner Bruder ist offenbar interessierter, als ich vermutet hätte.

»Nun, ich glaube, alles, was sich unterhalb der Taille abspielt, gibt mir besseren Aufschluss«, mutmaßt Laura. »Warum lasst ihr mich nicht alles sehen, was ihr habt? Auf das da unten komm es nämlich wirklich an.«

Ben lässt seine Hose fallen, dann schiebt er seine Boxer die Beine hinunter. Nach einem kurzen Zögern öffne ich den Gürtel meiner Jeans und lasse sie auf den Boden fallen. Laura fährt sich mit der Zunge über die Lippen. Mit verengten Augen schaut sie zu, wie ich die Daumen in den Bund der Shorts stecke und sie nach unten schiebe.

Ben und ich stehen da, unsere Kleider auf unseren Füßen. Es ist viele Jahre her, dass ich ein Zimmer mit meinem Bruder geteilt habe, aber ein rascher Blick bestätigt, woran ich mich erinnere, seit ich ihn zuletzt nackt gesehen habe. Zu meiner Erleichterung sind wir etwa gleich gebaut. Dies wäre kein guter Moment herauszufinden, dass mein Bruder enorm bestückt wäre. Ich verbeiße mir ein Lachen, aber ich bin nicht der Einzige, der die Situation komisch findet. Die Lächerlichkeit unserer Parade erkennt Laura auch, und ich sehe, dass sie sich bemüht, ein Grinsen vor uns zu verbergen.

Aber unter dem Grinsen liegt Lust, und die spüre ich auch. Es ist eigenartig erotisch, entblößt vor der Wirtin eines Pubs zu stehen, in dem eben noch reger Betrieb herrschte. Laura geht um uns herum, ihren Blick auf unsere Genitalien gerichtet. Mein Atem geht schwerer, während sich mein Penis zu erheben beginnt. Ich schaue zu Ben, und er steht schon auf Halbmast.

Laura bleibt vor mir stehen und greift mit einer Hand unter meine Hoden. Sie drückt sanft zu, und ich wachse schnell. Während sie ihre Hand in Aktion hält, greift sie mit der anderen Hand hinüber zu Ben und streichelt ihn. Ich höre, wie Ben leise aufstöhnt.

»Beide sehr schön. Aber ich möchte gern ihre Form sehen, wenn sie ganz hart sind.« Laura nimmt meine rechte Hand und führt sie an meinen Schwanz. Dann wiederholt sie das bei Ben, der dieser fast perversen Einladung, sich selbst einen Steifen zu besorgen, nicht widerstehen kann.

Ich brauche es nicht weniger dringend als Ben, also folge ich seinem Beispiel. Ich trete meine Klamotten aus dem Weg, damit ich mich breitbeinig hinstellen kann, schließe die Faust um meinen Schaft und beginne zu reiben. Plötzlich ist es kein Spiel mehr; ich bin ernsthaft erregt.

Laura sieht uns zu, ihr hübsches Gesicht ein starres Bild

der sexuellen Fixierung. Aber als Ben ein präorgasmisches Stöhnen ausstößt, legt sie rasch ihre Hände auf unsere.

»Nicht so schnell«, schimpft sie. »Ich weiß ja noch nicht, wie ihr beide schmeckt.«

Sie geht vor Ben auf die Knie, und ich schaue zu, wie sie ihn in den Mund nimmt. Sie bewegt den Kopf zu seinem Bauch, und ich spüre, wie mein Schaft schmerzhaft wächst; er braucht dringend Aufmerksamkeit.

Es ist, als könnte Laura meine Gedanken lesen; sie rutscht ein wenig zurück, stellt Ben seitlich hin und zieht mich auch heran. Die Spitze einer Erektion stößt gegen die Unterseite der anderen. Ich zucke zusammen, als ich von einem anderen Mann berührt werde, aber als Laura mit der Zunge dazwischengeht, verschwimmen meine Bedenken. Meine Hüften rucken vor und zurück.

Laura bedient uns geschickt. Ihr Mund ist überall, schmatzt hier, küsst da, leckt, saugt und nagt. Unsere schlüpfrigen Schwänze dringen abwechselnd in ihren Mund ein und bewegen sich wie träge wie betörte Schlangen.

Plötzlich steigt es bei mir hoch. Beinahe rau ziehe ich mich aus ihrem Mund zurück, die letzte Möglichkeit vor dem drohenden Orgasmus.

»Oh, verdammt«, keuche ich, »das war verdächtig nahe am *›game over‹* für mich.«

Laura sieht ein wenig gekränkt aus. »Aber so wollte ich es haben.«

»Oh nein. Erinnerst du dich nicht an die alten Regeln aus unserer Schulzeit? Es sind die Jungs, die das Sagen haben.«

»Ja, stimmt«, sagt Ben. »Es ist unser Spiel.«

Ich nehme ihre Hand und ziehe sie auf die Füße. Ich stehe hinter ihr und stelle sie dicht vor Ben. Langsam gleite ich mit einer Hand über ihren Bauch. Er ist weich und üppig, und ich kann es kaum erwarten, ihn gegen meinen Bauch zu fühlen.

Aber ich lasse mir Zeit. Ich hebe ihr T-Shirt hoch, bis ihre Brüste entblößt sind. Ben nickt bewundernd.

Mir fällt ein, wie oft ich das hatte tun wollen, damals, in unserer Schulzeit. Ich sehe mich als verlegener Schuljunge, wie ich ihre Uniformbluse öffne und die Körbchen eines engen weißen BHs nach unten drücke. Während sie ihre Brüste gegen meine Hände reibt, frage ich mich, wie sie damals reagiert hätte.

Ich bücke mich und ziehe den Reißverschluss ihrer Jeans auf, die ich dann über ihre Hüften schiebe. Das pinkfarbene Baumwollhöschen folgt. Ich streiche leicht über ihre Scham. Sie ist rasiert, und die plumpe kleine Kuppe ist wunderbar glatt. Die inneren Labien sind zwischen den äußeren deutlich zu sehen. Ich dränge mit einem Finger dazwischen und finde die harte Perle ihrer Klitoris.

Sie spreizt die Beine, als ich sie zu streicheln beginne. Sie legt den Kopf in meine Halsbeuge. Ihre Erregungskurve steigt. Mein Bruder starrt schluckend auf ihr offenes Geschlecht. Ich kann nur ahnen, wie einladend es auf ihn wirken muss. Ich masturbiere sie zärtlich.

Was immer Ben auch sieht – er will es haben. Er tritt dicht an sie heran, nimmt seinen harten Schaft in die Hand und führt ihn bei ihr ein. Ich greife mit den Armen um sie, damit sie sich leicht zurückfallen lassen kann, während er ihre Hüften packt und mit einem satten Zug in ihren willfährigen Körper einfährt. Er stößt zu, und ihre Brüste beben in meiner Hand.

Ich sehe einen vertrauten Ausdruck auf seinem Gesicht. Es ist fast so, als beobachtete ich mich selbst. Er schließt die Augen für einen Moment, und ich glaube schon, dass sein Orgasmus bevorsteht. Aber wie mir geht es auch ihm darum, das Erlebnis in die Länge zu ziehen, deshalb zieht er sich rasch aus ihr zurück, bevor es für ihn zu spät ist.

Er zieht Laura an seine Brust, und sie streckt mir einladend den Po heraus. Ich höre sie stöhnen: »Besorg's mir auch, Luke.« Ich lass mich nicht lange bitten. Ich lasse mich auf den Boden sinken, drehe sie herum und ziehe sie auf mich.

Sie ist köstlich nass vom kurzen Intermezzo mit Ben, deshalb dringe ich sofort tief in sie ein. Eine Weile reitet sie auf mir, und ich lasse sie Tiefe und Tempo bestimmen. Über meinem Gesicht sehe ich die pendelnden Brüste. Ihre Haare, die längst nicht mehr zu einem Pferdeschwanz zusammengefasst sind, streicheln über meinen Brustkorb.

Ben verhält sich ruhig, offenbar genießt er das Spektakel. Er kniet neben uns auf dem Boden, und seine Blicke huschen von mir zu ihr und wieder zurück, während er sich gemächlich reibt. Ich stelle fest, wie geil es ist, beobachtet zu werden. Ich habe mich nie als Exhibitionisten betrachtet, aber mich reizt der Gedanke, dass er mich in eine Frau stoßen sieht. Ich will, dass er zuschaut, wie ich komme. Aber Ben kann nicht mehr zuschauen.

»Warum begnügst du dich mit einem der bestaussehenden Brüder der ganzen Schule, wenn du beide haben kannst«, flüstert er. Er hockt sich neben uns und schiebt eine Hand zu der Stelle, an der wir verbunden sind. Er reibt ihre Nässe und drückt Laura tiefer auf meine Brust, dann schmiert er ihre Säfte zwischen ihre gespreizten Backen. Laura stöhnt auf.

Ich spüre seinen Finger, als er behutsam in ihre hintere Öffnung dringt, und erst jetzt wird mir bewusst, welchen Plan er ausführen will.

Im ersten Moment will ich ihm das ausreden, den großen Bruder spielen und ihm sagen, er soll die Finger von solchen Sauereien lassen. Aber der stärkere Teil von mir will, dass er seinen Plan verwirklicht. Ich sage nichts.

Ben grätscht über meine Beine. Laura und ich verhalten uns reglos, während wir darauf warten, was er tut. Er hält mit seinen schwieligen Pranken ihre Hüften fest, nimmt dann seine Erektion in die Hand und drückt gegen die eingeölte Öffnung. Sein Gesicht verzieht sich, als ob er Mühe hat, es zu schaffen.

Ich stecke noch tief in Laura, und ich fühle durch die Membran, wie er sich stetig in sie hineinbohrt. Laura zuckt bei seinem nächsten Rucken. Ich streiche ihr über die Haare, aber sie braucht meinen Zuspruch nicht. Ihre Augen blitzen vom Fieber ihrer Gier. Sie denkt nicht daran, Ben aufzuhalten. Sie verzieht voller Konzentration den Mund, während er die Penetration wieder aufnimmt.

Ben kommt näher, und der Schweiß und die Gerüche verdichten sich zu einem großen Ganzen. Schließlich ist der Prozess abgeschlossen, und Laura traut sich zu bewegen. Sie ruckt mir entgegen, schwingt langsam nach hinten, testet, was sie fühlt, und überlässt sich dann der Lust.

Ben rutscht noch etwas näher und schlingt die Arme liebevoll um sie. Seine großen Hände bedecken ihre sanft schaukelnden Brüste. Ich hebe die Arme und schalte mich bei den Liebkosungen ein, und gemeinsam verehren wir ihre üppigen Brüste. Sie genießt es, ruckt vor und zurück und diktiert ihre beiden Männer.

Mich überrascht, dass Ben so zärtlich sein kann. Schließlich befinden wir uns in einer Kombination, die manch eine Frau auch erschrecken kann. Aber Ben verströmt Sinnlichkeit; er küsst ihren Nacken, streichelt die Brüste und flüstert süße Nichtigkeiten in ihr Ohr. Auch auf mich verfehlt das seine Wirkung nicht; er stillt das Tier in mir, das wild in Laura zustoßen will, um endlich zu dem Orgasmus zu gelangen, nach dem meine Sinne schreien. Ich zwinge mich, das steigende Verlangen zu ignorieren und mich auf Laura zu konzentrieren.

Als ich meine Hände zwischen unsere Körper schiebe und die weichen Falten ihres Geschlechts teile, seufzt sie wohlig und spreizt die Beine noch etwas weiter, damit ich ihre Klitoris erreichen kann. Es gibt keinen Teil von ihr, der unserem Kreuzzug für ihre Lust entkommen kann.

Ihr schwerer Atem und ihre gerötete Haut zeigen mir, wie sehr sie es genießt. Ich necke sie weiter, bis sie heiser zu keuchen beginnt. Sie presst ihren Körper noch härter gegen meinen, und an ihren ruckartigen, schüttelnden Bewegungen erkenne ich, dass sie die Kontrolle verliert. Sie lässt noch mal das Becken kreisen, ehe sie in so heftige Zuckungen verfällt, dass Ben und ich uns anstrengen müssen, nicht abgeworfen zu werden.

Jetzt kann ich auch loslegen. Meine Zähne knirschen, als meine eigene Lust anschwillt. In meinem Kopf schwirren Bilder aus meiner Jugend. Junge, feste Pobacken unter kurzen Röcken. Ich muss an die Hand meiner ersten Freundin auf meinem Schwanz denken. Dann frage ich mich, wie aus dem unschuldigen Jungen, dessen Vorstellung von unerträglicher Lust darin bestand, an Lauras Nippel zu denken, der verdorbene Mann werden konnte, der sie jetzt mit seinem eigenen Bruder teilt.

Der Gedanke an Ben und seinen nahen Penis ist das letzte Bild vor meinem Orgasmus. Ich fühle, wie er geschüttelt wird, und dann ergießen wir uns beide in unsere Laura.

Es dämmert schon, als ich durch einen langsamen, erfahrenen Blowjob aus dem Schlaf gesaugt werde. Lauras Mund gleitet an der Länge meines Schafts auf und ab. Ihr Mund ist heiß und nass, ihr Rhythmus stetig, aber unerbittlich. Ich strecke mich auf den angenehmen Baumwolllaken aus und überlasse mich den süßen Bemühungen ihres talentierten Munds.

»Guten Morgen«, murmele ich, und dann komme ich, noch bevor ich richtig wach geworden bin.

Nachdem ich mich bei ihr revanchiert habe, liegt sie neben

mir, und wir teilen uns eine Zigarette. Neben uns liegt Ben und schnarcht leise.

»Geh zu ihr zurück«, sagt sie.

»Zu wem?«

»Zu deinem Mädchen. Cassandra heißt sie, nicht wahr?«

Erst jetzt fällt mir wieder die Unterhaltung von gestern Abend ein. Wir waren nach unserem bemerkenswerten Gelage in Lauras breitem viktorianischen Bett gelandet, aber Ben war sofort eingeschlafen, während Laura und ich eine Flasche mäßigen Whiskys geleert hatten.

Dabei hatte ich Laura eine vom Alkohol benebelte Version der unglücklichen Geschichte meiner Beziehung mit Cassandra erzählt. Mein Bericht enthielt alle Einzelheiten, alle schrecklichen Einzelheiten.

»Oh, Mann«, sage ich und bedecke meine Augen mit einem Arm. »Ich muss dich schrecklich gelangweilt haben. Entschuldige, Laura.«

»Kein Grund zur Entschuldigung, auch wenn du mir die halbe Nacht von ihr vorgeschwärmt hast. Außerdem hast du mich danach köstlich für alles entschädigt, was wir früher nicht getan haben.« Sie klaubt mir die Zigarette aus den Fingern, nimmt einen tiefen Zug und wird dann ernst.

»Du musst zu ihr zurück, Luke. Lass es dir von einer sagen, die sich auskennt. Wenn du die Richtige gefunden hast, häng dich mit aller Kraft an sie ran. Verliebt zu sein und den Bus zu kriegen sind zwei verschiedene Dinge. Beim Bus weißt du, dass irgendwann der nächste kommt. Bei der Liebe weißt du das nicht.« Dann lacht sie. »Also, du musst zu ihr zurück. Sonst laufe ich Gefahr, mir noch mal eine Nacht um die Ohren zu schlagen, wenn du ein anderes Mädchen anschmachtest.«

Mir fällt nicht ein, was ich dazu sagen soll, also lege ich mich wieder auf sie.

Vierzehntes Kapitel

Cassandras Geschichte

William hat eine Party geplant, eine große Party. Er hatte mir gesagt, ich wäre die einzige Frau, die er heiraten könnte, aber da ich ihm schon ungezählte Körbe gegeben habe, hat er die Hoffnung aufgegeben, sich als geschniegelter Bräutigam zu sehen, und da Luke ihm höchstwahrscheinlich auch keinen Antrag machen würde, sah er auch keine Chance, jemals die errötende Braut zu sein. Er fühlte sich um das rauschende Fest einer Traumhochzeit geprellt und beschloss daher, zu einer obszön verschwenderischen Geburtstagsparty einzuladen.

Als ich auf Williams wunderschönes Haus zufahre, sehe ich einen Mann in einer Phantasieuniform, der mich zum Anhalten winkt.

»Darf ich den Wagen für Sie parken, Miss?« Ich steige aus und gebe ihm meinen Schlüssel.

Das Äußere des alten Landhauses wird von Batterien von Kerzenflammen angestrahlt. Es gibt auch einen Bogen von flackernden Kerzen um das Portal. Als ich die Treppe hinaufgehe, werden die Türen von zwei livrierten guten Geistern aufgezogen, und ich betrete Williams in Marmor gefasste Eingangshalle. Ich bleibe stehen, um mir ein Glas Champagner vom Tablett eines Kellners zu greifen, dann locken mich die Klänge einer Band in den großen Ballsaal, der schon gut gefüllt ist.

Ich kenne viele Gesichter. Der übliche Mix von ernsthaften Politikern und zynischen Journalisten, zwei Spezies, die selten Freunde sind, sich aber immer viel zu erzählen haben. Ich schlendere von einer Gruppe zur anderen und finde es schwer, mich auf irgendeine Konversation zu konzentrieren.

Dann sehe ich ihn. Er steht am Rand des Saals, nippt am Champagner und schaut über den Glasrand hinweg auf mich. Ich habe ihn bisher nur im Freizeitlook oder in der Uniform gesehen, die sein Geschäftsanzug ist, deshalb dachte ich, auf einem Fest mit Frack oder Smoking würde er vielleicht ein bisschen verloren aussehen.

Aber in dem maßgeschneiderten Smoking sieht Luke phantastisch aus. Umgeben von einem Meer von Männern in Abendanzügen sticht er heraus wie ein Rembrandt auf einer Ausstellung von Sonntagsmalern. Seine glänzenden blonden Haare sind streng zurückgekämmt und lenken die Aufmerksamkeit auf das perfekt geschnittene Gesicht. Im Kerzenlicht funkeln seine Augen gefährlich. Er sieht aus wie ein exklusiv verpacktes Geschenk, und ich lechze danach, die Verpackung aufzureißen und über das Innere herzufallen.

Seine Ankunft ist nicht unbemerkt geblieben, und ich sehe kleinere Chargen von Parteifreunden, die ihn umzingeln und dann weitergehen, um die Nachricht zu verbreiten. Seit dem Skandal und den vielen Interviews hat Luke sich nirgendwo mehr sehen lassen, und nun hat er dieses gesellschaftliche Ereignis gewählt, um sich zurückzumelden.

Er sieht, dass ich ihn anschaue, aber er reagiert nicht auf mich, dreht sich um und geht. Ich sehe, wie er sich noch ein Glas Champagner nimmt, dann verlässt er den Saal. Okay, fick dich selbst, Mister Luke Weston.

Später am Abend, als die Party auf Touren kommt, laufe ich auf dem Weg zur Toilette in Williams Arme. Er ist ganz schön betrunken; seine Fliege hat sich aufgelöst, und seine Augen können den Fokus nicht finden. Er hält mich am Arm fest und zieht mich auf die Tanzfläche.

»Ich sehe, dass Luke immer noch sauer auf dich ist.«

»Nicht so sauer wie ich auf ihn.« Ich lege meine Arme um Williams Taille. »Oh, William, warum sind bloß alle netten Männer schwul?«

William lacht. »Ich glaube, du wirst noch herausfinden, dass die netten Männer hetero sind.«

Ich schaue durch die Verandafenster auf den riesigen Garten, auf die Wälder und Felder dahinter und kann mir gut vorstellen, wie Generationen von De-Courcy-Kindern da draußen herumgetollt haben. William ist der Erbe einer großen Familie.

»Du hast einen phantastischen Besitz, William. Wie lange hat deine Familie schon hier gelebt?«

»Ich wohne seit fünf Jahren hier.«

Ich bin verwirrt. »Aber ich dachte, dass die de Courcys seit Jahrhunderten hier leben.«

»Nein, nein. Meine Familie stammt aus Norfolk. Ich bin der zweite Sohn, deshalb hat mein Bruder den Familienbesitz zusammen mit dem schönen Titel geerbt. Ich habe dieses Haus nur gemietet. Von Luke.«

Mir bleibt die Spucke weg. »Das ist Lukes Haus?«

»Ja.«

Ungläubig schaue ich mich um. Im Geiste zähle ich alles zusammen, das großzügige Haus, das Ackerland, die Wälder, die Ställe – ein Riesenvermögen. »Das alles gehört Luke?«

»Ja, alles. Alles vom Amigoni-Porträt im Treppenhaus bis zu Zolas Erstausgaben in der Bibliothek.«

»Luke ist ...«

»... stinkreich?«

»Ja.«

»Glaube mir, Cassandra, er ist millionenschwer.«

Ich habe noch eine Menge anderer Fragen, aber dann winke ich ab. Ich will es nicht wirklich wissen.

Camilla drängt sich an uns heran, dann zieht sie William

aus meinen Armen und schleppt ihn in eine dunkle Ecke. Offenbar ist ihr nicht bewusst, dass sie den falschen Baum anbellt.

Auf der anderen Seite des Tanzbodens sehe ich Toby, der nicht bereit ist, sich von seinen ungenügenden tänzerischen Fähigkeiten den Abend verderben zu lassen. Seine Partylaune ist ansteckend, und – leicht enthemmt von zu viel Champagner – eile ich zu ihm und tanze ausgelassen um ihn herum.

Die Band spielt eines meiner Lieblings-Abba-Lieder, und ich fühle mich selbst wie eine Dancing Queen und lasse mich vom Rhythmus mitreißen. Bald schart sich eine kleine männliche Zuschauergruppe um mich. Ich hebe die Arme und weiß, dass mein Kleid dadurch noch ein bisschen höher rutscht. Ich schwinge provozierend die Hüften.

Ich sehe, wie die Männer mich mit steigendem Interesse anstarren, deshalb will ich ihnen noch etwas mehr bieten. Ich bewege mich wie ein Vamp und lasse übermütig mein Becken kreisen.

»Weiter, Cas!«, ruft jemand, »zeig uns, was du hast.«

Drei Männer schwirren um mich herum; ich kenne sie vage aus der Parteizentrale. Sie drehen mich abwechselnd herum und wirbeln mich in die Arme des nächsten. Während ich kurz mit ihnen tanze, versucht jeder, das meiste aus dem engen Kontakt herauszuholen. Sie grabschen mit gierigen Händen. Ihre Berührungen erregen mich.

Dann spüre ich einen festeren Griff auf meinen Hüften. Ich drehe mich um und sehe einen sehr betrunkenen Simon hinter mir stehen. Er stößt seinen Schoß gegen meinen Po und reibt sich an mir wie ein hitziger Hund. Ich lache, als er die dünnen Träger meines Kleids von den Schultern streift. Meine rechte Brustwarze lugt über das Top aus schwarzem Samt.

Ich ziehe die Träger wieder hoch und tanze weiter, aber er

zerrt sie noch einmal nach unten. Diesmal hat er mehr Erfolg, und das Kleid rutscht bis zur Taille hinunter, und nun sind beide Brüste entblößt. Ich will es gleich wieder hochziehen, als Simon sich erneut nähert.

»Nein«, sage ich, aber Simon lässt sich nicht einschüchtern. Er packt mich an den Händen und zieht mich an sich. Seine nassen Lippen schlabbern in meinen Ausschnitt.

Was dann folgt, läuft wie ein Schemen vor meinen Augen ab, und außerdem dauert es ein paar Sekunden, ehe ich überhaupt begreife, dass da etwas geschieht. In einem Augenblick tanzt Simon hinter mir her, um nächsten zerrt ihn jemand von mir weg und lässt seine Faust in Simons Gesicht krachen. Simon torkelt von der Tanzfläche und fällt auf einen Tisch mit Gästen, die aus ihrer Unterhaltung gerissen werden.

»*Young and sweet, only seventeen*«, singt unsere Band den schwedischen Song in die tödliche Stille.

»Sie hat ›nein‹ gesagt.«

Alle drehen sich zu Luke um. Er steht allein mitten auf der Tanzfläche. Langsam entspannt er seine Fäuste.

Simon wird von einer Gruppe von Männern, die an dem zusammengebrochenen Tisch gesessen hatte, auf die Füße gestellt, und einen Moment sieht es so aus, als wollte er auf Luke los. Aber etwas in Lukes Ausdruck muss ihn gewarnt haben. Er murmelt etwas von Leuten, die keinen Spaß verstehen, dann verzieht er sich knurrend.

So schnell er begonnen hat, so schnell ist der Zwischenfall vorbei. Die Kellner beseitigen den Schaden und bringen einen neuen Tisch herein, dann werden die Gespräche wieder aufgenommen, die Band spielt, und die Leute tanzen wieder.

Mir ist die ganze Szene peinlich, und so stehe ich da, benommen und verwirrt, und kann mich nicht bewegen. Ich stehe hilflos da, während die Party um mich herum stattfindet. Dann packt mich jemand am Ellenbogen und zieht mich auf die Tanzfläche. Ich verdrehe den Hals, um zu sehen, wer mich herumwirbelt. Luke. Er schiebt mich in die Mitte der Tanzenden. Er bebt noch vor Wut, aber als er mich fest in die Arme nimmt, beginnt er zu tanzen und zwingt mich, seinem abgehackten Rhythmus zu folgen.

Die Band, sicher irritiert von dem Trubel, spielt *Jealous Guy*. Aber das so sehr passende Lied vom eifersüchtigen Kerl nimmt Luke einfach nicht zur Kenntnis; ihm steht nicht der Sinn nach Ironie. Er starrt mich lange an, und seine Augen schimmern dunkel vor einer Wut, die mich ängstigt.

»Zufrieden?«, zischt er.

»Was meinst du damit?«

»Hast du die Reaktion erhalten, die du gewollt hast?«

Auf der anderen Saalseite sehe ich Simon. Eine Gruppe von Parteifreunden umringt ihn. Wahrscheinlich wollen sie ihn zurückhalten, falls er sich immer noch auf Luke stürzen will. Er stößt trunkene Drohungen aus, und ich kann es sogar bis auf die Tanzfläche hören: Er will diesem Scheißkerl unbedingt eine Lektion erteilen.

»Ich habe es nicht auf irgendeine Reaktion abgesehen.« Ich sehe ihm in die Augen und bemühe mich um meine gewohnte Sorglosigkeit im Ausdruck.

»Erzähl mir doch nichts, Cassandra. Tu nicht so unschuldig. Männer können nichts dafür, wenn sie von einer Frau erregt werden, die eine solche Schau hinlegt. Du hast dich verdammt lüstern verhalten.«

In seinen Armen fühle ich seinen harten Körper unter dem Smoking.

»Ah, ich habe es also gewollt, dass er mich anpackt, was? Spar dir deine Neandertaler-Version der Sexualpolitik für jemand anders auf, Luke. Ich habe ausgelassen getanzt, nicht mehr und nicht weniger.«

Seine Finger auf meinen Armen graben sich tiefer in die

Haut ein. »Du hast nicht getanzt. Du hast ihnen eine Wichsvorlage geliefert.«

»Sei nicht so geschmacklos.«

Ich zucke zusammen, als seine Griffe sich noch tiefer in meine Haut versenken.

»Geschmacklos?« Er lässt meine Arme los und legt seine Hände auf meinen Po. Er drückt mich gegen seinen Schoß. Er starrt mich kalt und sogar mit Hass an. Ich bin sehr verwundert. Was habe ich getan, um ihn derart zu provozieren? »Es gefällt dir, Männer auf diese Weise anzumachen. Du willst ihnen Bilder liefern, zu denen sie masturbieren können.«

»Nein«, fauche ich ihn an. »Nein, ganz sicher nicht.«

Er drückt ein langes Bein zwischen meine Schenkel und zwängt sie auseinander. Seine Hände drücken noch fester auf meinen Po. Ich spüre den Druck seines Beins angenehm gegen meine Pussy. Ich fluche auf meinen Körper, weil er mich verrät. Er ist so gemein zu mir, und doch erregt er mich.

»Bist du sicher?«, fragt er.

»Ja.«

Er flüstert in mein Ohr: »Und warum hat der junge Toby dann einen Packen schmutziger Bilder von dir und dein Höschen in seiner Schreibtischschublade?«

Mein Entsetzen ist nicht gespielt.

»Woher weißt du ...?«

»Ich habe sie gefunden, als er vergangenen Monat in ein anderes Büro gezogen ist.« Ihm gefällt meine Verlegenheit.

»Um Himmels willen. Der arme Toby. Was hast du mit den Bildern gemacht?«

»Ich habe sie zurück an ihren Platz gelegt. Ich hätte sie gern als Vorlage benutzt, aber sie waren schon ziemlich klebrig.« Die Vorstellung, dass sie beide meine Bilder beim Masturbieren benutzen, setzt alle Rädchen der Lust in meinem Kopf in Bewegung.

Mehr Paare sind jetzt auf der Tanzfläche, und wir werden immer wieder angestoßen und in die eine oder andere Richtung geschoben, aber wir bemerken es beide nicht. Ich genieße den Puls der Musik und die Nähe seines Körpers. Er bewegt mich sanft auf seinem Schenkel auf und ab. Fast gegen meinen Willen beginnen meine Hüften zu kreisen. Ich reibe mich an ihm. Ich sehe ihm in die Augen, und darin lese ich, dass er weiß, was ich tue. Aber ich kann nicht damit aufhören.

»Außerdem«, sagt er, »warum brauche ich ein Bild, wenn ich das Original haben kann?«

Jetzt geht er zu weit. Wie kann er davon ausgehen, dass er mich jeder Zeit haben kann? »Du eingebildeter Bastard. Sei dir mal nicht so sicher.«

»Ich bin nicht eingebildet. Es ist die Wahrheit, und du weißt es.«

Er drückt eine Hand zwischen unsere Körper und legt sie auf meine linke Brust. Ich hebe den Kopf und schaue in seine Augen. Ich bettle schweigend. Seine Hand reibt meinen Nippel. Es fühlt sich so gut an. Ich kann fühlen, wie die flüssige Hitze der Erregung mich gefangen nimmt.

»Weißt du es nicht, Cassandra?«, fragt er. Ich kann nichts sagen. Er bückt sich und nagt an meinem Ohrläppchen. Ich will nicht daran denken, wie betörend sich seine Lippen auf meiner Haut anfühlen. Ich wende den Kopf zur Seite, aber er bringt ihn zurück. Er ist nicht rau, aber ich spüre eine Entschlossenheit in seiner Berührung. Ich muss nachgeben.

Er lässt seine Hände über meine Seiten gleiten, und dann spüre ich, wie er am Saum meines Kleids zerrt. Langsam zieht er es hoch, und ich seufze in sein Jackett. Er hebt das Kleid vorn, während man von hinten nichts sehen kann.

Jetzt spüre ich seine Hand, die über mein Spitzenhöschen reibt. Er reizt mich, bis ich zum Bersten gespannt bin. Kleine wimmernde Laute dringen aus meiner Kehle, als er erst einen und dann zwei Finger ins Höschen schiebt.

Ich schmiege mich an ihn. Ich kann die sanften, quälenden Berührungen nicht mehr ertragen, ich will mehr von ihm. Als könne er meine Gedanken lesen, gibt er wenigstens meiner Klit die Beachtung, die sie benötigt. Er reibt vor und zurück, druckvoll, kräftig, wirksam. Seine Hand macht mich fertig. Ich bin besorgt, dass ich meine Lust nicht mehr für mich behalten kann.

Ich fühle, wie sich dieses einzigartige Gefühl aufbaut, dieser köstliche Drang nach Erleichterung. Aber er muss aufhören. Ich kann doch nicht hier, mitten unter allen Leuten, meinen Orgasmus herausschreien.

Ich versuche zu sprechen. »Luke, ich … bitte, ich kann nicht.«

Er ignoriert mich, und ich spüre, wie er einen Finger tief in mich hineinstößt.

Bevor ich mich zurückhalten kann, schreie ich – es wird ein nur halb unterdrücktes Quietschen. Die Paare um uns herum halten in der Bewegung inne und starren uns an.

»Ist alles in Ordnung mit Ihnen?« Ein großer Mann, der mit einer glitzernden Blondine tanzt, sieht mich besorgt an. Bevor ich etwas sagen kann, kneift Luke mich mit der anderen Hand in den Po, während er den Finger wieder pumpend bewegt.

»Ja, ja, alles in Ordnung«, sage ich, meine Stimme erstaunlich ruhig. »Ich bin mit dem Zeh gegen etwas gestoßen.«

Belebt von Musik und Alkohol tanzen die anderen Paare weiter und vergessen meinen Aufschrei wieder. Wir stehen nicht mehr im Mittelpunkt ihres Interesses.

Luke hat die Hand nicht aus meinem Höschen gezogen. Er streichelt und reibt mich weiter, bis alle Gedanken schwinden, ihn zum Aufhören zu bewegen. Im Gegenteil, ich drücke ihm meinen Schoß entgegen und bettle um mehr. Er kreist mit dem Daumen über meine Klitoris, während ein Finger wieder in mich eindringt. Tief stößt er hinein, und ich tanze ein paar Schritte auf den Zehenspitzen. Das macht er einige Male. Ich schmiege meinen Kopf an seine Brust.

Jetzt will ich meinen Höhepunkt beim Tanzen in seinen Armen erleben, und es ist mir egal, wer dabei zuschaut, was er mit mir anstellt. Mir gefällt die Vorstellung, dass er auch den hinteren Teil meines Rocks hebt, sodass jeder meinen Po sehen kann. Dann aber kann ich nur noch an eins denken – an meine Gier, vom Orgasmus überflutet zu werden. Die Lust sprudelt in mir, und ich halte mich an Luke fest, verberge mein Gesicht in seinem Hemd und warte auf die Erlösung, die so nahe ist.

Als sie einsetzt, spannt sich mein Brustkorb, und mein Puls beginnt zu rasen. Ich beiße in meine eigene Hand, um meine Schreie zu ersticken, als die Wellen der Lust über mir zusammenschlagen.

Geschwächt von der Gewalt meines Höhepunkts bewege ich mich auf wackligen Beinen, und mein Atmen hört sich wie das Japsen eines Hundes an. Aber Luke hat kein Mitgefühl. Er greift in meine Haare, zieht meinen Kopf hoch und zwingt mich, in sein kaltes, leidenschaftsloses Gesicht zu sehen.

»Siehst du«, flüstert er, »ich kann dich haben, wann immer ich will.«

Dem habe ich nichts entgegenzusetzen.

Wir tanzen weiter, aber unsere Füße schlurfen in einem Rhythmus, der mit der Musik nichts zu tun hat. Luke drückt mich wieder an sich, und ich kann seine Erektion spüren, die sich fest und warm an meinem Bauch reibt. Seine Erregung verwundert mich. Er ist nicht so kalt, wie er mich glauben machen will. Ich sehe ihm in die Augen und fordere ihn stumm heraus, den nächsten Schritt zu gehen.

Er packt meine Gelenke und zieht mich mit sich, und ich

stolpere hinter ihm her durch eine Terrassentür. Die kühle Nachtluft ist erfrischend nach der stickigen Hitze im Saal, und dankbar atme ich tief ein.

Wir stehen auf einer breiten, langen Terrasse. Sie wird von einer gusseisernen Balustrade begrenzt, hinter der sich der wunderbare Garten erstreckt. Luke führt mich an das äußerste Ende der Terrasse, dann schaut er ein paar Atemzüge lang hinaus in die Nacht. Nach einer Weile nimmt er meine Hand und führt sie an seinen Schritt. Unter dem feinen Stoff fühle ich, wie sich die Erektion bewegt.

»Hol ihn raus«, befiehlt er, die Stimme tief und heiser.

Ich schaue über die Schulter zum Ballsaal. »Aber jemand könnte uns sehen«, wende ich ein.

»Tu's einfach«, sagt er und presst meine Finger fester gegen seinen Schaft.

Wir drehen der Party den Rücken zu, und wahrscheinlich sieht es aus, als hätten wir uns zu einem harmlosen Plausch getroffen. Der Gedanke, dass wir jeden Augenblick erwischt werden können, törnt mich an, und es ist erstaunlich, wie meine Pussy dabei in neuer Gier zuckt. Ich ignoriere die Warnungen, die mein Verstand schickt, und greife mit einer Hand an den Reißverschluss seines Hosenstalls.

Meine Position ist ungünstig, und ich kann den Reißverschluss nur langsam hinunterziehen. Der langsame Prozess steigert Lukes Erregung noch, und ich höre, wie er zischend die Luft einsaugt. Um seine Lippen zuckt es leicht; er ringt darum, die Kontrolle zu behalten. Er beugt sich vor und hält sich an der Balustrade fest, die Knöchel weiß und gespannt. Sein ganzer Körper ist so gespannt; er sieht so aus, als würde er gleich bei der ersten Berührung schon zerspringen.

Sein Schaft ist schon so hart, dass es eine Weile dauert, bevor ich ihn heil aus den Boxershorts befreit habe. Er springt mir in die Hand. Ich streiche mit den Fingernägeln über die gesamte Länge und drücke die samten Spitze.

»Nimm ihn in die Hand«, zischt er drängend.

Ich nehme ihn in die Hand und fange an, ihn zu verwöhnen. Ich halte ihn fest umschlossen, streife mit der Hand nach oben und drehe die Finger um die Eichel und reibe auf und ab. In der ersten Nacht im Hotel habe ich durch sein Stöhnen gelernt, wie er am liebsten angefasst wird. Später, als ich ihm zusehen durfte, wie er sich selbst rieb, habe ich ihn genau beobachtet, ich habe mir das Tempo gemerkt, das immer ungestümer wurde, bis kurz vor dem Ende, da wurde er bedeutend langsamer.

Ich wende jetzt alles an, was ich gelernt und beobachtet habe. Meine Hand nimmt den Rhythmus vom ersten Mal auf, und ich höre an seinem Stöhnen, wie viel Druck er spüren möchte. Ich lehne mich näher zu ihm, damit ich mit der anderen Hand seine Hoden streicheln kann. Ich hebe sie an und drücke sie gegen seine Schwanzwurzel.

»Oh, das ist gut, Cas.« Die Worte kommen wie ein Schwall heraus, eine Silbe geht in die nächste über. Erst jetzt wird mir bewusst, dass er den Atem angehalten hatte. Meine Hand drückt kräftiger zu, aber nun ist er so steif geworden, dass er den Druck wahrscheinlich kaum spürt. Er ist wirklich eisenhart.

Seine Augen sind geschlossen, damit er sich besser konzentrieren kann. Ich weiß, dass er gegen meine Hand stoßen will, aber das würde jemand, der zufällig einen Blick auf die Terrasse wirft, natürlich bemerken. Der Zwang stillzuhalten ist wie Folter für ihn.

Ich arbeite schneller und weiß, dass er nahe dran ist. Wegen der höheren Wahrnehmung, die mit der sexuellen Erregung einhergeht, kann ich jeden Atemzug hören und seine Geilheit riechen.

Dann stößt er aus der Tiefe seines Brustkorbs ein Stöhnen aus, und er beginnt zu zittern. »Oh, Mann«, ächzt er, »pass auf, ich komme, Cas.«

Ich senke den Blick, und der erste Schub platzt heraus und fliegt hinunter in den Garten. Sein Orgasmus dauert wahnsinnig lange, und ich drücke rhythmisch meine Hand um seinen Schaft. Die letzten Spritzer rinnen über meine Finger.

Als es vorbei ist, richtet er sich auf, hält sich noch an der Balustrade fest und atmet durch. Dann steckt er den Penis zurück in die Hose und schließt den Reißverschluss.

In diesem Moment bricht eine andere Stimme in meine oh so privaten Gedanken.

Camilla steht an der Terrassentür und winkt.

»Oh, verdammt«, sagt Luke. Er greift nach meiner Hand und drückt sie so fest, dass es ein bisschen schmerzt. »Komm, wir hauen ab.«

Als ich protestieren will, schiebt er mich ein paar Schritte zurück. Da gibt es eine Treppe, über die man von der Terrasse in den Garten gelangen kann.

»Luke, wohin …?«

»Sei still.« Um sicher zu sein, dass ich tatsächlich still bleibe, drückt er eine Hand auf meinen Mund. Sein Orgasmus hat ihn nicht besänftigt, und ich spüre immer noch die Spannung in seinen Berührungen.

Er geht zu schnell, und in meinen hohen Absätzen kann ich ihm nicht folgen. Ungeduldig zerrt er mich hinter sich her, und ich stolpere und falle gegen seine Brust. Er legt einen starken Arm um meine Taille und trägt mich halb über den Rasen und hin zu den Ställen.

Ich fühle, wie mir der Schweiß ausbricht. Am liebsten würde ich aufschreien, aber irgendwas hält mich zurück. Ich habe wirklich Angst, aber so verrückt es auch klingen mag, die Angst erhöht noch meine Erregung. Ich will mit ihm gehen, ganz egal, wohin er mich bringt.

Schließlich erreichen wir die Ställe. Das letzte Mal, als ich die Gebäude mit den roten Ziegelsteinen und die eleganten Pferde in ihren Boxen gesehen hatte, war ich noch der Meinung gewesen, dass William der Besitzer wäre. Jetzt wundert es mich nicht, dass Luke sich auf vertrautem Terrain befindet. Er schleppt mich zu einer schmalen Tür, hält mich immer noch mit einer Hand fest und greift mit der anderen Hand in seine Tasche, holt den Schlüssel heraus und schließt die Tür auf.

Er will mich ins Innere zerren, aber ich sträube mich. Ich bin noch nicht auf der Toilette gewesen, wo ich schon hinwollte, als William mich abgefangen hat, und nun fühle ich, dass ich bald platze. Es scheint lächerlich, ihn um Erlaubnis zu bitten, aber was soll ich denn tun?

»Luke, ich muss zur Toilette.«

»Nein, ich lasse dich nicht aus den Augen.«

»Bitte.«

»Ich sagte nein. Ich bin noch nicht fertig mit dir.«

»Bitte, Luke. Ich will doch gar nicht weg, aber ich muss dringend pinkeln.«

»Du kannst dahin gehen.« Er zeigt mit der Hand auf eine dunkle Ecke des Hofs.

»Das kann ich nicht. Nicht, wenn du hier bist.«

»Nun, dann wirst du warten müssen.« Er wendet sich wieder der Tür zu. Aber ich bin verzweifelt.

»Okay, ich gehe dahin. Aber du bleibst hier, und du schaust nicht hin.« Ich laufe in die Ecke, und zu meinem Entsetzen sieht er mich direkt an, während ich mein Kleid hebe, mein Höschen nach unten bis auf die Gelenke ziehe und mich in die Hocke begebe. Er lehnt sich gegen die Tür, verschränkt die Arme vor der Brust und wartet. Ich muss mich erleichtern, ob er zuschaut oder nicht. Ich höre, wie es aus mir hinausfließt, und zu meinen Füßen bildet sich eine Lache.

»Sehr hübsch«, sagt er, als ich mich aufrichte und das Höschen wieder anziehe. Ich bin schrecklich verlegen und kann ihn nicht anschauen. Ich schäme mich dafür, was ich gerade vor seinen Augen getan habe, und es kränkt mich, dass er offenbar seinen Spaß daran gehabt hat – ich habe Männer, die auf solchen Sachen stehen, immer für Perverse gehalten. Aber ich schäme mich noch mehr, dass ich sein Zuschauen erregend gefunden habe.

Ich erinnere mich, dass es mir peinlich war, als Luke zugesehen hat, wie Camilla zur Toilette gegangen war. Jetzt hat er mir zugesehen, und das ist mir noch peinlicher. Aber ich würde es wieder tun.

Luke scheint über das Schlimme seines Tuns keinen Augenblick nachzudenken. Als ich wieder bei ihm bin, schiebt er mich einfach in den dunklen Raum. Die Dunkelheit macht mir Angst.

»Bitte«, sage ich schwach. »Ich schreie. Ich rufe, und in Sekunden wird jemand hier sein.« Ich weiß nicht einmal, ob er mich überhaupt anschaut.

»Dann geh doch.« Seine Stimme kommt aus der Dunkelheit.

Ich sage nichts. »Ich sagte, dass du dann gehen kannst.«

Ich schweige weiter.

»Du willst nicht gehen, nicht wahr?«

»Nein.« Die Erniedrigung meines Bekenntnisses lässt mich erröten.

»Okay, dann hör auf, dich wie ein albernes Mädchen zu benehmen, und tu, was man dir sagt.«

Er schaltet ein Licht ein, und ich bedecke mein Gesicht mit den Händen, weil das grelle Licht in meinen Augen brennt.

»Es tut mir Leid«, sagt er, »aber ich muss was sehen.« Er wendet mir kurz seinen Rücken zu, dann höre ich, wie er zwei schwere Riegel vor die Tür schiebt.

Als ich mich an das Licht gewöhne, sehe ich, dass wir in einem Sattelraum sind. An den Wänden hängen glänzende Sättel und Zaumzeug. Neben der Tür gibt es ein Regal mit

Pferdedecken, und in jede Decke ist der Name »WESTON« eingestickt. In einer Ecke steht ein großer Behälter mit einer Sammlung von Lederpeitschen. Sie haben verschiedene Längen; die großen benutzt man beim Voltigieren, die kürzeren setzt man bei Rennen ein. Es schüttelt mich, als Luke hinübergeht und eine Peitsche in die Hand nimmt, eine lange, die gefährlich aussieht. Er lässt sie durch die Hand gleiten und betrachtet sie nachdenklich. Er ist den Umgang mit Pferden gewohnt, deshalb kann er gut mit der Peitsche umgehen, und als er sie mit einer blitzschnellen Handbewegung knallen lässt, zucke ich zusammen und verstehe die Drohung.

»Luke? Was machst du da?« Die Frage ist überflüssig. Es ist allzu ersichtlich.

»Wenn du dich wie eine Schlampe aufführst, ist es an der Zeit, dass ich dich wie eine Schlampe behandle.« Seine Worte jagen Schauer der Lust durch meinen Körper. Ja, gut, er soll mich wie eine Schlampe behandeln.

Aber noch rührt er mich nicht an. Er dreht sich um und bewegt sich von mir weg. Dann setzt er sich auf eine Kiste am Ende des Raums. Die Peitsche legt er auf seinen Schoß. Er greift nach seinen Zigaretten. Er zündet eine an und beobachtet mich durch die blaue Rauchwolke, die er ausstößt. Er mustert mich von oben bis unten, wie ein Pferdehändler, der ein teures Tier abschätzt. Oder wie ein Freier, der sich eine Hure aussucht. Wähle mich, rufe ich ihm in meiner Phantasie zu, wähle mich. Zahle für mich. Du kannst mit mir tun, was du willst. Ich stehe mitten im Zimmer und schüttle mich vor unterdrücktem Verlangen.

Dann, noch während er mich mustert, sehe ich plötzlich einen missbilligenden Blick in seinem sonst reglosen Gesicht.

»Komm her«, befiehlt er. Ich traue mich nicht, mich ihm zu verweigern, also gehe ich quer durch den Sattelraum und bleibe vor ihm stehen.

»Was ist denn?«, frage ich, plötzlich besorgt, dass ihm etwas missfällt.

»Dieser Lippenstift. Er gefällt mir nicht«, antwortet er. Er schmiert mit dem Daumen über meine Lippen. Eine solche Tat würde ich sonst mit einem Schlag in das arrogante Gesicht ahnden, aber jetzt stehe ich nur da und akzeptiere, dass Luke alles mit mir machen kann, was er will.

»So, das ist besser«, sagt er. »Jetzt will ich meine eigene Privatschau. Es hat dir so gut gefallen, als du eben vor diesen armen Schweinen getanzt hast, dann kannst du jetzt für mich tanzen.«

Ich zögere und komme mir albern vor.

»Fang schon an, Cas. Mach mich so scharf, dass ich mir einen runterholen muss.« Bei seinen kruden Worten verziehe ich das Gesicht. Er sieht mein Unbehagen, aber er hört nicht auf. »Mach mich geil, Cas, mach mich so hart, dass es wehtut.«

»Ich kann nicht. Ich ...«

»Tanze«, befiehlt er in einem Ton, den ich bisher noch nicht gehört habe. Es ist ein Ton, der mir jeden Widerspruch aus dem Kopf schlägt. Ich sehe, wie seine Finger sich auf die Peitsche in seinem Schoß legen. Weil ich ihn nicht weiter provozieren will, beginne ich zu tanzen. Mein Körper bewegt sich im leisen Beat, der von der Party zu uns dringt.

Er hat natürlich Recht – es gefällt mir. Während ich meine Hüften kreisen lasse, gleiten meine Hände über meinen Körper. Ich weiß, dass ich die Männer anmachen wollte. Ich werde wild bei der Vorstellung, dass sie sich von der Tanzfläche verdrücken und eine verlassene Ecke im Garten finden, um heimlich zu masturbieren.

Mir liegt viel daran, Luke anzumachen. Während ich tanze, beobachtet er mich aus zusammengezogenen Augen, aber sein Gesicht zeigt keine Regung. Ich bewege mich auf ihn zu und ziehe die Schultern vor. Ich lasse die Brüste kreisen, aber ich bin frustriert, weil er nicht einmal versucht, mich zu berühren. Ich schwenke den Po, und mein Kleid rutscht wieder die Schenkel hinauf. Aber ich bin es, die erregt ist, während er mich nur kühl betrachtet.

Er zieht noch einmal an seiner Zigarette, dann wirft er die Kippe auf den Boden und tritt sie mit dem Absatz aus. »Genug«, sagt er, und ich höre auf zu tanzen und bleibe wartend mitten im Raum stehen.

»Gut.« Er hebt die Peitsche und fährt mit dem Knauf über die Vorderseite meines Körpers. Ich erstarre, als er mit der Peitsche unter mein Kleid geht und den Saum langsam hebt.

»Zieh dich jetzt aus.«

Ich verschränke meine Arme vor der Brust, bücke mich nach dem Saum und will mir das Kleid über den Kopf ziehen. Aber er hat was dagegen.

»Nein, nicht so schnell.«

Ich spüre, wie die Peitsche über meinen Schenkel streicht. Es ist keine Bestrafung, nur eine Erinnerung an die Gefahr, die drohen könnte.

»Lass dir Zeit. Hebe dein Kleid langsam an.« Ich greife wieder nach dem Saum und hebe ihn an. Als er das Ende meiner Strümpfe sehen kann, halte ich inne.

»Weiter«, befiehlt er. Unterwürfig hebe ich das Kleid höher, und nun kann er das Dreieck meines Höschens sehen.

»Wie aufmerksam – die Farbe der Partei«, sagt er, und das erste Mal sehe ich ihn lächeln. »Braves Mädchen.«

Es ist lächerlich, aber ich bin erfreut, dass ich in seinen Augen mal etwas richtig gemacht habe.

»Zieh das Höschen zur Seite.«

Ich gehorche, und als meine Hand über die Scham streicht, kann ich nicht anders und lasse einen Finger in die feuchte, heiße Furche eindringen. Fast sofort klatscht die Peitsche gegen meine Hand, eine stumme, aber klare Warnung.

»Noch nicht«, sagt er streng. »Erst, wenn ich es sage. Jetzt. Versuche es noch mal.«

Diesmal tue ich nur, was er mir sagt, und ich stehe reglos da, das Höschen zur Seite gezogen, und gestatte ihm einen Blick auf meine entblößte Pussy.

»Okay, dreh dich jetzt um.«

Ich lasse mein Kleid fallen, wende ihm den Rücken zu und warte auf den nächsten Befehl.

»Zieh deine Schuhe aus.« Ohne zu zögern, bücke ich mich und öffne die Schnallen meiner hochhackigen Schuhe. Aber dann ändert er seine Meinung: »Nein, hör auf.«

Ich stehe noch gebückt da und verharre wieder ohne jede Bewegung. Mit einem kurzen Flip seiner Peitsche hebt er mein Kleid zu den Hüften hoch.

»So ist es besser. Zieh jetzt dein Höschen aus.«

Es hätte der Aufforderung nicht bedurft, denn ich will nichts lieber, als mich ganz vor ihm zu entblößen. Ich schiebe beide Daumen in den Streifen Spitze im Bund des Höschens und schiebe es über die Pobacken. Ich fühle, wie es nach unten rutscht, und ich spüre die kühle Nachtluft zwischen den nassen Lippen meines Geschlechts.

»Sehr schön. Richte dich auf.«

Nein, verdammt, sieh mich an. Aber ich traue mich nicht, mich ihm zu widersetzen.

»Fein«, sagt er leise. »Streife das Höschen über deine Schuhe, dann gibst du es mir.«

Ich gehorche und trete aus dem Höschen heraus. Dann bücke ich mich nach dem Fetzen Spitze und reiche ihn Luke.

»Das ist aber böse«, sagt er missbilligend, als er den Stoff befingert. »Das ist sehr, sehr nass.«

»Entschuldige.« Das Wort schlüpft aus meinem Mund, bevor ich es aufhalten kann.

»Ich weiß, dass es dir Leid tut, Liebling. Aber du weißt auch, dass ich dich bestrafen muss. Zieh dein Kleid hinunter.«

Ich streife die Träger von den Schultern, schiebe das Kleid über die Schultern und enthülle meine Brüste.

»Zieh es aus.«

Ich schlüpfe aus dem Kleid und stehe fast nackt vor ihm. Er hat die Augen auf meine Brüste gerichtet, und wie von selbst strecken sich meine Schultern nach hinten, damit die Brüste sich weiter nach vorn recken, ihm entgegen. Er starrt sie weiter an, und zum ersten Mal erkenne ich einen schmachtenden Glanz in seinen Augen.

»Fass sie an«, sagt er.

Ich streiche die Handflächen langsam über meine Nippel, was den verhaltenen Schmerz lindert und die Gier gleichzeitig neu entfacht.

»Sehr gut«, flüstert er. Er klingt so ruhig, so besonnen, aber als er sein Gewicht von einem Bein auf das andere verlagert, fällt mir seine Erektion auf, die gegen den Hosenstoff drückt. Das freut mich zwar, aber meine Furcht ist größer als mein Triumph. »Mach weiter.«

Meine Hände setzen die genüssliche Erkundung meiner Brüste fort. »Wie meinst du das?«

»Ich meine, du sollst mit der Schau weitermachen.« Ich sehe ihn ausdruckslos an, und er präzisiert: »Ich will dir dabei zusehen, wie du dich zwischen den Beinen berührst.«

»Nein.« Ich werde ihn nicht zusehen lassen, wie ich masturbiere.

Er lacht auf. »Nun spiel bei mir nicht die Spröde, Cas. Du siehst so verdammt scharf aus, dass ich genau weiß, wie sehr du es brauchst.«

Es stimmt. Ich habe es nötig. »Nein, da irrst du gewaltig.« Mir fällt das Sprechen zunehmend schwer.

»Du wirst es tun, Cas.« Seine Stimme klingt leise, aber ich verstehe jedes Wort. »Du willst vor mir stehen, deine hübsche Pussy öffnen und mir zeigen, wie du dich reibst.«

»Ich kann das nicht«, wimmere ich.

»Du kannst es, und du wirst es tun.«

Er reckt sein Kinn, und die Bosheit in seinem Ton alarmiert mich. Ich muss tun, was er sagt. Meine Hand kriecht über den Bauch auf meine Pussy zu, und ich beginne, mich verlegen zu reiben. Als ich die Klitoris leicht streife, überwältigt mich meine Gier nach Erleichterung und vertreibt jedes Gefühl von Peinlichkeit.

Ich fühle seine Blicke auf mir, aber meine demütigende Lage interessiert mich nicht mehr. Ich reibe mich härter und schneller. Meine Lider flattern, ehe sie sich schließen. Ich nähere mich dem Orgasmus, als er erneut seine Meinung ändert. Die Peitsche huscht über meine Hände, und ich traue mich nicht, sie weiterzubewegen.

»Noch nicht«, flüstert er.

Er lässt sich Zeit, steht von der Kiste auf und geht durch den Raum. Ich sehe ihn an und schnappe nach Luft, als wollte ich damit meinen rasenden Puls besänftigen. Er geht zum Zaumzeug, schnallt einen Ledergurt ab und lässt ihn durch seine Hände gleiten. Er befiehlt mir, die Arme auszustrecken.

Hilflos vor Verlangen gehorche ich. Ohne ein Wort windet er das weiche Leder um meine Handgelenke und befestigt das andere Ende an einem Sattelregal in der Mitte des Raums. Ich bin nicht fest gefesselt und könnte mich vielleicht lösen, aber nichts in der Welt könnte mich dazu bringen.

Dann zucken wir beide zusammen, als wir draußen eine kurze Unterhaltung hören. Wir sind offenbar nicht die Einzigen, die sich am Abend der großen Party ein stilles Plätzchen auf Lukes Landhaus suchen.

Ich schüttle mich immer noch. Ich blicke zu Luke und frage mich, ob er wieder eine Hand auf meinen Mund pressen wird. Er lauscht den murmelnden Stimmen mit gesenktem Kopf, als müsste er nachdenken. Aber als er wieder aufschaut, sehe ich keine Verunsicherung in seinem Gesicht. Er weiß, dass er mich auf mehrere Weisen gefangen hält. Er steht hinter mir, und ich kann seinen Atem heiß im Nacken spüren.

»Nun mach doch, Cas«, flüstert er. »Du brauchst sie nur zu rufen.«

Draußen ist das Gelächter der Unbekannten lauter als seine Worte. Luke fährt mit einem Finger über meine trockenen Lippen. Aber ich bringe kein Wort heraus.

»Sie stehen auf dem Hof«, murmelt Luke. »Wenn du sie rufst, können sie dich retten.«

Ich sage immer noch nichts. Er versteht mich viel zu gut. Ich stehe gefesselt vor ihm, nackt bis auf Strümpfe und Schuhe, aber ich bin nicht besorgt. Meine Furcht ist vielmehr, dass er aufhört, sich mit mir zu beschäftigen.

Dann ist es zu spät. Meine Chance ist vorbei, denn wir hören die knirschenden Schritte auf den Kieselsteinen, dann ist wieder Stille.

Luke bricht das Schweigen. »Was jetzt, Cas?«

»Ich weiß es nicht.«

Er lächelt. Er weiß, dass er das grausame Spiel, das er mir aufdrängt, gewonnen hat. »Du weißt es nicht? Ich glaube doch.« Er wartet ab, und ich warte ab. »Ich werde dir wehtun.«

In seiner Aussage schwingt eine Frage mit. Ich senke das Kinn in der Andeutung eines Nickens.

Ich höre, wie er hinter mich tritt. Ich höre, wie er tief Atem holt. Dann spüre ich den ersten Schlag, als die Peitsche auf meinen nackten Po trifft. Es ist kein harter Hieb, aber der Schock lässt meinen Atem stocken.

Er holt wieder aus, und diesmal schlägt er schon härter zu. Neue köstliche Sensationen schwirren durch meinen Körper. Jetzt stoße ich einen Schrei aus, ein einziger Knurrlaut, als Flammen des Schmerzes sich von der brennenden Pobacke wie Lustpfeile in meinem Unterleib bohren. Schlag auf Schlag trifft auf mein Fleisch, und ich fühle mich auf ein unbekanntes Plateau gehoben. Nur eines ist mir klar: Wenn er so weitermacht, werde ich bald einen Orgasmus erleben.

»Luke!« Ich rufe seinen Namen, will, dass er aufhört, will, dass er weitermacht. Ich weiß nicht, was ich will.

Er hört auf. Es klatscht leicht, als die Peitsche aus seiner Hand und auf den Boden fällt. Ich vernehme ein Wimmern, und einen Moment lang bin ich unsicher, wer von uns diesen Laut von sich gibt. Aber er war es. Ich drehe den Kopf und sehe, wie er auf die Hand starrt, in der er die Peitsche gehalten hat, ein Ausdruck von Ungläubigkeit in seine Gesichtszüge gemeißelt.

Es gibt eine dünne Linie zwischen der Erotik und dem Obszönen – ein Dreh- und Angelpunkt, an dem die Erregung kippt und die Empörung einsetzt. Ich frage mich, wie nahe Luke gerade seiner eigenen Grenze gekommen ist.

Er schüttelt leicht den Kopf, atmet tief ein und scheint sich wieder gefangen zu haben. Er geht auf mich zu, tritt dann hinter mich. Er ist so nah, dass ich spüre, wie sein Jackett meinen nackten Rücken streift. Ich bleibe still stehen und warte auf seine Berührung.

Ich schaue hinunter, als er meinen Körper umfängt und seine Handflächen über meine Brustwarzen reibt. Der Kontrast seiner gebräunten Haut gegen das Alabasterweiß meiner eigenen fasziniert mich. Seine Hände fühlen sich wunderbar an. Ich schüttle mich vor Erleichterung und Wonne.

Mich sucht fast eine Ohnmacht heim, so sehr packt mich die Wollust, als er mit einer Hand über meine Hüfte streicht und dann mein Delta erforscht. Mit einem Finger stößt er gegen die Klitoris. Ich hatte gedacht, er würde rau mit mir umspringen. Ich hätte mich dann besser unter Kontrolle gehabt. Aber er berührt mich wie mit Samthandschuhen. Der Gegenpol vom harten Biss der Peitsche und der zarten Feinfühligkeit seiner Hand bringt mich zum Schmelzen, und wenn ich es zuließe, würde ich auf der Stelle kommen.

Er weiß genau, was er tun muss, um mich zum Zittern zu bringen. Mit sinnlicher Genauigkeit lässt er einen Finger im Eingang zu meinem Geschlecht kreisen. Meine Muskeln klammern sich um ihn, aber dann streift er mit dem Finger zurück, drückt auf den Damm und presst härter gegen den Anus. Er bewegt den Finger kaum, behält aber den Druck bei, und langsam und schamlos saugt mein Körper ihn hinein. Er kitzelt mich sanft, und mein Körper schwelgt in Lust.

Ich kann mich kaum noch auf den eigenen Beinen halten. Klar, da ist auch eine gewisse Verlegenheit, aber größer als alle anderen Emotionen ist die intensive Lust. Ich weiß nicht, ob ich sie derart absolut schon einmal wahrgenommen habe.

»Siehst du, ich weiß mir zu helfen«, flüstert er. »Ich hole mir alles, was ich von dir haben will.«

»Nein«, rufe ich.

Der Ruf endet in einem frustrierten Wimmern, als er die Hand zurückzieht.

»Was ist los, Cas? Sage es mir. Sage mir, was du willst.«

»Nein.« Ich werde ihn nicht anbetteln.

Er steht noch hinter mir, und ich höre, wie er den Reißverschluss aufzieht. Ich will mich zu ihm drehen, und obwohl ich es nicht sehe, kann ich an seinem Atmen hören, dass er seinen Schaft in die Hand nimmt. Er streichelt sich, und ab und zu streifen seine Knöchel meinen Po.

»Ist es das, was du willst?«

Ich spüre, wie er den Schaft zwischen meine Beine schiebt, und verzweifelt drücke ich ihm mein Becken entgegen. Er berührt nur kurz meine Klitoris, teilt die Labien und schiebt sich in die Kerbe der Backen.

»Ja«, stoße ich aus.

»Sieh dich an. Du hechelst danach, was?«

»Ja.«

Er stößt wieder vor; die Spitze klopft an meinen Eingang. Ich bin nass und offen, aber er hält sich gerade so weit zurück, dass ich nicht gegen ihn mahlen kann. Ich erschaure, mein ganzer Körper zittert vor Frust und Verlangen.

»Dann bitte mich lieb.« Seine Stimme klingt nicht mehr so souverän wie sonst, und als er eine Hand auf meine Hüfte legt, um mich zu stützen, fühle ich sein Zittern. Zum ersten Mal begreife ich, dass er so erregt ist wie ich.

»Bitte, Luke.« Ich kann mich nicht zurückhalten. Ich will ihn anbetteln, ich will alles sagen, was mir das bringt, was ich will. »Bitte, fick mich.«

Endlich schlüpft er in mich hinein, Inch für Inch, und dann setzen seine Stöße ein, erst langsam, dann schneller. Ich fange zu weinen an – es sind Tränen der Freude und der Erleichterung, die mir über die Wangen laufen.

Er greift nach unten und streicht über meine Klitoris, fein, delikat, kundig. Ich strecke ihm meinen Po entgegen und arbeite mich an seiner wunderbaren Länge auf und ab. Es dauert nicht mehr lange ...

Dann höre ich ihn reden. »Cassandra«, flüstert er. »Ich will ...« Er bricht ab, offenbar zu aufgewühlt von seiner eigenen Leidenschaft.

»Was?«, frage ich. »Was willst du?«

Sein Rhythmus wird verhalten, und dann fühle ich, wie er sich immer langsamer bewegt, bis er den Schaft aus mir gleiten lässt. Ich versuche, mich zu ihm umzudrehen, aber ich kann nicht sehen, was er tut. Dann, mit einer seltsamen Mischung aus Entzücken und Angst, fühle ich, wie sein Schaft zögernd gegen meinen Anus presst.

»Cas?« Seine Stimme klingt belegt vor Lust.

Ich will, dass er sich nimmt, was er will. Ich will, dass er egoistisch ist. Er hat Recht, jedes Stück von mir gehört ihm. Es ist das Schmutzigste, was ich mir vorstellen kann. Und ich will es. »Ja«, sage ich einfach.

Mit sehr viel Umsicht drückt er sich gegen mich, bis ich spüre, wie mein Körper nachgibt. Glitschig von meinen eigenen Säften, durchdringt er mich mit Leichtigkeit, und ein kurzer Schmerz geht über in so ergötzliche Gefühle, dass mir ganz schwindlig wird. Ich winde mich gegen ihn und versuche, mehr von ihm aufzunehmen. Ich will alles tun, was ich kann, damit diese Glückseligkeit so lange wie möglich anhält.

Dann, als er einen Finger tief in meine Pussy schiebt, spüre ich den Beginn meines Orgasmus. Er hat mich so hochgebracht, dass ich mich frage, ob ich diese Wonne überleben kann, und ich weiß nicht, ob ich mich der Wucht dieses Höhepunkts entgegenstemmen soll, um nicht zerschmettert zu werden. Aber als seine Hand um mich greift und seine Finger wieder gegen meine Klitoris flattern, kann ich gar nichts mehr tun – außer mich ganz ihm zu überlassen.

Jeder Nerv meines Körpers ist auf seine Berührung eingestellt, und ich kann auf nichts anderes mehr reagieren: Ich höre meinen Körper nach der Erlösung schreien.

»Oh, Luke«, schreie ich, »was machst du mit mir?«

Der Atem rasselt in meiner Brust, als ich von meinem hohen Plateau hinunter auf die Erde krache. Ich schreie, dass ich ihn hasse. Ich schreie, dass ich ihn liebe. Mein ganzer Körper verkrampft sich um ihn, mein Anus um seinen Schaft, meine Pussy um seine Finger. Ich höre nichts, ich sehe nichts. Gewaltige Beben lassen meinen Körper erschüttern, und heiße Lust explodiert in meinem Kopf.

Als meine Sinne zurückkehren, höre ich ihn meinen Namen murmeln. Ich hatte keinen Gedanken an seinen eigenen Kampf verschwendet, aber nun gewahre ich sein Verlangen, das ihn erneut durchschüttelt. Seine Beherrschung war erstaunlich gewesen, fast übermenschlich, und ich fühle eine tiefe Bewunderung für seine selbstlose Art des Liebens. Er hat sich lange zurückgehalten, aber jetzt bricht der Damm, und weil er sich so lange im Zaum gehalten hat, ist die Erlösung mächtiger als je zuvor.

Während mein Orgasmus schwindet, setzt seiner ein. Er keucht und ruckt hinter mir, windet sich in Ekstase. Es ist ihm egal, ob jemand uns hören kann, er schreit seine Lust hinaus, ein wortloser Schrei, der seinen Höhepunkt begleitet.

Seine Hüften stampfen unkontrolliert, und ich spüre, wie er mich füllt. Ich bin noch wund und empfindlich von meiner abklingenden Erregung, und so kann ich seinen Orgasmus fast so sehr genießen wie meinen eigenen.

Nach einer Weile ebben seine ekstatischen Bewegungen ab, er steht still da, hält sich an mir fest, und man hört nur noch seinen hechelnden Atem.

»Oh, Mann, Cassandra«, ist alles, was er sagt, als er wieder sprechen kann.

Er zieht sich behutsam aus mir heraus, richtet sich auf und löst die Fesseln meiner Handgelenke. Er nimmt meine Hände in seine und massiert die Gelenke; er reibt die Anspannung heraus, die meine Hände hat steif werden lassen.

Er bückt sich und haucht sanfte Küsse auf meine rechte Schulter, auf die sich ein dünner Schweißfilm gelegt hat. Dann wandert sein Mund zu meinen Brüsten, nimmt die Nippel abwechselnd zwischen die Lippen und saugt sie ein. Er sinkt vor mir auf die Knie und bedeckt meinen Bauch, meine Oberschenkel und überhaupt meinen ganzen befriedigten Körper mit dankbaren, zärtlichen Küssen.

Dann überrascht er mich erneut. Er richtet sich auf, knabbert in meinem Nacken und sucht sich eine weiche Stelle. Er teilt die Zähne und zieht mein Fleisch in seinen Mund, als wollte er mich als seinen Besitz brandmarken. Der Schmerz seines Bisses löst eine neue Welle orgiastischer Lust aus. Ich habe mich noch nie so geliebt gefühlt.

Als wir uns in die Augen schauen, sehe ich, dass der Zorn aus seinem Gesicht gewichen ist. Ich sehe da nur noch eine stille Ruhe, die ich so ausgeprägt bei ihm noch nicht bemerkt habe. Er hebt mich hoch, nimmt mich auf die Arme, als wäre ich ein kleines Kind, und trägt mich zu einem Stapel Pferdedecken in einer Ecke des Raums. Dort legt er mich hin und kuschelt mich an seine breite Brust.

Wir schlafen ein, liegen uns auf dem Boden des Sattelraums in den Armen und genießen uns, während William de Courcy im Landhaus Lukes Bett gefunden hat und zwischen den Leinenlaken seinen Rausch ausschläft.

Fünfzehntes Kapitel

Cassandras Geschichte

Als der Morgen dämmert, liege ich auf dem Rücken und starre zum Deckengebälk des Sattelraums. Lukes Sattelraum. Es wird eine Weile dauern, bis ich Luke als Besitzer von Temworth Manor verinnerlicht habe. Er liegt mit gespreizten Beinen und nackt neben mir, sein Kopf auf meinem Bauch.

»Ich bin nur zu Williams blöder Party gekommen, weil er mir gesagt hat, du würdest nicht da sein«, gestehe ich.

Luke lacht sein spontanes Lachen. Es ist ein wunderbares Geräusch, und ich schwöre mir, dass ich es von nun an öfter hören werde.

»Und ich bin nur gekommen, weil er mir gesagt hat, du würdest nicht dabei sein.«

Ich gähne und strecke meine Hände über den Kopf. »Weißt du, er ist ein guter Freund, Luke.« Ich wüsste gern, wie viel er von Williams Gefühlen für ihn weiß.

»Ich weiß.« Er streicht gedankenverloren über meine Schamhaare, die noch klamm von seinem Samen sind.

»Er empfindet eine Menge für dich.«

Luke sieht hoch zu mir, und sein Gesicht zeigt einen leicht verwirrten Ausdruck. »Ich weiß«, sagt er wieder. »Und ich empfinde eine Menge für ihn.« William hat Recht. Luke hat keine Ahnung.

Er rollt mich auf den Bauch und gleitet mit den Fingerspitzen über die blassrosa Striemen, die auf den Backen und Schenkeln noch schwach zu erkennen sind. Als seine Finger über meine zarte Haut streicheln, durchzuckt mich ein Stich, den ich als Schmerz wahrnehme. Was Luke mit mir angestellt hat, war kein albernes S&M-Spiel, das gelangweilte Vorstadtmachos mit ihren Schlampen spielen. Sein Zorn war echt gewesen, und deshalb war ich auch echt verängstigt gewesen.

Er sieht mich besorgt an. »Cas – letzte Nacht ... die Sache mit der Peitsche ... also, ich habe so etwas noch nie gemacht. Ich wollte dir nicht wehtun.«

»Doch, das wolltest du.« Seine Zerknirschtheit rührt mich, aber ich sehe nicht ein, warum ich ihn so schnell davonkommen lassen soll. Ich werde ihm auch nicht sagen, dass es der beste Sex meines Lebens war.

»Ja, vielleicht.«

»Und hat es dir gefallen?«

Er sieht mich nachdenklich an, dann grinst er. »Ja«, gibt er zu. »Und dir?«

»Ja. Also alles in Ordnung.«

»Schmerzt es noch?« Er beugt sich über mich und haucht einen Kuss auf meinen nackten Po.

»Ja«, lüge ich. »Aber du bist auf dem besten Weg, mich das vergessen zu machen.« Ich bin versessen auf die Berührung seiner kühlen Lippen auf meiner Haut. »Luke?«

»Ja?« Sein Mund arbeitet sich langsam meinen Rücken hoch.

»Wegen Simon ...«

»Was ist mit ihm?«

»Ich habe nie mit ihm geschlafen.«

Luke hält nur kurz inne. »Gut«, sagt er leise. »Und warum hast du mir gesagt, du hättest ...?«

»Um dich zu ärgern.« Ich fühle, wie sich seine Lippen zu einem Lächeln verziehen.

»Das hat seine Wirkung nicht verfehlt.« Er küsst sich die Schultern hoch, legt meine Haare auf eine Halsseite und nagt wieder in meinem Nacken.

»Es war Simon, der die ganzen Gerüchte in die Welt gesetzt hat, nicht wahr? Ich meine, dass du dich in den Staaten hast bestechen lassen.«

»Ja.«

»Und hat er auch was mit der Drogengeschichte zu tun?«

»Ja.«

»Oh, verdammt. Er muss dich wirklich abgrundtief hassen.«

»Es liegt in seinem Interesse, mich aus dem Weg zu räumen.«

Die Küsse lenken mich ab, aber ich will mich nicht vom Thema abbringen lassen. Ich sage in die Stille hinein: »Wirst du mir sagen, was dahintersteckt?«

Er hört auf, mich zu küssen, schlingt die Arme um ein Bein und legt sein Kinn auf ein Knie. »Ja, ich habe mich wohl wie ein mieser Wichser benommen. Ich schätze, du hast eine Erklärung verdient.«

»Ja, stimmt.«

»Okay.« Er spricht leise, und manchmal ist die Stimme kaum lauter als ein Flüstern. »Wie viel weißt du von der Geschichte, was mit meiner Frau Elizabeth geschehen ist?«

Ich hebe die Schultern. »Nicht viel. Nur dass sie an einer Überdosis gestorben und du sie auf dem Boden im Badezimmer gefunden hast.«

»Das trifft zu. Aber es war nicht der Boden meines Badezimmers. Und ich habe sie auch nicht gefunden. Ich werde es dir erzählen, aber nicht hier. Können wir zurück nach London fahren?«

»Wenn du möchtest.« Ich werfe einen Blick auf seine geschundenen Knöchel. »Wir müssen diese Schrammen desinfizieren.«

Er hält die lädierte Hand hoch und lächelt. Auf den Knöcheln sind jetzt noch die Male mehrerer Zähne zu sehen. »Falls Simon mich wegen Körperverletzung verklagt, könnte ich immer noch sagen, dass der Bastard mich gebissen hat.«

Ich lache. »Ich glaube, nicht mal William könnte das überzeugend darstellen. Komm, fahren wir nach Hause.«

Luke fährt schnell und aggressiv. Ich versuche, nicht laut die Luft auszustoßen, wenn er überholt, dem Gegenverkehr ausweicht und wieder auf die Überholspur braust, dass mir fast das Herz stehen bleibt.

Zuerst plaudert er mit erzwungener Fröhlichkeit, aber als der Verkehr zunimmt, je näher wir London kommen, desto mehr versinkt er in Schweigen.

Er öffnet mir die Tür zu seiner Wohnung. Wir gehen in die Küche, und er kocht Kaffee und schenkt die starke Brühe in zwei weiße Tassen ein. Ich sitze an einer Edelstahltheke und sehe ihm zu, wie er sich bewegt. Er trägt noch sein inzwischen zerknautschtes weißes Hemd und die Hose des Smokings. Der Querbinder hängt geöffnet um seinen Hals, die Bartstoppeln ums Kinn werfen Schatten, und seine Haare sind zerzaust. Und trotzdem sieht er zauberhaft aus.

Er sucht in zwei Schubladen, bevor er einen Löffel findet und den Kaffee umrührt. Dann öffnet er die Kühlschranktür, aber die Regale sind leer.

»Keine Milch«, stellt er fest.

»Schwarz ist okay.«

»Gut.«

Er stellt meinen Kaffee vor mich und bietet mir eine Zigarette an.

»Bestens«, sage ich. »Kaffee und Zigarette ist mein liebstes Frühstück.«

»Ich kann fabelhaft ›Eier Benedictine‹ zubereiten«, sagt er und versucht ein Lächeln.

»Aber ohne Eier wird das schwierig.«

Er hebt die Schultern und sieht mich verlegen an.

»Nicht schlimm«, sage ich. »Du schuldest mir ein Frühstück, okay?«

Er lehnt sich gegen die Küchenzeile, zündet sich auch eine Zigarette an und beginnt mit seiner Geschichte. Er spricht emotionslos, seine Stimme bleibt auf einer Ebene.

»Sie war alles, was ich je haben wollte – schön, sexy und fröhlich. Ja, sie war sehr sexy. Ihre Eltern waren beide ums Leben gekommen, als sie in ihren Teens war, und danach lief sie ein wenig aus dem Ruder. Aber sie war nicht schlecht. Überhaupt nicht.

Wir vier – Lizzy, William, Simon und ich – haben uns in Oxford kennen gelernt, und eine Zeit lang waren wir die besten Freunde. Wir stammten aus verschiedenen Kreisen, waren aber alle engagiert und ambitioniert und hatten alle eine Schwäche für Politik. Wir haben hart gearbeitet, haben viele Feste gefeiert und immer wieder darüber geredet, wie wir die Welt verändern können. Mein erstes Jahr auf der Universität war die glücklichste Zeit meines Lebens.

Ich habe nie an Liebe auf den ersten Blick geglaubt, aber genauso war es. Von Anfang an habe ich sie verehrt. Aber bevor ich genug Mut gefasst hatte, ihr meine Gefühle zu gestehen, hatte Simon sie sich schon geschnappt. Eine Zeit lang machte er sie glücklich. Dann, kurz bevor wir in die ersten Sommerferien aufbrachen, ließ er sie fallen. Er hinterließ ihr jede Menge Andenken – zwei gebrochene Rippen, ein angeknackstes Handgelenk und eine hässlich aufgeplatzte Lippe.

Während dieses Sommers blieb ich bei ihr in Oxford und half ihr, die Scherben aufzusammeln. Ich war es, der ihr eine Erklärung für ihre Verletzungen lieferte, und fabrizierte eine Geschichte von einem Autounfall, damit sie nicht allen erzählen musste, was in Wirklichkeit geschehen war.

Sie hatte die körperlichen Schäden bald überwunden. Die emotionale Erholung dauerte länger, aber von Tag zu Tag wurde sie stärker, und allmählich ging ihr Leben wieder in die Normalität über. Erst zum Ende unserer Studienzeit, als wir Pläne schmiedeten, die uns trennen würden, wurde mir bewusst, dass ich sie endgültig verlieren würde, wenn ich nicht bald reagierte.

Also tat ich das Einzige, was mir als Lösung einfiel: Ich hielt um ihre Hand an. Am Abend unserer Verlobung haben wir das erste Mal Liebe gemacht. Es war eine Katastrophe – ich war zu aufgeregt und sie zu nervös. Aber das nächste Mal klappte es schon besser, und danach wurde es nur noch schöner. Wir heirateten in der Woche vorm Examen.

Ich wusste, dass sie reich war, aber ich wusste nicht, wie reich – davon erhielt ich erst eine Vorstellung, als wir nach den Flitterwochen in Temworth Manor einzogen. Vorher hatte ich das Landhaus nie gesehen. Ich war überwältigt. Ich wusste gar nicht, dass es Leute gab, die noch in solchen Häusern wohnten. Es gab auch anderen Besitz – eine Wohnung in New York, ein Chalet in der Schweiz, eine ganze Insel in der Karibik. Nur eines der Gemälde in Temworth Manor war zehnmal mehr wert als die ganze Farm meines Vaters.

Nach der Uni begann ich eine erfolgreiche Karriere bei der Zeitung. Lizzie arbeitete als Reporterin bei einem regionalen Fernsehsender. William heuerte auch bei einer Zeitung an, und Simon wurde in seinem Wahlkreis ins Unterhaus gewählt. Von ihm hörten wir nichts mehr.

Eine Weile war das Leben großartig. Ich dachte, ich könnte ewig wie im Märchen leben und mich auf Kinder und Enkel freuen. Ich wollte, dass wir zusammen alt wurden. Es sollte immer so bleiben. Aber so blieb es nicht.

Die Dinge begannen, sich negativ zu entwickeln, als Simon zurück in unser Leben trat. Wie aus heiterem Himmel rief er an und sagte, er wolle uns treffen. Lizzy wollte ihn sehen, und ich hatte nicht den Mumm, sie davon zurückzuhalten. Ich versuchte, die Erinnerung an die Vergangenheit zu verdrängen, und plötzlich war es wieder wie früher, und wir taten so, als wären wir wieder die besten Freunde.

Zu dieser Zeit war sein privater Lebensstil schon recht gefährlich geworden. Er ging zu den verrücktesten Partys, und sein Sexualleben schien zu entgleisen. Aber er war vorsichtig. Er umgab sich mit Leuten, die ebenso viel zu verlieren hatten wie er, wenn etwas an die Öffentlichkeit dringen sollte. Offiziell bot er das Bild eines rechtschaffenen Mannes.

Damals haben wir alle Drogen genommen. Meistens Koks. Was immer du wolltest – Simon konnte es dir besorgen. Ich brauchte dieses Zeug nicht, aber Lizzy schien nicht zu wissen, wann sie nein sagen musste. Simon hat sie ermuntert, er besorgte ihr mehr und mehr, und allmählich bestimmte die Sucht ihr Leben.

Simon will immer, was er nicht haben kann, und da sie nun verheiratet war, wollte er sie zurück. Er stellte ihr nach, als existierte ich gar nicht. Er war ihr erster Liebhaber gewesen, und er wartete mit allen Tricks auf, um sie daran zu erinnern, wie süß ihre jungen Emotionen gewesen waren. Auf die Dauer zermürbte er sie mit seinen Erinnerungen.

Ich glaube, es war unvermeidlich, dass sie eine Affäre mit ihm anfing. Als ich das herausfand, war ich blind vor Wut, und ich sah keine andere Lösung, als sie zu verlassen. Sie kam nach Hause, als ich meine Sachen packte, und sie drehte durch. Sie hat geweint. Ich habe noch niemanden gesehen, der so bestürzt war wie sie. Als ich das Haus verlassen wollte, stellte sie sich mir in den Weg, und während sie zum Herzerweichen schluchzte, fing sie an, sich auszuziehen.

Sie ging auf alle viere und hielt sich an meinen Beinen fest, damit ich nicht durch die Tür gehen konnte. Es war ein schreckliches Erlebnis. Sie war so eine stolze Frau, so total unabhängig, deshalb entsetzte es mich, sie so zu sehen. Ich konnte das nicht einfach abschütteln. Ich musste ihr vergeben und bei ihr bleiben.

Sie holte meinen Schwanz heraus und küsste mich. Trotz allem gelang es ihr noch, mich anzumachen. Ich war auf der Stelle hart. Sie nahm mich in den Mund, und die Lust war unbeschreiblich. Seit langer Zeit hatte sie keinen Sex mehr mit mir gewollt, deshalb wunderte es mich nicht, dass es mir schon nach wenigen Augenblicken kam.

Danach haben wir uns die ganze Nacht geliebt. Wenn es nicht perfekt war, kam es der Vollkommenheit aber sehr nahe. Sie sagte mir, dass sie nur mich liebte. Sie versprach mir, die Drogen aufzugeben und mit Simon zu brechen.

Aber sie schaffte es nicht. Ihre Sucht war zu weit fortgeschritten, und Simon bot ihr stets den leichten Zugang zu dem, was sie brauchte. Sie war so abhängig von ihm, dass sie es nicht mehr schaffte, ihre Beziehung mit ihm zu verheimlichen, was ihm vermutlich nicht sehr genehm war. Er war zu ehrgeizig, um seine Karriere durch eine Affäre mit einer verheirateten Frau zu gefährden. In der Öffentlichkeit war er sehr diskret. Aber mir ersparte er keine Einzelheit. Es machte ihm Spaß, mir zu erzählen, welchen Spaß er dabei hatte, meine Frau zu vögeln.

Sie ging zu seinem Haus, Tag und Nacht, und kam Tage später zurück und stank nach ihm. Manchmal kam sie nur nach Hause, um ihre Kleider zu wechseln. Wir sprachen kaum noch miteinander.

Ihre Sucht wurde teuer. Sie vernachlässigte ihre Arbeit, und ich musste öfter für sie lügen. Ich recherchierte Geschichten für sie, schrieb ihre Manuskripte und tat alles, damit sie sich vor der Kamera nicht blamierte. Aber ihre Probleme wurden immer größer, und schließlich hat der Sender sie entlassen.

Ich erkannte, dass sie in großen Schwierigkeiten steckte, als ich herausfand, dass sie Heroin injizierte. Da wusste ich, dass es mit unserer Ehe vorbei war, aber ich wollte immer noch alles tun, um sie zu beschützen. Es gelang mir nicht, sie zum Besuch eines Arztes zu überreden, deshalb ging ich zu Simon, um zu hören, ob er helfen könnte. Aber er lachte mir nur ins Gesicht und warf mir vor, ich wollte ihm seine geilen Erlebnisse verderben. Dabei war mir das schon egal geworden. Ich wollte nur verhindern, dass sie sich selbst umbrachte.

Es war vier Uhr an einem Sonntagmorgen, als er mich anrief und sagte, dass es ihr sehr schlecht ging. Er hatte nicht mal den Mumm, mir zu sagen, dass sie schon tot war. Er schluchzte hysterisch, aber er weinte nicht um sie; er bedauerte nur sich selbst. Er konnte den Gedanken an einen Skandal nicht ertragen. Er sagte, ich solle kommen und sie abholen, und dann sollte ich dafür sorgen, dass die Geschichte aus den Zeitungen herausgehalten wurde. Ich wollte auch nicht, dass Lizzys Schicksal in den Boulevardblättern breitgetreten wurde, und außerdem war ich so benommen, dass ich allem zustimmte, was er sagte.

Ich fuhr zu seinem Haus. Die Putzfrau öffnete mir die Tür. Simon hatte sich schon verdrückt. Erst jetzt erkannte ich, dass sie tot war. Er hatte sie zusammengekauert auf dem Boden des Badezimmers zurückgelassen. Sie war an ihrem Erbrochenen erstickt. Ich trug sie zu meinem Auto und fuhr sie nach Hause. Nachdem wir in Temworth Manor waren, rief ich einen Krankenwagen.

Simon ist nicht einmal zur Beerdigung erschienen. Zwei Wochen später heiratete er Fiona Rogers. Diesmal scheute er die Öffentlichkeit nicht – er verkaufte die Hochzeitsfotos für ein kleines Vermögen an ein Klatschmagazin.

Ich wollte die ganze Geschichte erzählen. Ich wollte die Welt wissen lassen, dass der nette fürsorgliche Ehemann Simon Moore der größte Arsch ist, den es auf dieser Insel gibt. Aber ich wusste, dass ich ihn nicht ruinieren konnte, ohne auch ihr Andenken zu besudeln. Deshalb habe ich niemandem erzählt, was wirklich geschehen ist. Nicht einmal William kennt die Wahrheit.

Die folgenden Wochen stand ich neben mir. Ich versuchte, mich auf meine Arbeit zu konzentrieren, aber ich wusste, dass meine Karriere als Journalist vorbei war. Mein Job, der mir immer so viel bedeutet hatte, schien keinen Sinn mehr zu haben. Also kündigte ich.

Ich fing an zu trinken. Nach ihrem Schicksal hätte ich das eigentlich nicht zulassen dürfen, aber wenn ich betrunken war, tat es ein bisschen weniger weh. Es war dumm, aber das kümmerte mich nicht.

Wenn ich mich zu Tode hätte trinken wollen, hätte ich mir das finanziell erlauben können. Wir hatten keine Kinder, und sie hatte keine nahen Angehörigen, deshalb erbte ich alles, mal abgesehen von ein paar Andenken, die sie an gute Freundinnen vermacht hatte. Zwei Monate nach der Beerdigung lagen achtunddreißig Millionen Pfund auf meinem Konto.

Ich kaufte meinem Bruder ein Haus, löste die Hypothek auf der Farm meiner Eltern ab und gab ihnen Geld, damit sie sich aufs Altenteil zurückziehen konnten. Abgesehen davon habe ich das Geld nicht angerührt. Es war nicht mein Geld, deshalb konnte ich es nicht für mich ausgeben. Die Dinge, die ich jetzt besitze, sind Geschenke von ihr.

Die Cartier-Uhr, die du mal an meinem Arm bewundert hast, brachte mir ein Fahrradkurier, nachdem Lizzy bemerkt hatte, dass ich meine alte Uhr im Bad vergessen hatte. Aplauso und die anderen Pferde waren Geburtstags- und Weihnachtsgeschenke. Den Aston hat sie mir an dem Tag gekauft, an dem ich in der Warteschlange am Taxistand klatschnass geworden bin. Dieser ganze Reichtum war mir immer unbehaglich, aber nach ihrem Tod wurde mir ganz übel davon.

Da stand ich also, keine Frau, kein Job, einen Haufen Geld, den ich nicht haben wollte, ein Haus, in dem nicht mehr leben konnte, und ein rapide steigendes Alkoholproblem. Mir kam es so vor, als wäre mein Leben schon vorbei.

William war es, der mich zu einem neuen Job überredete.

Klar, aus finanziellen Gründen brauchte ich nicht zu arbeiten, aber ich musste etwas tun, um bei Verstand zu bleiben. Ich wusste, wenn ich in meiner alten Umgebung blieb, würde ich verrückt werden. Also vermietete ich das Haus an William und ging nach Amerika, um da zu arbeiten.

William brachte mich mit Paul Greenford zusammen, ein alter Freund der Familie. Senator Greenford, der er damals war, und seine Frau Serena waren wunderbare Menschen. Paul stellte mich in seinem Presseteam ein und wenn auch nur, um ein bisschen britisches Flair unterzustreuen. Manchmal war ich so betrunken, dass ich kaum gerade stehen konnte, ganz zu schweigen davon, mit Journalisten zu reden. Aber sie hielten zu mir. Sie waren es, die mir Hilfe wegen meines Alkoholproblems besorgten.

Es dauerte eine Weile, aber irgendwann schaffte ich es, ohne eine Flasche Wodka zu frühstücken. Ich arbeitete verdammt hart, weil ich auch für meine verlorene Zeit was gutmachen wollte, und so kletterte ich langsam die Karriereleiter hoch, bis ich einer der führenden Köpfe in Pauls Team war. Ganz allmählich konnte ich an etwas anderes denken als daran, wie sehr ich Elizabeth vermisste und wie sehr ich Simon hasste.

Nach dem Attentatsversuch nahm ich mir eine Auszeit von ein paar Wochen, und das gab mir Gelegenheit, über mein Leben nachzudenken. Ich liebte Washington und meine Arbeit, aber ich erkannte auch, dass ich nur deshalb in den Staaten blieb, weil ich meinen Problemen ausweichen wollte. Ich konnte nicht immer davonlaufen. Ich musste zurück nach Hause und mich dem stellen, was geschehen war.

Teil dieses Prozesses war auch, dass ich dafür sorgen wollte, dass Lizzy nicht umsonst gestorben war. Ich wollte ihr Geld für ein Rehabilitationszentrum für Suchtkranke ausgeben. Ich hatte es nicht geschafft, sie daran zu hindern, sich selbst umzubringen, aber vielleicht konnte ich helfen, dass andere nicht denselben Fehler begehen.

Als man mir den Job in der Downing Street anbot, konnte ich nicht ablehnen. Es war ein großer Karrieresprung für mich, und er bedeutete auch, dass ich über das Rehabilitationszentrum nachdenken und eine neue Zukunft sehen konnte.

Zuerst verlief alles nach Plan. Und dann lernte ich dich kennen. Ich wusste vom ersten Augenblick an, dass du etwas ganz Besonderes bist, und anfangs hat mich das verängstigt. Aber in Brighton habe ich mich davon überzeugt, dass ich es schaffen würde. Ich glaubte wirklich, dass ich stark genug war.

Dann, als ich dich zusammen mit Simon sah, als ich dachte, die Geschichte wiederholt sich, da erkannte ich, dass ich überhaupt nicht stark war.

In der Nacht in deiner Wohnung nach Simons Party kam die ganze Wut zurück. Ich weiß, dass ich kein Recht habe, eifersüchtig zu sein, aber ich konnte mich nicht dagegen wehren. Ich konnte es nicht ertragen, dass du mit ihm in einem Raum bist, und erst recht nicht, dass er dich anfasst. Ich wurde damit einfach nicht fertig, verstehst du?

Danach hielt ich es für das Beste, mich von dir fern zu halten. Ich bemühte mich, dich zu vergessen. Ich redete mir ein, dass ich kein Interesse an dir hätte. Aber das stimmt nicht. Wenn ich dich auch verloren hätte, Cas, würde ich es nicht überleben. Ja, verdammt, ich würde es nicht überleben.«

Er hört auf zu erzählen und nimmt einen hastigen Zug aus seiner Zigarette. Ich bin tief bewegt von seiner Geschichte, und es dauert eine Weile, bis ich aufstehen und zu ihm gehen kann. Ich lege meine Arme um seine zitternden Schultern und drücke ihn fest an mich.

»Es wird alles gut«, sage ich, und er birgt sein Gesicht in meine Haare. »Es ist alles gut.«

Und während wir dastehen und ich ihn fest umarme, formt sich in meinem Kopf schon der Racheplan.

Sechzehntes Kapitel

Cassandras Geschichte

Es heißt, Rache sei ein Gericht, das am besten kalt serviert wird, aber mein Plan sieht etwas Heißes vor. Bei einem zügig arrangierten Treffen in London überrascht es mich, wie einfach es ist, alle Helfer, die wir brauchen, für unsere Sache zu gewinnen.

Später, auf dem Weg zurück nach Temworth Manor, besteht Luke auf einer besonders gewundenen Route, und es erstaunt mich gar nicht, dass wir uns bald in einer seltsamen, uns völlig unbekannten Gegend im Westen Londons wiederfinden. Als wir eine zerstörte Telefonzelle und ein Restaurant mit dem Namen »Star of India« das dritte Mal umkreisen, begreife ich, dass wir ein Problem haben.

»Gib's zu, Luke, wir haben uns verfahren.«

Knurrend biegt er in eine weitere Straße ein, die er nicht kennt. »Nein. In einer Minute werde ich genau wissen, wo wir sind.« Er hebt die Stimme, um Wagner zu übertönen, denn er hat die CD sehr laut eingestellt. Da ich eher ein Fan von Pop bin, kann ich nicht überzeugt sein, dass seine Musik hilft, und aus dem Wirrwarr hinauszuführen.

Seufzend strecke ich meine Beine aus. Die cremefarbenen Ledersitze des Aston sind extrem bequem, aber es ist ein viel zu schöner Tag, um ihn auf einer Irrfahrt durch die wenig attraktiven Vororte Londons zu vergeuden. Ich sehne mich nach frischer Luft.

»Da drüben ist ein hübscher Pub«, sage ich. »Warum halten wir da nicht an und stärken uns mit einem Drink? Dann können wir auch herausfinden, wo wir sind.«

Luke nickt. »Gute Idee.«

Er wird nicht zugeben, dass er sich geirrt hat, aber seine Zustimmung zu meinem Vorschlag ist so gut wie eine Entschuldigung. Er bremst, lässt den Aston über den Bürgersteig holpern und hält vor dem Pub.

Von außen hat die Kneipe nichts Außergewöhnliches, aber drinnen sehe ich, dass »The Queens Head« alles andere als ein traditioneller Pub ist. Die Beleuchtung ist spärlich, aber trotz der Abwesenheit von Sonnenlicht ist es stickig heiß. Es ist zwei Uhr am Nachmittag, und laute Musik dröhnt, und blitzende Lichter verleihen dem Lokal eine verbotene Atmosphäre. An der Decke dreht sich ein farbiger Kristallball, und eine Hand voll Tänzer dreht sich auf der kleinen Tanzfläche.

Wir stehen an der Theke und warten darauf, dass sich jemand um uns kümmert. Luke tritt nervös von einem Bein aufs andere, während ich mir die Gäste anschaue.

»Was kann ich für dich tun, mein Schatz?«

Ich wende mich dem Wirt hinter dem Tresen zu, ein breites Lächeln auf meinem Gesicht, aber dann stelle ich fest, dass er nicht mich anspricht, sondern Luke.

Luke bestellt eine Diät -Cola für sich und ein Budweiser für mich. Er hebt nicht mal den Blick, als er dem Wirt eine Zehn-Pfund-Note reicht.

Wir tragen unsere Getränke in einen kleinen Garten hinter dem Pub. »Ich glaube, der Wirt mag dich. Wenn du willst, kannst du ihn haben. Luke.«

»Cas!«

»Luke, ich glaube, du wirst rot.«

»Halt den Mund, Cas.«

»Doch, jetzt sehe ich es genau, du bist ganz rot geworden. Das steht dir gut.«

»Cas«, zischt er, »halt's Maul.«

»Oooh«, gurre ich, »du weißt genau, wie sehr es mich antörnt, wenn du so streng zu mir bist.«

Er grinst. »Ja, das weiß ich, du heißes Luder.«

Ein paar Holztische stehen im Garten, aber niemand sitzt da. Wir suchen uns den Tisch in einer geschützten Ecke aus und genießen den herbstlichen Sonnenschein.

Kurz darauf öffnet sich die Tür zum Pub, und zwei Männer treten in den Garten, einer ist groß und blond, der andere untersetzt und dunkel. Während der Blonde in seinem engen weißen T-Shirt ganz offenkundig schwul ist, sieht der dunkle Mann in weiten Jeans und kariertem Hemd beinahe langweilig hetero aus. Aber das ist er nicht. Während die Männer durch den Garten schlendern, legt er eine Hand auf den Arm des Begleiters, zieht ihn an sich und küsst ihn auf den Mund. Ich sehe, dass er den Mund geöffnet hat und wie seine Zunge zwischen die Lippen des anderen Mannes dringt.

Ich stoße Luke an. »Schau mal, da kannst du sehen, was Schmusen heißt.«

Luke lacht.

Ich sehe Luke zu, wie er seine Cola trinkt, und muss an mein Gespräch mit William über Lukes Sexualität denken.

»Warst du schon mal mit einem anderen Mann zusammen?«

»Nein.« Luke lacht wieder. Dann sieht er meinen ernsten Ausdruck und fügt hinzu: »Nein, Himmel, nein.«

»Und du hast auch nie ein bisschen experimentiert? Auch nicht, als du jünger warst?«

»Nein. Ich bin auf eine öffentliche Schule gegangen, und da wurde es nicht als normal angesehen, deinem Mitschüler an den Arsch zu gehen.«

Ich frage mich, ob William Recht hat. Luke schwört, dass er sich nicht für Männer interessiert, aber ich weiß, wie er reagiert, wenn ich mit seinem Anus spiele. Als könne er meine Gedanken lesen, lacht er wieder und sagt: »Nein, Cas. Du bist ein Mädchen. Du kannst mit mir machen, was du willst.« Wie wahr, denke ich und lächle in der Erinnerung.

Wir sehen beide zu, wie die Männer hinter einem Gebüsch tiefer im Garten verschwinden. Ich stehe auf und sehe sie durch eine Lücke im Blattwerk huschen. Der Blonde lehnt sich gegen einen Tisch. Unter dem schwarzen Leder seiner Hose ist seine Erektion nicht zu übersehen. Er fährt mit der offenen Hand darüber und präsentiert stolz, was er zu bieten hat. Langsam wie ein Stripper zieht er den Reißverschluss hinunter.

»He«, sage ich zu Luke, »glaubst du, sie wissen nicht, dass wir hier sind?«

»Keine Ahnung.«

Es scheint ihnen egal zu sein, und bevor ich noch etwas sagen kann, tritt der dunkelhaarige Mann vor den Blonden und greift mit einer Hand in dessen Hose. Mit einem lauten Stöhnen stößt der Blonde die Hüften vor und ermutigt den Freund, so viel zu fühlen, wie er greifen kann.

Ich stehe nahe genug, um zu sehen, wie der Blonde die Augen schließt, und ein Lächeln umspielt seine Lippen. Ich höre ihn etwas murmeln, aber ich kann ihn nicht verstehen.

Als er die Augen wieder aufschlägt, dreht er den Kopf in meine Richtung, und ich ziehe mich alarmiert in die dunklen Schatten zurück. Es wäre höflich, jetzt den Blick zu wenden. Aber in solchen Momenten ist Höflichkeit nicht meine Stärke.

Ein Schauder der Erregung durchläuft mich, als der dunkle Mann seinem Freund das T-Shirt aus der Hose zieht und es nach oben schiebt. Er enthüllt einen auf der Sonnenbank gebräunten und im FitnessClub gestählten Oberkörper und streicht mit beiden Händen über die Brüste des Blonden, er zwickt und knetet die Muskeln, bis die kleinen braunen Nippel sich voller Lust versteifen.

Luke steht hinter mir und sieht mich neugierig an.

»Oh nein«, murmelt er. »Das genießt du aber, was?«

Ich werde rot. Ich habe noch nie zwei Männer zusammen

gesehen, und ich bin nicht ganz sicher, was ich fühle. Gleichzeitig ist mir bewusst, dass mich das Neue anzieht und erregt. Die steigende Hitze zwischen meinen Schenkeln lässt sich nicht ignorieren. Ich bin schockiert von dem, was ich sehe, aber ich weiß genau, dass ich mehr sehen will.

»Ja«, flüstere ich, »stimmt.«

»Und ich genieße, dir beim Spannen zuzusehen«, sagt Luke, langt um meinen Körper und streichelt meine Brustwarzen durch mein Hemd.

Der dunkle Mann presst sich gegen Blondie, reibt Erektion gegen Erektion. Ich sehe seinen Bewegungen an, dass er sich nicht länger zurückhalten kann. Blondie geht vor dem Gefährten auf die Knie. Er schließt die Augen und öffnet weit den Mund.

Ich erschauere, als der ältere Mann seine Hose aufzieht und einen Penis mit so spektakulären Proportionen herausnimmt, dass ich um die Mundwinkel des knienden Mannes fürchte, aber es ist deutlich zu sehen, dass der Blonde meine Sorgen nicht teilt. Er schnappt mit dem Mund nach ihm, der Dunkle stößt aus den Hüften heraus zu, und dann ist der Prügel bis zur Wurzel im offenen Mund versenkt.

Mich wundert, dass Blondie nicht einmal würgt oder zuckt, nein, das einzige Geräusch ist sein lustvolles Stöhnen, und dann greift er zum eigenen Glied, kleiner, aber nicht weniger hart, und reibt es hastig.

Luke küsst meinen Nacken und macht mich verrückt mit seinen zarten Liebkosungen. Ich will mich zu ihm umdrehen, aber er zwingt mich, weiter zuzuschauen.

»Nein«, sagt er, »du verpasst was.«

Er hebt mich auf den Tisch, auf dem ich auf Händen und Knien hocke und eine ausgezeichnete Sicht auf das Geschehen vor meinen gierigen Augen habe. Luke zieht mein Höschen hinunter, und dann fühle ich seine Zunge, die gemächlich an meinen Labien auf und ab wandert.

Er versteht mich besser, als ich mich selbst verstehe. Zwei Männern beim Sex zuzusehen und dabei von Luke geleckt zu werden ist in der Tat eine Form von Paradies. Ich überlasse mich gern seiner Zunge und seinen Lippen.

Plötzlich zieht sich der ältere Mann aus dem Mund des Blonden zurück, hebt ihn auf die Füße und drückt ihn näher zum Tisch. Blondies Oberkörper senkt sich unter der kräftigen Hand des Älteren tief über den Tisch, dann zerrt der Dunkle ihm die Hose die Schenkel hinunter und entblößt einen prallen, festen Hintern. Die knackigen Backen zittern, als der Dunkelhaarige sie teilt und sich zur Penetration einlädt.

Breitbeinig steht er da, positioniert sich und setzt an Blondies Öffnung an.

»Oh nein«, flüstere ich heiser, »die wollen es richtig treiben, Luke.«

»Ja«, sagt er trocken, »und das werden wir auch.« Während ich zusehe, wie sich der gewaltige Fleischstab in den Blonden bohrt, schiebt Luke sich sanft in mich hinein.

Der Dunkelhaarige beginnt mit langsamen Stößen, aber man merkt ihm an, dass es sich nicht lange so zurückhalten kann. Ich fühle, wie meine Lust ins Unermessliche steigt. Der Anblick dieser Szene, das laute Klatschen, wenn er mit dem Bauch gegen Blondies Backen schlägt, ist mit Abstand das Unanständigste, was ich je gesehen habe, und es wird noch schmutziger, weil es hier draußen unter freiem Himmel stattfindet, nur ein paar Schritte vom Pub entfernt.

Aber ich bin nicht weniger unanständig als die beiden. Genauso entblößt. Ich muss an meinen eigenen Po denken. Wie er aussehen muss, so herausgestreckt. Meine Pussy dehnt sich um Lukes Schaft. Ich habe den Gedanken noch nicht erfasst, als es urplötzlich geschieht.

Luke zieht sich aus mir heraus und wendet sich der oberen Öffnung zu. Einen Moment lang spannt sich mein Körper. Aber Luke weiß, dass es genau das ist, was ich will.

»Ja, Luke, bitte, mach das.« Ich weiß nicht, ob ich es laut ausspreche, aber in meinen Gedanken muss ich an die obszöne Phrase »schieb's mir in den Arsch« denken. Ich spüre, wie die Spitze gegen die Öffnung drückt, dann überwindet sie den Muskel, und der ganze Stab bohrt sich in mich hinein. Mit meiner Hand greife ich nach unten und reibe meine Klitoris. Ich masturbiere, gebe mich der Sodomie hin und schaue zwei Männern beim Sex zu. Schmutziger geht es nicht.

Blondies giftig rote Erektion liegt jetzt in der Hand des Partners und wird mit kräftigen Bewegungen gepumpt. Ich sehe, wie das Glied immer härter wird und noch einmal anschwillt. Es kann nur noch ein paar Sekunden dauern, und dann schießt es auch schon aus Blondie heraus. Weiße Fontänen sprühen über die Holzüberfläche des Tischs.

Während es Blondie kommt, setzt auch bei mir der Orgasmus ein. Ich unterdrücke einen Lustschrei und winde mich auf Lukes Schwanz, und als die Zuckungen meinen ganzen Körper erfassen, lässt sich das gedämpfte Schreien nicht mehr unterdrücken, und ich quietsche gegen Lukes Hand, die er mir geistesgegenwärtig gegen den Mund hält.

Der ältere Mann steht auch dicht vor seinem Ziel. Sein Gesicht verzieht sich, dann versteift er sich und stöhnt und ergießt sich zwischen den Backen seines Geliebten.

Dann, als es vorbei ist, dreht er sich zu mir, schaut mir in die Augen und lächelt. »War das gut?«

Ich sterbe vor Verlegenheit und kann mich nicht zu einer Antwort durchringen. Ich ziehe mich von Luke zurück und verstecke mich unter der Hecke, wo ich verharre, bis die beiden Männer zurück in den Pub gehen.

Luke will sich sein Grinsen nicht verbeißen. »Das wird dir eine Lehre sein, du perverses Mädchen.«

Ich streite nicht ab, dass es ein außergewöhnliches Erlebnis war. »Aber was ist mit dir?«, frage ich Luke, der gerade dabei ist, den abschlaffenden Penis in die Hose zu verstauen. Ich bin nicht einmal sicher, ob er den Höhepunkt erlebt hat, so sehr war ich mit mir und den beiden Männern beschäftigt. »War es für dich auch gut?«

Luke lächelt, als er den Reißverschluss hochzieht. »Oh ja, ich habe meinen Spaß gehabt. Du hast nur nicht viel gemerkt davon. Und jetzt genehmigen wir uns noch einen Drink.«

Diesmal setzen wir uns mit unserem Drink in den Pub. Ein Kabarettprogramm hat begonnen. Eine gut gebaute blonde Frau singt mit einer männlichen Stimme Lieder von Gloria Gaynor. Luke schaut kurz hin, runzelt die Stirn und sieht weg.

Die Frau trägt ein sehr eng anliegendes langes blaues Kleid. Sie ist gekonnt geschminkt und strahlt Glamour aus. Irgendwie kommt sie mir vertraut vor.

»Sie ist gut«, murmele ich.

»Ja«, antwortet Luke, aber ich höre einen Unterton von Unsicherheit heraus.

Die Sängerin bemerkt Luke und stockt. Sie murmelt etwas von Nervosität, dann sinkt die Stimme zu einem zögerlichen Flüstern. Die Musik setzt aus, im Raum entsteht Unruhe, und dann hören alle, wie Luke ausruft: »Oh, verdammt! William!«

Eine halbe Stunde später sitzen Luke, William und ich in einer ruhigen Ecke des Pubs an einem Tisch. In einem Versuch, die Situation zu retten, habe ich noch eine Runde Drinks an der Theke geholt. William hat sich umgezogen und sich hastig abgeschminkt, aber ein Rest des Augenstifts ist in den Wimpern haften geblieben. Seine Haare, platt gedrückt unter der Perücke, sehen so verloren aus wie der ganze William.

»Ich werd' verrückt, William«, sagt Luke.

»Das sagst du jetzt das zehnte Mal. Wenn du es noch einmal sagst, kriegst du meine Faust zu spüren.«

»Tut mir Leid. Es ist nur, also ... ich werd' verrückt, William.« Luke schüttelt den Kopf. »Du bist schwul.«

»Nicht doch. Ich trage nur gern Frauenkleider und trete zu meinem Vergnügen in solchen verruchten Pubs auf.«

Luke ignoriert den Sarkasmus. »Ist das ein neuer Spleen von dir? Wie lange stehst du schon auf Kerle?«

William hat schon zwei Bierdeckel geschreddert, er zerreißt sie mit zitternden Fingern in winzige Schnipsel. »Ich stehe immer schon auf Kerle«, antwortet er. William sieht mich an, und ich sehe eine quälende Ungewissheit in seinen Augen. Ich nicke, will ihm Mut machen. »Aber es wird immer schlimmer, Luke.«

Luke blickt hoch. Ich lehne mich an William.

»Erzähl's ihm, William«, flüstere ich.

»Was soll er mir erzählen?« Lukes Stimme wird lauter.

William atmet tief ein und sagt: »Du bist es, Luke.«

»Was?«

»Als ich dich kennen lernte, wusste ich, dass ich mich in dich verlieben würde. Ich weiß, dass es sinnlos ist, aber ich kann nichts dagegen tun. Seit zwölf Jahren haben sich meine Gefühle nicht geändert. Du bist es, den ich haben will.«

»Oh, Gott.« Luke lehnt sich auf dem Stuhl zurück und fährt sich mit beiden Händen durch die Haare.

»Es tut mir Leid, Luke.«

»Mir auch. Aber ich bin nicht schwul, William. Ich bin nicht einmal neugierig. Ich kann mir nicht einmal vorstellen ...«

»Ich weiß, ich weiß.« William nimmt einen tiefen Schluck Bier aus dem Glas. »Und was machen wir jetzt?«

»Machen? Nichts.«

»Du meinst, es kann so weitergehen? Wir können Freunde bleiben?«

Luke sieht ihn verdutzt an, als könne er die Frage nicht verstehen. »Ja, natürlich.« Dann begreift er Williams Sorge. »He, Mann, Wills, wir sind Freunde. Ich würde nie deine Freundschaft aufgeben. Hast du geglaubt, ich könnte ...?«

William lächelt, greift über den Tisch und bedeckt Lukes Finger mit seiner großen Hand. »Nein, Luke, natürlich nicht.« William wirft mir einen Blick zu, aber das Geheimnis seines Zweifels ist bei mir sicher.

Dann fängt Luke plötzlich an zu lachen.

»Das ist nicht lustig«, knurrt William.

»Doch, ist es. Ich habe die ganze Zeit gedacht, dass du ein feines Händchen für Frauen hast.«

Lukes Geschichte

Aber später kommt es mir auch nicht mehr so lustig vor. In den frühen Morgenstunden finde ich mich vor Temworth Manor wieder. Ich habe die Schlüssel in meiner Tasche, aber ich kann mich nicht dazu bringen, sie zu benutzen. Ich benutze die Glocke und warte. Als William die Tür öffnet, ist er noch angezogen. Wie ich kann auch er nicht schlafen. Wir wissen, dass wir sprechen müssen.

Es gibt viel zu besprechen. Mit Zigaretten und vielen Tassen Kaffee, stark und schwarz, halten wir uns wach, während wir auf einem von Lizzys George-III.-Sofas sitzen und bis spät in die Nacht miteinander reden.

Ich bin bestürzt von dem, was William mir über seine Gefühle erzählt. Es ist entnervend, von jemandem so lange und so sehr geliebt zu werden, ohne etwas davon zu wissen. Ich ringe mit mir, um es zu begreifen. Während ich seiner Geschichte lausche, leise geflüstert in seiner klaren aristokratischen Aussprache, und die Emotionen in seinen intelligenten Augen verfolge, wird mir plötzlich klar, dass meine Gefühle für ihn auch ziemlich kompliziert sind. Als William mir sagte, er wäre schwul, war ich überrascht – beinahe prüde entsetzt. Jetzt bin ich nur noch verwirrt.

Als er schließlich sagt: »Ich habe es aufgegeben, über dich hinwegzukommen«, bewegt mich die Traurigkeit dieser Aussage. Mehr als alles andere will ich ihm den Schmerz nehmen. Er trägt Blue Jeans und ein helles T-Shirt, das sich bei jeder Bewegung über seinen dicken Bizeps streckt. Instinktiv möchte ich es gern zulassen, dass er die kräftigen Arme um mich legt. Aber ich bin nicht tapfer genug, ihm die Umarmung zu geben, die ihn trösten könnte.

Er schenkt uns wieder zwei Tassen Kaffee nach, und ich starre auf seine Hände. Ich frage mich, wie es sich anfühlen würde, von ihm berührt zu werden. Ich zucke leicht, als ich mir seine Finger in meiner Hose vorstelle, wie sie mich zu einer Erektion bringen.

Er missdeutet den Grund für mein Schweigen, sieht mich an und sagt mit einem schiefen Grinsen: »Keine Bange, ich falle nicht über dich her.«

Ich überrasche uns beide, als ich antworte: »Aber vielleicht ist es das, was ich will.«

»Was?«

Ich kann es nicht noch einmal sagen. Die Worte steigen zwar in meinen Mund, aber dort bleiben sie liegen, und es kommt kein einziger Ton heraus. Ich schaffe nur ein kaum wahrnehmbares Nicken.

»Luke, schon gut. Du brauchst nicht …«

»Doch, ich will.«

Er sieht mich lange an. Ich bin es, der schließlich den Blick abwendet. Ich sehe auf seine Lippen, sehe die dunklen Stoppeln auf den Wangen und die kräftige Linie seines Kinns. Das erste Mal sehe ich William. Er fährt mir mit den Fingern durch die Haare. Die Berührung ist so warm, dass ich mich entspannt gegen ihn lehne. Langsam kommt er näher, und ich verkrampfe.

Dann küsst er mich. Seine Lippen fühlen sich weich auf meinen an. Es ist ein sehr zarter Kuss. Aber die Sinnlichkeit erreicht mich. Als sich unsere Lippen lösen, kann ich kaum noch atmen. Ich sehe nach unten; sein Schwanz zeichnet sich unter dem Hosenstoff ab. Seltsame Emotionen durchlaufen mich. Es könnte sein, dass ich erregt bin. Ein leises Stöhnen drängt über meine Lippen.

»Luke«, flüstert er, die Stimme belegt vor Besorgnis. »Oh, Luke, bist du sicher?«

Was ich ihm im Pub gesagt habe, stimmt. Ich habe noch nie an Sex mit einem anderen Mann gedacht. Aber dies hier ist etwas anderes. Mit William ist es was anderes. Ich will seine Hände auf mir spüren. Seine Lippen. Gott helfe mir, ich will sogar noch mehr von ihm.

»Ja«, sage ich nur.

Er küsst mich wieder. Er hastet nicht. Seine Lippen gleiten über meine, nagen, lecken, schmecken. Diesmal entspanne ich mich in seiner Umarmung. Mein Schwanz versteift sich. Als er sich von mir löst, ist es mir nicht recht. Er langt an meinen Hemdkragen und öffnet ihn, dann nimmt er sich Knopf für Knopf vor. Meine Zähne nagen an meiner Unterlippe, als er eine Hand unter mein Hemd schiebt. Er lehnt sich sanft gegen mich, presst seine Handfläche gegen meinen Brustkorb und stößt ein leises Murmeln süßer Bewunderung aus.

Es ist angenehm, die raue Haut eines anderen Mannes gegen meine Haut zu fühlen, aber auf der anderen Seite ist es auch seltsam. Das Verlangen, das die neuen Berührungen auslösen, ist mir sehr vertraut.

Seine Hand streicht forschend über meinen Körper und lindert die Spannungen meiner Rippen. Während er mich streichelt, huschen seine Augen immer wieder zu meinem

Gesicht, als wolle er sich jedes Mal meine Zustimmung einholen. Er sieht nichts, was ihn aufhalten könnte.

Dann streicht er an meinen Armen entlang und öffnet meine Manschetten. Ich bin sehr gehorsam und lehne mich vor, damit er mir das Hemd ausziehen kann. Als er es mir abgestreift hat, blickt er auf mich und mustert die Konturen meines Körpers. Ich habe mich noch nie so nackt gefühlt. Ich habe nie darüber nachgedacht, wie ich in den Augen eines anderen Mannes wirke, aber ich freue mich, als ich sein Lächeln sehe. William gefällt, was er sieht.

Er starrt mich immer noch an, langt an meinen Hals und streichelt mich mit daunenleichten Berührungen. Er bewegt sich tiefer und streicht sehr behutsam über die Narbe auf meiner Schulter, als wollte er die zerschundene Haut glätten. Seine Lippen folgen dem Finger. Er küsst das geflickte Fleisch. Es ist so eine zarte Geste, dass sie nach meinem Herzen greift.

Er ist es, der das Schweigen bricht. »Himmel«, stößt er hervor, und sein Mund verharrt dicht über der Narbe, »du hättest tot sein können.«

»Ja, aber ich lebe noch.« Ich streiche über sein Gesicht.

Er nimmt meine Hand in seine, beugt den Kopf und drückt einen warmen Kuss auf meine Hand. Dann leckt er mich. Seine Zunge streicht sanft über die Innenseite des Gelenks und zuzelt den Innenarm hoch.

Die Erotik der Aktion rüttelt mich wach, und als er über meine Nippel streicht und leckt, habe ich Mühe mit dem Atmen. Er kann nicht wissen, wie sehr mir das gefällt, aber seine Berührungen sind perfekt. Ich weiß, dass ich mehr davon haben will. Meine Verwirrung klärt sich allmählich auf. Die Zeit, in der ich einen Rückzieher hätte machen können, ist verstrichen.

»Sage mir, was du willst«, flüstert er.

Ich kann mein Verlangen nicht in Worte fassen. »Ich weiß

nicht, was ich will«, stammele ich unbeholfen. »Ich weiß nicht, was ich tun soll. Du musst mir das beibringen.«

William lächelt. »Mit Vergnügen.«

Am nächsten Morgen blitzen Cassandras Augen amüsiert, als ich ihr sage, dass ich mit William geschlafen habe.

»Er sagte, du würdest das nie tun!«

»Nun, dann hat er sich geirrt.«

»Was ... äh ... was hast du genau getan?«

Es ist mir ein bisschen peinlich, Cassandra die Details zu erzählen, aber ich will, dass sie sie kennt. Ich weiß nicht, ob das, was ich getan habe, unter Untreue fällt, aber ich will die Beichte ablegen.

»Alles«, sage ich grinsend. »Alles, was dazugehört.«

»Und wie war es?«

Ich zucke die Achseln. »Ganz gut.« Cassandra sieht mich zweifelnd an. »Nein, es war besser als nur ganz gut.«

Plötzlich sieht sie mich besorgt an. »Wird es wieder geschehen?«

Ihre Eifersucht schmeichelt mir, aber sie hat nichts zu befürchten. Williams Männlichkeit hatte mich angezogen. Sein Gewicht, seine Wucht, sein Geschick hatten mich aufregend hilflos zurückgelassen. Die Länge seines nackten Körpers neben meinem hatte mich erregt. Es war ganz natürlich gewesen, dass ich ihn so berührte, wie ich mich selbst berühre.

Aber am Morgen, als er dann mit viel Zartgefühl in mich eingedrungen war, wusste ich, dass es nicht wieder geschehen würde. Und während ich unter der Kraft meines Orgasmus aufschrie, war mir klar, dass es das erste und letzte Mal gewesen war. Die Emotion, die zwischen uns explodiert war, würde nie wieder diese Intensität erreichen. Die Umstände hatten mich zu meinem ersten homosexuellen Erlebnis geführt.

»Nein.« Während ich dieses Wort ausspreche, weiß ich, dass es die Wahrheit ist. »Ich bin froh, dass es geschehen ist. Aber, nein, es wird einmalig bleiben.«

»Nun, ich werde ein Auge auf dich behalten, damit du nicht vom Weg abgleitest«, sagt sie. »Am besten ziehst du zu mir in die Wohnung.«

Ich lächle sie an. »Ja, das werde ich vielleicht tun.«

Siebzehntes Kapitel

Cassandras Geschichte

»Okay, dein kleines Geheimnis ist endlich gelüftet.« Ich sitze auf dem Beifahrersitz in Williams Auto. Wir kurven durch London, um nach Westminster zu gelangen.

»Oh ja«, antwortet William mit einem Seufzer. »Jetzt ist es raus.«

»Und fühlst du dich gut damit?«

Er sieht nicht gerade großartig aus. Dunkle Ringe liegen unter seinen freundlichen braunen Augen, und vom Schlafmangel ist seine Haut grau geworden. Er nimmt einen Moment den Blick von der Straße und sieht mich verunsichert an.

»Willst du es wirklich wissen?«

»William, wir waren Freunde, bevor das alles passiert ist. Und ich will auch heute noch dein Freund sein. Ja, ich will es wissen. Wie fühlst du dich?«

»Ich will mich erleichtert fühlen, und ich fühle mich erleichtert.«

»Und?«

»Und traurig. Wirklich schrecklich, herzerweichend traurig. Es ist vorbei.«

»Aber das hast du doch vorher gewusst. Du hast selbst gesagt, dass sich zwischen dir und Luke nie etwas abspielen wird.«

»Ja, klar, und das ist die Wahrheit. Aber da war immer ein Stückchen irrationalen Wunschdenkens in mir, das mir vorgaukelte, dass es vielleicht doch einmal passieren würde. Jetzt weiß ich mit Gewissheit, dass es nicht eintreten wird, und das tut höllisch weh.«

»Ich wünschte, ich könnte dir helfen.«

William schüttelt den Kopf. »Es gibt keine Hilfe.«

»Hat es den Umgang mit Luke erschwert?«

»Nein. Luke ist großartig. Er verhält sich genauso, wie er gesagt hat. Wir können immer noch zusammen lachen. Wir sind und bleiben beste Freunde. Aber es ist mir bei weitem nicht genug, Cassandra.«

William seufzt wieder, und ich strecke meine Hand nach seiner aus und drücke sie. »Komm schon, William, es passt nicht zu dir, dich selbst zu bemitleiden.«

»Ja. Aber ich tue mir verdammt Leid.« Er klingt beinahe wütend, glaube ich. »Mir ist, als hätte ich alles verloren. Vorher hatte ich meine Phantasien. Aber in der Realität war es viel, viel besser. Er war so süß, so leicht zu erfreuen, so bereit, Lust zu geben. Ich weiß, wie er ist, und es war einmalig schön.«

»Aber das ist doch was Gutes.«

»Nein, nein, das ist es nicht. Jetzt weiß ich, dass ich ihn mir aus dem Kopf schlagen muss, denn ich habe mit dem realen Luke geschlafen, nicht mit dem aus meiner Phantasie. Siehst du, ich habe sogar meine Phantasien verloren.« William schlägt mit der Faust auf das Lenkrad, und seine Zähne knirschen frustriert. »Ich wünschte, es wäre nie passiert.«

»Nun, es heißt, was man nie erlebt hat, kann man auch nicht vermissen.«

William schafft ein Lächeln. »Aber da ich ihn jetzt gehabt habe, werde ich ihn schmerzlich vermissen.«

»Es tut mir Leid.«

»Nein, nein. Er ist mit dir zusammen, und so sollte es sein. Ich will, dass er glücklich ist. Er hat es verdient, glücklich zu sein.«

»Aber?«

»Aber was wird aus mir, Cas? Was zum Teufel soll mit mir werden?«

Wir stehen kurz vor dem Parliament Square, und ich spüre, dass William sich nicht auf den Verkehr konzentriert. Er hätte sehen müssen, dass die Ampel auf Rot springt. Er hätte sehen müssen, dass das Auto vor uns bremst. Aber er sieht es nicht. Er sieht überhaupt nichts, bis wir einen Aufprall spüren und das knirschende Geräusch von Metall auf Metall hören.

Der Fahrer vor uns steigt aus seinem Auto. Er wirft einen Blick auf seine verbeulte Stoßstange und geht auf uns zu. William öffnet sein Fenster.

»Nicht viel passiert«, sagt der Fahrer.

Aber für William ist es zu viel. Er schlägt sich die Hände vors Gesicht und beginnt zu weinen. Seine Schultern heben und senken sich. Es ist schrecklich, einen großen Mann wie William derart zusammenbrechen zu sehen. Ich lege einen Arm um ihn und flehe inständig, dass er aufhört zu weinen.

»Bitte, William, bitte hör auf.«

Der Fahrer bietet auch seinen Trost an. »Es gibt keinen Grund, sich so sehr darüber aufzuregen«, sagt er leise, lehnt sich durchs Fenster und legt eine Hand auf Williams Arm.

Die unerwartete Freundlichkeit verschlimmert die Dinge noch, und William schluchzt noch schwerer. »Oh, Gott«, jammert er. »Das ist mir ja so peinlich.«

Aber der Fahrer hält seine Hand auf Williams Arm und streichelt sie leicht, bis die Tränen nicht mehr rinnen. »Ist es jetzt besser?«, fragt er.

William nimmt einen tiefen Atemzug. Der Fahrer zieht ein Paket Taschentücher aus seiner Tasche und bietet William eins an. William schnäuzt sich laut. »Ja«, sagt er, »danke.«

William blickt hoch in das freundlich lächelnde Gesicht des Fahrers. Ich bin sicher, dass Williams Neigung, sich in Heteros zu verlieben, das Vertrauen in seine Fähigkeit lädiert hat, Männer zu entdecken, die seine sexuellen Vorlieben teilen. Aber dieser eine Blick in Williams Augen war viel länger, als schicklich wäre, wenn er nicht sofort einen Narren an ihm gefressen hätte.

Der Fahrer ist nicht auffallend schön, und natürlich kann er an Luke nicht tippen. Aber er hat was sehr Nettes an sich.

»Der Schaden sieht wirklich nicht so wild aus«, sagt er wieder und hört nicht auf zu lächeln.

»Nein?« Jetzt erwidert William das Lächeln.

Vor langer Zeit hat William sich mal in einen forschen Kerl aus dem Norden verliebt; er hatte ein ansteckendes Lachen und Haare in der Farbe des Sonnenscheins. Ich frage mich, ob William sich eines Tages wieder verlieben kann. Und wenn ich den Ausdruck auf seinem Gesicht richtig deute, fragt William sich das auch gerade.

Ich lehne mich über einen Schreibtisch und greife nach dem Telefon. Luke meldet sich auf seinem Handy. »Ja?«, fragt er knapp.

»Hi.«

»Hi!« Sein Ton verändert sich, als er meine Stimme erkennt.

»Wo bist du?«

»Auf der M4 zurück nach London.« Das Aufröhren der starken Aston-Maschine bestätigt ihn. »In spätestens einer Stunde werde ich da sein.«

»Gut. Ich bin schon für unser kleines Abenteuer heute Nachmittag angezogen.«

»Jetzt schon?«

»Oh ja.« Ich hebe meinen Rock und blinzle darunter.

»Für welche Farbe hast du dich entschieden?«

»Ein wirklich wunderbares Pink«, antworte ich. »Und an den Seiten dunkelblaue Bändchen. Es hat was von Moulin Rouge an sich. French Knickers, wie du gewünscht hast, abgesetzt mit weicher Spitze. Ich streiche gerade mit den Fingern darüber. Es fühlt sich scharf an.«

Er lacht. »Du unanständiges Mädchen.«

»Und ich habe an die Strümpfe gedacht. Schwarz und sehr, sehr durchsichtig, genau wie du gesagt hast. Ich muss zugeben, dass sie gut an meinen Beinen aussehen.«

»Oh, Mann«, knurrt er. »Ich wünschte, ich könnte dich in diesem Moment sehen.«

»Sie fühlen sich auch wunderbar weich an, wie Seide eben. Ich habe die Beine leicht gespreizt und reibe die Innenseiten der Schenkel gegeneinander. Erinnerst du dich noch, wie sich meine Haut an dieser Stelle anfühlt?«

»Und wie ich das kann.«

»Ich wünschte, du würdest mich jetzt da berühren.«

»Cas, hör auf. Du machst mich an.«

»Ich weiß. Aber ich mache mich auch selbst an. Ich hebe jetzt meinen Pulli, weil ich nicht oft genug meinen BH sehen kann. Er drückt meine Brüste in eine wunderbare Form. Ich kann meine Finger nicht von ihnen lassen. Ich weiß, du würdest sie jetzt gern anfassen.«

»Cas, tu mir das nicht an.«

Ich ignoriere ihn. »Ich weiß, du würdest sie gern in deinen Händen halten, sie küssen und lecken. Ah, den Geschmack wirst du lieben.«

»Oh ja.«

»Ich liebe es, wenn ich deinen Mund auf meinen Titten spüre. Ah, ich brauche nur daran zu denken, dann muss ich mit mir selbst spielen.« Ich lasse eine Hand über meinen Bauch gleiten und über die Seide meines Schambergs. Ich spüre ein sanftes Pochen tief in mir.

»Cas! Wo bist du?«

»In deinem alten Büro.« Es war nie ein heimeliger Ort, aber da er nun ungenutzt ist, wirkt er sogar ein wenig gruselig. Lukes schreckliches Kreuzigungsbild ist zum Glück nicht mehr da, aber verschwunden sind auch die sexuelle Energie und die sinnliche Erregung, die ich zu seiner Zeit in diesem Büro wahrgenommen hatte. Diese Emotionen will ich zurückholen.

»Oh, verdammt!« Er hört sich ehrlich entsetzt an. »Das kannst du doch da nicht machen! Was ist, wenn jemand hereinkommt?«

»Ah, das Risiko, erwischt zu werden, verdoppelt doch nur den Spaß. Was glaubst du, was geschieht, wenn ein alter verknöcherter Minister eintritt und mich masturbierend im Büro des Direktors der Kommunikation vorfindet? Glaubst du, er würde mich rauswerfen? Oder glaubst du, dass der Anblick ihn so scharf macht, dass er nur noch daran denken kann, es mir nach Strich und Faden zu besorgen?«

»Cas, das ist wirklich schmutzig.«

»Glaubst du? Aber noch schmutziger wäre es, wenn du uns am Telefon zuhörst, was?«

»Ja, das wäre es.«

Ich stelle mir vor, wie er bei all den sexuellen Geräuschen, die übers Telefon zu ihm dringen, nicht mehr an sich halten kann und auch zu masturbieren beginnt. »Wärst du eifersüchtig, wenn du ihn keuchen und stöhnen hörst? Oder wärst du erst dann richtig glücklich, wenn du hörst, dass ich auch komme?«

»Hör auf damit, Cas. Du hast mir einen gewaltigen Ständer verschafft.«

»Dann tu doch was dagegen, Baby.«

»Ich kann nicht. Ich sitze hinter dem Lenkrad.«

»Du kannst links ranfahren. Mach schon, Luke. Mach's für mich.«

»Hör auf. Sofort.«

»Aber es ist schon zu spät. Ich muss das bis zum Ende durchziehen. Ich liege halb in deinem alten Sessel, meine Brüste sind entblößt, mein Rock ist bis zu den Hüften hochgeschoben. Und du kannst dir vorstellen, was für ein Anblick das ist. Wenn du mich sehen könntest, würdest du deine Hände auch nicht still halten können.«

»Oh, Mann ...«, stöhnt er. Ich höre ein Klicken, als er Blinkzeichen gibt, dann wird das Auto langsamer, und schließlich schaltet er den Motor aus. »Cas?«

»Ich bin noch da, Baby.« Ich höre ein leises Ratschen, als er den Reißverschluss aufzieht. »So ist es gut«, locke ich ihn. »Hältst du ihn schon in der Hand?«

»Ja, ja. Himmel, bin ich hart.« Eine Minute oder so schweigt er, und ich stelle mir vor, wie er in sich versunken seinen Stab reibt. »Das fühlt sich gut an«, sagt er. »Was machst du gerade?«

»Ich spiele mit meiner Muschi.«

»Wie?«

»Ach, ich kitzle mich durch den dünnen Stoff. Aber ich glaube nicht, dass ich mich noch lange zurückhalten kann.«

»Zieh die Knickers aus. Ich will dich nackt haben.«

Ich lächle. Luke ist gut bei diesem Spiel. Ich schiebe das Höschen meine Schenkel hinunter und lasse es auf den Boden fallen, dann lege ich mich wieder in den Sessel zurück. Das schwarze Leder fühlt sich warm und glatt auf meinem blanken Po an.

»Ah, ja«, seufze ich, »das ist viel besser.« Ich lehne mich weiter zurück, lege die Beine auf den Schreibtisch und stoße einen Stapel Werbepost mit den Zehen nach hinten. Ich spreize die Schenkel so weit es geht und fühle, wie sich meine Lippen öffnen. »Was soll ich jetzt tun, Luke?«

»Geh mit den Fingern in dich rein«, weist er mich an, die Stimme tief und heiser.

Ja, das will ich auch.

»Ah«, entfährt es mir, als ich zwei Finger in mich hineinschiebe. »Ah, das ist wunderbar. Es ist genauso wie bei dir, wenn du mich fingerst und ich bereit für dich bin.«

»Sage mir, wie es ist.«

»Weich und warm. Aber auch eng. Ich muss hart zustoßen, um in mich reinzukommen. Aber wenn man drin ist, geht es ganz leicht. Ah, was für ein Gefühl.« Ich wüsste gern, wie sich jetzt der Schwanz in seiner Hand anfühlt.

»Du starrst auf meine Brüste, während du mich fickst«, sage ich liederlich. »Zuerst genügt es dir, ihnen nur zuzuschauen, wie sie in den Körbchen auf und ab hüpfen, aber dann holst du sie heraus und greifst sie ab.« Ich gebe leise miauende Geräusche von mir, als meine Hände über meine entblößten Brüste streicheln.

»Meine Nippel reiben sich hart an deinen Händen. Du kannst nicht aufhören, sie zu streicheln. Du kannst von mir nicht genug bekommen.« Ich drücke hart zu, zwicke die Nippel, bis ich weiß, dass er den Schmerz in meiner Stimme hören wird. »Du willst ganz zärtlich sein, aber du gierst so sehr, dass du nicht anders kannst, als rau zu sein. Habe ich Recht?«

»Ja.«

»Und ich will, dass du rau bist.« Ich stoße mit einer Hand in mich hinein. Es fühlt sich fast so an, als wäre er es. »Ich will, dass du mich so hart vögelst, wie du dich traust. Du hältst meine Beine weit geöffnet. Du pflügst in mich hinein, immer und immer wieder, du spießt mich auf.«

Unter normalen Umständen rede ich nicht so, aber dies war kein normaler Umstand, und ich weiß auch, dass Luke es mir nicht verübelt. Er hat im Moment genug mit seiner Erektion zu tun, glaube ich.

»Du willst dich zurückhalten. Du willst dich zurückhalten, bis du glaubst, dass du platzen wirst, wenn es dir nicht kommt. Du weißt, wie großartig es sich anfühlt, wenn du dieses Stadium erreichst.«

»Ja, ja.«

»Aber jetzt musst du kommen, nicht wahr?«

»Ich bin ganz nah dran.«

»Gut. Denn ich will, dass du mich abfüllst. Ich brauche deinen sprühenden Saft in mir, ich will spüren, wie er in mich hineinsprudelt.«

Er atmet leise aus. Mein eigener Atem geht so schnell, dass ich kaum noch sprechen kann, und dann spüre ich die leckenden Wogen des Orgasmus, die mich verschlingen. »Jetzt«, hauche ich.

»Ja«, sagt er. Dann, noch leiser: »Oh ja.«

Achtzehntes Kapitel

Cassandras Geschichte

»Und hier findet das alles statt?« Simon Moores Fernsehstudio ist leer. Sein berühmtes Interviewsofa, dessen Federn von den berühmtesten Politikern der Welt platt gedrückt worden waren, bietet mir an diesem Tag eine Sitzgelegenheit.

»Ja, richtig.«

»Wow! Sehr beeindruckend.«

Simon steht mit vor Stolz geschwellter Brust da. »*Moore From the House* ist eines der attraktivsten Programme des Senders, und der scheut keine Kosten. Ich glaube, die meisten Leute stimmen zu, dass es gut investiertes Geld ist. Für die fünfte Staffel im Frühjahr wird das Budget noch einmal kräftig erhöht.«

Ich streiche über den teuren Stoff des teuren Sofas und wünschte, Simon würde die Klappe halten. Ich bin nicht zum Reden hier. »Es ist so aufregend, auf diesem Sofa zu sitzen. Zusammen mit dir.«

Ich klopfe auf den Platz neben meinem, und Simon setzt sich zu mir. Sein Knie drückt gegen meinen Oberschenkel.

»Das könntest du öfter haben. Du könntest für mich arbeiten, wenn du willst. Ich kann immer eine gut aussehende Redakteurin gebrauchen.«

»Oh, wirklich? Das würde ich nur zu gern. Der Gedanke, mit dir und den anderen einflussreichen Leuten zu arbeiten, haut mich glatt um.«

Ich schlage die Beine übereinander, langsam, damit Simon einen Blick zwischen meine Schenkel werfen kann. Sein Gesicht färbt sich rot, und mein eigenes Verlangen wird angestachelt. Ich fahre mit einem Finger am Kragen meiner Bluse entlang, und Simons Blick hebt sich zu meinem Busen. »Da wird mir ganz anders.« Ich fächle mir Luft zu, was dazu führt, dass meine Brüste in Bewegung geraten, was die erwünschte Wirkung auf Simon hat. Seine Pupillen füllen sich mit Gier.

»Es ist sehr heiß unter all diesen Lampen. Wie hältst du das aus?« Simon starrt auf meine Hände, als ich erst einen, dann den zweiten Knopf meiner Bluse öffne. Seine Augen bewegen sich nicht, meine Hände bewegen sich nicht. Er soll danach lechzen, dass ich den dritten Knopf öffne. »Ist es möglich, dass du mir einen Drink besorgst?«

Simon springt auf die Füße. »Natürlich«, sagt er und fummelt in seiner Tasche nach dem Handy. Er gibt eine Nummer ein, dann höre ich ihn murmeln: »Sandra, bring doch eine Flasche Dom Perignon ins Studio A. Jetzt gleich.« »Bitte« ist ein Wort, das nicht zum Sprachgebrauch des mächtigen Moore gehört.

»Vielleicht ist es bequemer, wenn ich meine Bluse ausziehe. Hast du was dagegen?«

Simon schüttelt den Kopf. Ich knöpfe weiter auf, während Simon jede Bewegung meiner Hände verfolgt. Die Bluse fällt.

»Vielleicht fühlst du dich noch besser, wenn du noch etwas ablegst?« Simon fordert sein Glück heraus. Seine Augen stehen ihm vorm Kopf, als ich meinen Rock abstreife.

»Oh ja«, sage ich, »viel besser.«

Die wachsende Schwellung in Simons Hose zeigt an, dass er zustimmt. Ich lehne mich zurück und lasse die Beine leicht auseinander fallen. Der Anblick meines seidenbedeckten Schambergs wird ihm einheizen. Tatsächlich stößt er einen tiefen Seufzer aus, während er auf den dampfenden Fleck in meinem Delta starrt. Er sieht so aus, als hätte er seinen Wahlkreis erobert und am selben Tag auch noch das große Los in der Lotterie gewonnen.

»Himmel, Cassandra, du hast einen phantastischen Körper.«

Ich strecke mich wie eine Katze und bade in seiner Bewunderung. »Ich bin sicher, du hast auch einen wunderbaren Körper, Simon. Weißt du, es ist ein bisschen abartig, fast nackt neben dir in deinem Studio zu sitzen. Warum folgst du nicht meinem Beispiel?« Er zögert, und ich setze nach: »Nun zier dich nicht. Ich bin sicher, dass du dich hier schon einige Male ausgezogen hast.«

»Äh ... nein, bisher noch nicht.«

»Dann wird es Zeit, dass du es mal ausprobierst.«

Mehr Überredung ist nicht erforderlich. Er zieht sein Hemd aus, dann streift er Schuhe und Socken ab, Hose und Unterhose folgen, bis er nackt vor mir steht.

»Oh ja, das ist wirklich abartig.« Simons Erektion hüpft zustimmend. »Stell dir vor, wie viele deiner weiblichen Fans dich gern so sehen würden. Ich wette, viele von ihnen phantasieren bei jeder Show darüber.«

»Glaubst du wirklich?« Die Einbildung dieses Mannes kennt keine Grenzen.

»Da halte ich jede Wette. Und dabei spielen sie mit sich selbst und wünschen, du wärst bei ihnen.« Simon lechzt mich an, während ich mit einer Hand zwischen meine Schenkel greife und mich wie abwesend streichle. »Ich weiß es, denn ich tue es immer.«

»Wirklich?« Meine Aussage stählt seinen Penis noch mehr.

»Oh ja.« Ich lege meinen feuchten Finger auf meine Unterlippe, die Geste eines kleinen Mädchens, das Simons Eitelkeit noch mehr ansprechen wird. »Aber ich stelle mir dich nicht nackt vor. Ich stelle mir vor, dass du andere Sachen trägst ...«

»Was zum Beispiel?« Simon nimmt die Erektion in seine Faust und reibt sich.

»Meine Unterwäsche zum Beispiel. Ich stelle mir vor,

du gehst zu einem deiner klugen Interviews in meiner Wäsche.«

Er reißt die Augen weit auf. Die Vorstellung behagt ihm sehr. Einen Moment lasse ich ihn zusehen, wie ich mich streichle, dann richte ich mich plötzlich auf, als wäre mir ganz spontan eine Idee gekommen. »Simon, kannst du es jetzt tun?«

»Was tun?«

»Bitte, würdest du mein Höschen anziehen?«

»Oh, Mann, du bist vielleicht ein verdorbenes Früchtchen. Aber es gefällt mir. Steh auf, dann ziehe ich dir dein süßes Höschen aus.« Ich stehe auf und schaue auf meine Füße. »Sei doch nicht schüchtern«, sagt er, als er das Höschen von meinen Hüften schält. »Ich liebe Mädchen mit einem exquisiten Geschmack.«

Aber ich habe den Kopf gesenkt, um ein Lächeln zu verbergen, nicht meine Röte. Ich behalte mein scheues Schweigen bei, als Simon meine French Knickers über seine Hüften zieht.

»Auch meine Strümpfe?«

Er ist auch auf sie ganz versessen, er rollt sie an meinen Beinen flüssig hinunter und an seinen hoch. Er setzt sich neben mich, die Beine gespreizt, und fühlt sich verdächtig wohl in Frauenunterwäsche.

Sein Anblick ist schockierend und erregend zugleich. Meine Strümpfe transformieren seine gut geformten Beine, und als ich mit den Händen über seine Oberschenkel streiche, überrascht mich das seidige Gefühl. Über den Strümpfen kräuseln sich seine Beinhaare über das Nylon. Simon erschauert und hält den Atem an, als ich ihn auch da streiche.

Die pink Knickers, die ich absichtlich ein paar Nummern zu groß für mich gekauft habe, spannen sich über Simons Hüften, und sie verdecken so gerade die große Erektion darunter. Ein Hoden drückt sich unter der Spitze heraus. Ich kann nicht widerstehen, hebe die Hand höher und kitzle das vorwitzige Bällchen.

Simon hebt die Hüften an und schiebt seinen Penis meiner Hand entgegen, und weil ich nicht herzlos sein will, streichle ich ihn kurz und fahre mit der Handfläche kurz auf und ab. Ich fühle, wie er wächst, bis die Spitze oben über den Bund der Knickers hervorlugt.

Simon blickt nach unten. Er grinst selbstgefällig; ohne Frage gefällt ihm das Bild sehr. Ich wüsste in diesem Moment gern, wie es sich anfühlt, von einem Mann genommen zu werden, der mein Höschen trägt, aber dann reiße ich mich zusammen, weil das heute nicht auf dem Plan steht. Ich ziehe meine Hand zurück.

»Oh, Simon, da ist noch etwas ...«

Er rutscht vor gespannter Erwartung auf dem Sofa herum. »Was denn? Sage mir alles, was du auf dem Herzen hast, mein Schatz.«

»Nun, hast du irgendwas gegen kleine Fesselspiele? Ich würde dich wahnsinnig gern fesseln.«

»Nein, ich habe absolut nichts dagegen. Nicht bei dir, Mädchen. Leg los.«

Sein Vertrauensvorschuss weckt meine Schuldgefühle. Er streckt seine Arme aus, und ich binde sie mit seinem Gürtel auf die Rückseite des Sofas. Dann spreizt er die Beine für mich, und ich binde sie mit ein paar Bändern fest, die ich in meinen Haaren getragen habe. Es ist leicht, sie an den Sofafüßen zu befestigen. Während ich mich über ihm bewege, achte ich darauf, dass meine Brüste schon mal über seinen Schoß oder sein Gesicht streichen, kleine Vorfreuden auf das, was er sich ausmalt. Er hält den Atem an, als ich mit einem Nippel über seinen Brustkorb streiche, und einmal hocke ich mich gespreizt über seinen Oberschenkel. Er spürt, wie nass meine Pussy ist.

In diesem Augenblick trifft der Champagner ein, aber

nicht Sandra bringt ihn, sondern ein Kellner, der Simon so vertraut wie seine Sekretärin, die ihn nicht ausstehen kann.

»Weston!«

»Hallo, Simon. Du brauchst nicht aufzustehen. Oh, tut mir Leid, es sieht so aus, als könntest du dich gar nicht erheben.«

»Was, verdammt und zugenäht, willst du denn hier?«

»Sandra hat mir gesagt, du hättest Champagner bestellt.«

Bei Lukes Eintreten war Simons Erektion zusammengefallen. Die Eichel zuckt noch ein bisschen, aber mehr Entspannung wird es für sie und den ganzen Mann nicht geben, denn ich kann mich jetzt einem schöneren Spielzeug zuwenden. Ich gehe hinüber zu Luke, küsse ihn voll auf den Mund und zeige beiden Männern, wie sehr ich mich freue, ihn zu sehen.

Ich fange an, Luke auszuziehen, lasse mir aber viel Zeit dabei. Während ich ihm das Hemd von den Schultern streife, lasse ich die Hände über seinen Brustkorb gleiten, und meine Fingernägel kratzen über seine Nippel.

Simon schnarrt frustriert, als ich Lukes Hose öffne und von oben meine Hand hineinschiebe. Meine Finger stoßen auf seinen Schaft, ich streichle ihn und spüre, wie sich das schlaffe Fleisch erhebt. Dann wandern meine Hände zu seinem Po. Ich lasse Hose und Boxershorts auf den Boden fallen. Mit einer Hand greife ich unter seine Hoden und drücke sie sanft.

Simon und ich schauen zu, einer voller Neid, die andere voller Bewunderung, wie Lukes Schwanz sich hebt. Für einen Moment schließt er die Augen, aber dann fällt ihm ein, dass er noch einen Auftrag als Kellner zu erfüllen hat. Behutsam weicht er mir zur Seite aus, greift die Champagnerflasche und öffnet sie.

»Oh, wie dumm von mir«, sagt er. »Ich habe keine Gläser mitgebracht.«

»Das ist nicht weiter schlimm«, sage ich und nehme die Flasche aus Lukes Händen. »Ich bin sicher, wir können ein bisschen experimentieren.« Ich lächle ihn an und kippe die Flasche.

Er keucht geschockt auf und wirft den Kopf in den Nacken, als die gekühlte Flüssigkeit über seinen Brustkorb und den Körper hinunterläuft. Ich bücke mich und fange einen Teil des Stroms von seinen gespannten Muskeln auf. Der Geschmack von Luke, gewürzt mit dem Champagner, ist eine köstliche Mischung. Ich habe einen wirkungsvollen Cocktail kreiert.

»He, das ist teurer Champagner«, protestiert Simon.

Ich will nicht viel davon verschwenden, deshalb lecke ich die Tropfen von Lukes Nippeln ab. Ich sinke auf die Knie, und meine Zunge kreist über seinen Bauch, über die Hüften und schließlich zum Penis. Die Wärme meines Munds ist ein starker Kontrast nach der Kühle des Champagners, deshalb stößt er ein paar keuchende Laute aus. Sie gehen in eine Art Lustgeheul über, als ich meinen Mund mit Champagner fülle und seinen Schwanz tief aufnehme. Ich lasse ihn im Champagner baden und spüre, wie es perlt.

Er nimmt meine Haare in seine Hände, und als ich nach oben schaue, sehe ich, wie er mich intensiv anstarrt.

»Du …«, beginnt er. Aber die Lust raubt ihm die Worte. Ich schlucke den Champagner und sauge die Erektion tief in den Mund, lasse den Kopf vor und zurück gehen und warte, dass er weiterspricht. Aber er sagt nichts mehr. Während Luke sich in seiner Erregung verliert, sind meine Gedanken weiter auf die Aufgabe konzentriert, die vor uns liegt.

Ich sauge die Eichel, umspiele sie mit meiner feuchten Zunge und schaue hinüber zu Simon, dann schließe ich meine Augen und verschlucke die ganze Länge. Ich lasse Luke da sein, wo Simon gern wäre.

Simon stöhnt frustriert. Ihm muss schon länger bewusst

sein, dass er aus dem Spiel ist. Er zerrt an seinen Fesseln und versucht, mit den Händen zu seinem Schoß zu gelangen. Doch ein paar Zentimeter vor dem Ziel ist es mit seiner Bewegungsfreiheit vorbei.

»Kommt schon, Leute«, wimmert er, »gebt mir auch ein Stück der Action.« Wir ignorieren ihn.

Ich höre Luke nach Luft schnappen und weiß, dass sein Ende nahe ist. Ich will, dass Simon es auch weiß. Ich hebe den Kopf leicht an und falte die Finger um Lukes Schaft, reibe ihn kurz und zucke zusammen, als er sich über mein Gesicht und die Brüste versprüht und wilde Freudenschreie ausstößt.

»Ah, phantastisch«, ruft er. »Das war unglaublich gut.« Ich weiß nicht, ob er übertreibt, aber es gefällt mir sehr.

Ich richte mich auf und lächle in Lukes Augen. Er küsst mich auf den Mund und hat nichts dagegen, seinen eigenen Samen zu schmecken. Lukes ungehemmte Art törnt mich ungeheuer an, und plötzlich habe ich Mühe, dass unsere Schau in der Spur bleibt. Eben bei Simon war meine Erregung vorgetäuscht, aber jetzt ist sie sehr real.

Luke dreht mich herum, bis ich Simon den Rücken zuwende. Er flüstert mir zu, dass ich mich vorbeugen soll. Natürlich gehorche ich, und ich höre Simons Aufstöhnen. Luke schlüpft mit einer Hand zwischen meine Schenkel und spreizt sie noch ein bisschen mehr.

»Ist sie nicht wunderschön, Simon?«, fragt Luke, aber an seiner tiefen, heiseren Stimme merke ich, dass er keine Bestätigung braucht.

Luke kniet sich hinter mich und verwöhnt mich mit kleinen süßen Tupfern seiner Zunge. Er dringt tiefer ein, ich fühle seine erfahrenen Berührungen, schließe die Augen und stütze mich mit den Händen auf dem Boden ab.

Bei mir setzt eine Phantasie ein. Ich sehe mich, wie ich nicht nur Simon quäle, sondern auch seine Zuschauer, denn alle

Plätze im Studio sind gefüllt. Ich stelle mir vor, dass mich die Männer auf der Bühne beobachten, und sie sind nicht weniger erregt als Simon selbst.

Ich kann sie alle sehen, schaue in die Gesichter der Schönen, aber auch der Hässlichen, ich sehe die Dutzendgesichter und die Dicken, ich sehe Männer, die nie davon träumen können, eine Frau wie mich zu berühren, und die jetzt wenigstens in den Genuss des Zuschauens kommen.

Im Gegensatz zu Simon können sie masturbieren und sich in ihre Hände erleichtern, während sie mich mit Luke beobachten, der meine pinkfarbene Pussy verwöhnt. Die Phantasie geht mit mir durch, mein ganzer Körper wird geschüttelt, und als der Orgasmus tobend einsetzt, schreie ich meine Erlösung laut heraus. Luke hält meinen Körper fest, als ich vor Erschöpfung zusammensinke.

Es dauert eine Weile, bis ich wieder zu mir komme. Ich drehe mich zu Simon um, der zitternd auf seinem Sofa liegt. Ein nasser Fleck breitet sich vorn auf meinem Höschen aus. Er hat hilflos ejakuliert wie ein pubertierender Teenager.

Erst jetzt bemerkt Simon die beiden Techniker, die in einer dunklen Ecke des Studios an Kamera eins arbeiten. William versteht nicht viel von Technik, aber dafür ist Chaz, Williams neuer Freund, mit allen Aufgaben der Fernsehtechnik vertraut. Sein breites Grinsen signalisiert uns, dass er alle Szenen eingefangen hat, auf die wir es abgesehen haben.

Simon stöhnt schwer und schließt die Augen, als er das ganze Ausmaß des Horrors begreift, dessen Ende er noch nicht gesehen hat.

Es wird noch schlimmer für ihn kommen. Ich hole das Handy aus meiner Tasche und tippe eine Nummer ein. Oben wird jetzt in einem eichengetäfelten Büro das Telefon klingeln. John Steadman, der Chef des Senders, wird über seinen gewaltigen Schreibtisch greifen und die Hand nach dem Telefonhörer ausstrecken.

»Hallo, Mr. Steadman«, sage ich. »Hier spricht die Aushilfssekretärin von Simon Moore. Er hat mir aufgetragen, Sie zu bitten, sich ins Studio A zu begeben, weil er was Dringendes mit Ihnen besprechen möchte. Offenbar duldet es keinen Aufschub ... Ah, sehr gut, danke, Sir. Ich werde ihm sagen, dass Sie schon auf dem Weg sind.«

»Cassandra, du verdammtes Luder!«, brüllt Simon. »Damit kommst du nicht durch!«

Ich lächle ihn süß an, ein überzeugender Ausdruck der loyalen Sekretärin. »Tut mir Leid, Simon«, sage ich, »aber du wirst in ein paar Minuten herausfinden, wie leicht es ist, damit durchzukommen.«

Luke und ich ziehen uns schnell an, William und Chaz sind schon an der Tür.

»Bye, Simon«, rufe ich ihm über die Schulter zu. »Ich hoffe, du findest einen anderen Job. Denn ob es jetzt noch eine fünfte Staffel gibt, das bezweifle ich.«

Simon Moore sitzt in meiner Unterwäsche auf dem Sofa und beginnt zu weinen.

Neunzehntes Kapitel

Cassandras Geschichte

Camilla reißt die Tür zu Lukes Büro auf und faucht: »Cassandra, was hast du denn hier zu suchen? Du weißt genau, dass du keine Büroräume der Leitenden benutzen darfst.« Ich sitze an Lukes altem Schreibtisch und blicke seufzend auf.

»Im Normalfall ist das so, aber der PM hat gesagt, ich sollte irgendeinen Raum benutzen, solange ich noch dabei bin. Nächsten Monat bin ich sowieso weg.« Das mit dem Premier ist natürlich eine dicke Lüge, aber Camilla ist zu naiv, um sie zu durchschauen, sie zieht sich verschnupft zurück und quengelt was von Vetternwirtschaft.

Ihre Zickigkeit berührt mich nicht. Ich bin ehrlich davon überzeugt, dass es mir zusteht, meine letzten Wochen in aller Bequemlichkeit zu verbringen.

Als ich meine Kündigung eingereicht habe, gab es ein paar Menschen, die sagten, es täte ihnen Leid. Camilla gehörte nicht zu ihnen. Aber es ist offenkundig, dass dies kein Job für mich ist. Ich sehe mich so, wie ich bin – ein Kuckuck im Nest der Ernsthaftigkeit von Westminster. Ich gehöre nicht hierhin. Meine politische Karriere ist vorbei.

Simons Karriere auch. Der gute alte Simon hatte sich zu viele Feinde geschaffen. Feinde, die mich bereitwillig mit den richtigen Namen versorgt hatten, den richtigen Telefonnummern und den gefälschten Studiopässen. Es hatte viele freiwillige Helfer gegeben, die uns seinen Terminkalender fotokopierten, die Studiobelegung ausfindig machten und das Wachpersonal ablenkten, als William, Chaz, Luke und ich das Kommando übernahmen. Ja, es war alles ganz einfach gewesen.

Ich schaue auf die Scheibe in meiner Hand und muss lächeln. Simon war schon draußen, aber die Bilder auf dieser Disc sind unsere Versicherung. Ich schiebe die Disc in den Rechner auf Lukes ehemaligem Schreibtisch und klicke die einzelnen Bilder durch. Ein Arm hier, ein Bein da. Nur ein Teilnehmer an der kleinen Orgie, die William und Chaz so sorgfältig gefilmt haben, ist identifizierbar: Simons knallrotes feistes Gesicht erkennt man auf den ersten Blick.

Niemand wird herausfinden, wer oder was für die gewaltige Erektion verantwortlich war, die aus Simons French Knickers lugte. Es wird sich auch niemand dafür interessieren.

Einige sexuelle Ausschweifungen sind selbst in der sonst so kritischen Welt der britischen Politik akzeptabel. Es gibt sogar welche, die einen Politiker mit einer Art Patina des Draufgängers versehen, ein Farbtupfer auf dem sonst sterilen Image. Aber Simon hat den Fehler begangen, sich zum Beschützer der Familie aufzuschwingen, und wenn du jedem erzählst, dass du der Reinste unter den Reinen bist, dann sieh zu, dass du das auch ablieferst. Die britische Öffentlichkeit ist bereit, vieles zu verzeihen, aber keine Heuchelei. Mr. Moore wurde von seinem Denkmal gekippt, auf das er sich selbst erhoben hatte.

John Steadman, der Chef des Senders, ein Mann, der für seine strengen moralischen Ansichten bekannt ist, hat Simon auf der Stelle gefeuert, als er ihn im Fernsehstudio entdeckte. Und Simons Abgang als TV-Star ging seinem Abschied aus der Politik nur um ein paar Stunden voraus.

Ich hatte Simon versichert, dass ich nicht die Absicht hatte, dem Premierminister die Bilder auf den Tisch zu legen, aber in Westminster blieben Geheimnisse nicht lange geheim. Simon glaubte keine Sekunde lang, dass ich die Bilder nicht verbreiten würde, deshalb legte er von sich aus seinen Parlamentssitz nieder und schob »lang anhaltende gesundheitliche Probleme« vor.

Aber eine Sache stand noch aus. Ich hatte fast Mitleid mit Simon, als ich seine Nummer eingab.

»Simon, ich danke dir für den köstlichen Nachmittag vergangene Woche. Hast du den kleinen Erinnerungsstreifen erhalten, den ich dir geschickt habe?«

Er ist alles andere als erfreut, von mir zu hören. »Das weißt du ganz genau.«

»Oh, gut. Der Film schmeichelt dir wirklich nicht, was? Ich glaube, Chaz hat immer nur meine Schokoladenseite aufgenommen, aber du siehst verdammt ungesund aus.«

»Was willst du, Cassandra? Ich habe schon meinen Parlamentssitz niedergelegt.«

»Ja, ich weiß. Ich habe das bedauert, und Luke war regelrecht entsetzt.«

»Ha, das glaube ich! Aber deshalb kannst du mir nicht mehr drohen, das Video öffentlich zugänglich zu machen.«

»Simon! Wie kannst du mir so etwas zutrauen? Ich würde es nie jemandem zeigen. Nicht einmal deiner Frau.«

»Meiner Frau? Untersteh dich, ihr eine Kopie zu schicken! Ich habe meinen Job verloren und kann mir den Zirkus einer teuren Scheidung nicht erlauben.«

»Natürlich würde ich das der lieben Fiona nicht zumuten. Aber es wäre eine gute Idee, wenn du der Polizei erklären würdest, dass du Luke den Stoff untergeschoben hast, als er neulich in Nataschas Wohnung war.«

»Bleibt mir eine andere Wahl?«

»Nein. Man nennt es Erpressung, nicht wahr? Aber ganz clever eingefädelt, das musst du zugeben.« Ich legte auf.

Im nächsten Moment schrillt das Telefon wieder. Ich hebe den Hörer ab und höre Toby, die Stimme schrill vor Aufregung.

»Cas, Luke ist da! Er ist auf dem Weg zu seinem Büro!«

Ich schaue hoch, als Lukes Gesicht in der Tür erscheint. »Danke, Toby«, sage ich noch, dann lege ich den Hörer auf.

»Hi. Störe ich dich bei irgendwas?«, fragt er, schreitet ins Büro und sieht nicht so aus, als würde er es bedauern, falls er mich bei irgendwas störte.

»Ja«, sage ich, aber wie ich ihn so vor mir stehen sehe, bin ich froh über die Ablenkung. Er trägt einen raffiniert geschnittenen Leinenanzug und sieht wie immer schön und mühelos sexy aus. Er kehrt zurück von der ersten Aufsichtsratssitzung der neu gegründeten Elizabeth-Weston-Stiftung zurück, und seinem breiten Grinsen nach zu urteilen, muss sie gut verlaufen sein.

Die Stiftung hat ihren Sitz im Temworth Manor, das bald die Heimat einer Anzahl von jugendlichen Süchtigen sein wird, die behutsam entwöhnt und zurück ins Leben geführt werden sollen. Die eleganten Empfangsräume im Erdgeschoss, von Lizzys Familie kostbar und mit Sachverstand eingerichtet, werden zu Aufenthalts- und Ruheräumen umgestaltet, während im ersten Stock die Schlafräume und die Quartiere der Angestellten untergebracht werden. Die teuersten Bilder und Möbelstücke werden verkauft; mit dem Erlös sollen das medizinische und pädagogische Personal bezahlt werden.

Damit schließt sich ein unglückliches Kapitel in Elizabeths Familiengeschichte. Vielleicht wird Temworth Manor eines Tages wieder das Zuhause einer Familie sein, die es dann so lieben wird, wie Lizzy das einmal getan hat.

»Ein guter Morgen?«, frage ich.

»Großartig«, antwortet er und nimmt sich einen Apfel aus der Schale auf dem Schreibtisch. Er ist noch angespannt von der Sitzung und kann nicht still stehen, also geht er im Büro auf und ab.

Ich habe ein Gerücht gehört, dass der PM plant, ihm seinen Job wieder anzubieten, wenn sich der Staub gelegt hat, der nach Lukes Festnahme aufgewirbelt war. Aber Luke, bedacht auf den Schutz der Regierung, der er einmal gedient hat, wird das Angebot nicht annehmen. Seine hohen ethischen Maßstäbe lassen nicht zu, dass er den Ruf eines so wichtigen Mannes zu schützen versucht, wenn sein eigener angekratzt ist, ganz egal, wie ungerechtfertigt die Anschuldigungen gegen ihn sind. Sein Leben wird er nun seinem neuen Projekt widmen.

»Und?«, frage ich. »Wann kann ich als deine Öffentlichkeitsberaterin anfangen?«

»Sobald du willst«, antwortet er und beißt in den Apfel. »Dein kleines schwarzes Buch wird unschätzbar sein. Aber bei mir wirst du hart arbeiten müssen und nicht so herumtrödeln wie hier.«

»Ich arbeite wie ein Trojaner«, protestiere ich und weiß, dass es nicht ganz der Wahrheit entspricht. Aber ich weiß auch, dass es mir viel geben wird, mich für eine Stiftung wie die von Elizabeth Weston einzusetzen. Zum ersten Mal in meinem Leben habe ich das Gefühl, etwas tun zu können, was mich ausfüllt. »Übrigens«, sage ich, weil ich das Thema wechseln will, »du arbeitest nicht mehr hier. Wie bist du an den Sicherheitsleuten vorbeigekommen?«

»Ich hatte kein Problem«, sagt er und beißt wieder zu. Luke hat offenbar nichts von seiner Fähigkeit eingebüßt, Menschen zu beeinflussen. Er lässt sich auf einen Stuhl fallen, schaut auf den Apfel, als ob er ihn zum ersten Mal schmeckt, und rümpft die Nase. »Der schmeckt schrecklich. Weißt du, all dieses gesunde Zeug ist nicht immer gut für dich.« Er wirft den Rest des Apfels in den Abfallkorb und schaut zur Decke nach einem Rauchmelder, bevor er seine Zigaretten herausholt und sich eine anzündet.

»Und du solltest nicht rauchen.«

Luke hebt die Schultern. »Ich habe im Laufe meines Lebens schon viele Laster aufgegeben. Die einzige Lust, die mir geblieben ist, sind die Zigaretten. Und hemmungsloser Sex. Und fettes Essen. Oh, da fällt mir ein, dass ich Hunger habe. Gehst du mit zum Essen?«

»Okay.«

»Ich würde gern ins ›Ivy‹ gehen«, fährt er fort. »Ich dachte, du könntest mich einladen.«

»Das nenne ich unverschämt«, schimpfe ich, fahre den Computer herunter und hole die Disc heraus. »Ich zahle heute nur, wenn du mir morgen die ›Eier Benedictine‹ vorsetzt, die du mir versprochen hast.«

»Einverstanden.«

Als ich aufstehe, stoße ich mit einem Arm gegen meine Aktentasche, sie fällt kopfüber auf den Boden, und der Inhalt verteilt sich auf dem Teppich. Ich glaube, mein Herz setzt für ein paar Schläge aus.

Lukes Geschichte

Ich bücke mich, um ihre Tasche aufzuheben. Aber Cassandra wirft sich auf die Knie und kommt mir zuvor. Hastig rafft sie alles zusammen und stopft die einzelnen Dinge zurück in ihre Tasche. Irgendwas an ihrer Reaktion alarmiert mich. Auf ihrem Gesicht sehe ich einen Ausdruck, den ich noch nie gesehen habe. Sie wirkt verlegen.

»Cassandra? Was versteckst du in dieser Tasche?« Die Furcht, die sich in meiner Brust breit macht, ist mir zum Kotzen vertraut.

»Das Übliche, was Frauen eben so mit sich herumschleppen.«

»Du verbirgst was vor mir. Zeig es mir.« Es ist unmöglich, die Verzweiflung aus meiner Stimme herauszuhalten.

»In meiner Tasche gibt es nichts, was dich interessieren würde.« Sie sagt mir nicht die Wahrheit.

»Und warum kannst du es mir dann nicht ...?«

»Himmel, Luke, du weißt schon, welche Tampons ich benutze. Da ist nichts, wirklich.«

Mein Entsetzen weitet sich in Zorn. Ich fasse sie grob an den Schultern an.

»Dann zeige es mir doch.« Ich sehe wie von weitem, dass ich sie schüttle. Sie schreit wütend auf.

»Nimm deine Finger von mir!«

»Zeig mir, was du in der Tasche hast.«

»Nein.« Ihre Wangen glühen vor Scham. Sie ist schuldig wie die Sünde. Geschockt und wahnsinnig enttäuscht lasse ich sie los und stolpere rückwärts. Langsam schließe ich die Augen. Plötzlich fühle ich mich sehr, sehr müde. Meine Glückseligkeit rinnt mir wie Sand durch die Finger.

Ich habe mir die ganze Zeit eingeredet, dass mein Verdacht nicht gerechtfertigt ist. An dem Abend, als sie zu mir in die Wohnung kam, habe ich mich von ihr überzeugen lassen, dass sie nur als Ausnahme mal gekokst hat. Dann habe ich glauben wollen, dass es einen unschuldigen Grund gibt, warum sie Hugo Geld gegeben hat. Dass ich mich geirrt habe, als ich glaubte, sie spräche am Telefon mit ihrem Dealer.

Wenn ich nachts aus einer Panikattacke schweißgebadet aufschrecke, habe ich meine Sorgen als Paranoia abgetan. Ich dachte, meine Albträume seien der Beweis dafür, dass ich dabei war, mit der Vergangenheit abzuschließen. Jetzt erkenne ich, dass sie nur eins beweisen – meine Dummheit.

»Cas, ich kann dich nicht daran hindern, aber ich kann das alles nicht noch einmal durchmachen. Ich kann nicht mit dir zusammenbleiben, wenn du das tust.«

»Wenn ich was tue?« Cassandras ahnungsloser Ausdruck ist sehr überzeugend. Ich muss es ihr lassen – sie ist eine sehr geschickte Lügnerin.

»Was ist es? Koks?«

»Koks?« Sie sieht mich bestürzt an. »Du glaubst, ich verstecke Kokain? Aber du weißt, dass ich dieses Zeug nicht ...«

»Doch, ich weiß, dass du es nimmst. Ich habe gesehen, wie

du Hugo Wrighton Geld gegeben hast. Du hast von ihm deine Ware erhalten.«

»Ach, du bist verrückt. Hugo handelt mit Kunst, nicht mit Stoff. Ich habe ihm Geld gegeben, damit er mir eine alte politische Schrift besorgt. Sie sollte ein Geschenk für dich sein.« Sie stemmt in einer koketten Geste die Hände auf die Hüften. »Ich wollte dir ein Bild für dein Büro kaufen, damit du endlich den hässlichen toten Kerl abhängen könntest.«

Ich weiß zuerst nicht, wovon sie spricht. »Den heiligen Sebastian?« Ich kann es nicht fassen. »Du wolltest den heiligen Sebastian ersetzen?«

Sie schmollt und sieht wie ein gescholtenes und sehr hübsches kleines Mädchen aus. »Ja.«

»Aber es ist ein El Greco.« Lizzy hatte das Bild aus dem Familienschatz geholt und es mir zum einundzwanzigsten Geburtstag geschenkt. Es ist das einzige Gemälde, das ich nie verkaufen werde.

»Das weiß ich doch nicht. Aber dann habe ich erfahren, dass du mehr Bilder besitzt als die verdammte Tate Gallery, deshalb habe ich den Druck, den Hugo mir beschafft hat, selbst behalten. Er hängt auf meinem Klo. Aber ich schätze, so was fällt dir nicht auf, wenn dein Haus mit Turners vollgestopft ist.«

Ich muss lächeln. »Ich besitze nur einen Turner, um genau zu sein.« Sie lächelt zurück. Gott sei Dank, sie lächelt. Ich muss an das Telefongespräch denken, das mich damals so sehr in Unruhe versetzt hatte.

»Und Julian ist nicht dein Dealer?« Aber ich kenne die Antwort schon.

»Julian ist mein Friseur. Er hellt meine Haare auf, denn ich bin nicht ganz so blond, wie du vielleicht glaubst.« Sie verzieht das Gesicht, und ich begreife, dass ihr dieses Geständnis nicht leicht gefallen ist.

»Und du nimmst keine …?«

Sie drückt einen Finger auf meine Lippen, um mich zum Schweigen zu bringen. »Oh, Luke«, flüstert sie, »das würde ich dir niemals antun.«

Plötzlich weiß ich, dass sie das sehr ernst nimmt. »Und was hat du dann in deiner Tasche versteckt?«

»Okay, ich werde es dir zeigen, wenn du mir versprichst, mich nicht auszulachen.«

Ich verspreche es.

»Und du wirst es auch keinem anderen sagen?«

»Ich werde es keinem anderen sagen.«

Sie öffnet ihre Aktentasche, nimmt eine Zeitschrift heraus und hält sie hoch. Auf dem Titelbild strahlt – eingerahmt von Schlagzeilen wie »Perfektes Make up für einen perfekten Tag« und »Zehn Dinge, die er von dir wissen soll« – eine sehr selbstzufriedene Frau mit Blumen im Haar. Einen Moment lang starre ich verständnislos auf die Zeitschrift.

»Es ist ein Hochzeitsmagazin«, stelle ich fest.

»Das ist mein Blitzmerker Luke«, kommentiert sie sarkastisch. »Dein Wissen über die britische Zeitschriftenvielfalt ist phänomenal.«

»Du willst heiraten?«

»Nun ... ja.«

Das ist eine Idee, an die ich nie gedacht habe. Ich halte es für eine gute Idee, aber das brauche ich sie nicht wissen zu lassen. Zuerst will ich noch ein bisschen Spaß mit ihr haben.

»Und wen?«

»Dich, du Trottel.«

Ich muss lachen. »Da glaube ich die ganze Zeit, dass ich es mit einer modernen Frau zu habe, die einen ungeahnten Männerverschleiß hat und sich nie in einem weißen Kleid sehen will, und in Wirklichkeit ist sie ein süßes altmodisches Ding, das nicht schnell genug ›Ja, ich will‹ sagen kann.« Erfolglos versuche ich, einen Kicheranfall zu unterdrücken.

»Du bist ein unbarmherziger Widerling!«, brüllt sie, und

ich muss mich ducken, weil sie mir die Zeitschrift entgegenschleudert.

»Und du bist ein …« Ich bringe den Satz nicht zu Ende, denn Cassandra wirft sich gegen mich, schlingt ihre Schenkel um meine Taille und bringt mich mit einem geschickten Tackling auf den Boden. Sie grätscht über meinen Körper und setzt sich schwer auf meinen Bauch.

»Nein, Cassandra!«, rufe ich. »Kitzle mich nicht. Toby hört es und ruft den Sicherheitsdienst. Nein! Nicht hier!«

Und während ich protestierend aufheule, zieht sie meinen Reißverschluss nach unten, und eine Hand greift in meine Hose.

Ich werde ihr nachher einen richtigen Heiratsantrag machen.

Aber nicht jetzt.

Ende

Ein Roman von Gabrielle Marcola, dem neuen Star der erotischen Literatur

Gabrielle Marcola
DER GOUVERNEUR
Erotischer Roman
256 Seiten
ISBN 10: 3-404-15593-9
ISBN 13: 978-3-404-15593-4

Die junge Imageberaterin Cassie ist schön und clever, und sie weiß, wie sie den Kopf ihrer Klienten aus der Schlinge zieht. Aber als Gouverneur Bryce Clarkson seine Libido mal wieder nicht im Griff hat, zögert Cassie, für diesen Heißsporn die Kohlen aus dem Feuer zu holen. Vor sechs Jahren waren sie ein Paar, bis sie den charismatischen Politiker mit einer anderen Frau im Bett überraschte. Jetzt ist der künftige Präsidentschaftskandidat auf Cassie angewiesen, denn nur sie könnte ihn vor der rabiaten Domina Queenie retten, die ein Sex-Video mit Bryce veröffentlichen will.

Bastei Lübbe Taschenbuch

Prickelnde Erotik vom Feinsten -

Kerry Sharp
INDISKRET
Erotische Geschichten
224 Seiten
ISBN 3-404-15544-0

Das breite Spektrum weiblicher Fantasien deckt seit Jahren schon die Kurzgeschichtensammlung »Wicked Words« innerhalb der legendären englischen Erotikreihe Black Lace ab. Ein Teil der originellsten Storys liegt mit diesem Band vor.

Bastei Lübbe Taschenbuch

Die Fortsetzung des sensationellen erotischen Romans *Die Küchenchefin*

Monica Belle
DIE
GENIESSERIN
Erotischer Roman
256 Seiten
ISBN 3-404-15529-7

Mit der Hochzeit der Küchenchefin Juliet mit dem jungen Aristokraten Toby endete der erste Roman um die wilde Juliet. Die Autorin Monica Belle nimmt in ihrem neuen Erotikwerk das verheiratete Leben der beiden auf – aber was als ganz normaler Ehe-Alltag beginnt, entwickelt sich zu einem erstaunlichen Feuerwerk der Sinne.